Stendhal et Flaubert

Jean-Pierre Richard

Stendhal
et
Flaubert

Littérature et sensation

Préface de
Georges Poulet

Éditions du Seuil

MAQUETTE DE COUVERTURE

PIERRE FAUCHEUX

A Moune

Préface

Littérature au second degré, la critique littéraire a pour objet la littérature. Ceci mérite réflexion. A partir du moment précis où se trouve franchie la lisière d'une œuvre, il faut dire adieu au jour et aux objets. Sans doute des formes familières apparaissent, éclairées d'une nouvelle lumière, mais que l'on y prenne garde, elles ne révèlent que l'absence des êtres qu'elles avaient coutume de montrer. Car la littérature, est-il besoin de le dire, est un monde entièrement imaginaire. C'est le résultat très pur de l'acte par lequel, en transmuant ses objets en pensée, l'écrivain a fait s'évanouir tout ce qui n'est plus celle-ci. Reste donc une pensée. Elle existe, pénétrable, parcourable. Elle s'ouvre sur une suite de cavernes, toutes différentes, toutes à la fois vides et pleines, où retentit la même exclusive affirmation de l'existence. Qui s'y engage n'a pas seulement à quitter le monde des objets, il a aussi à quitter sa propre personne. Car la pensée, dès qu'elle devient pensée, se veut seule, ne souffre plus aucun compagnon. Il faut alors simplement se résigner à faire partie des lieux, à habiter, à se laisser habiter par la pensée. Rien n'existe plus pour le critique que cette conscience qui n'est même plus d'autrui, qui est solitaire et universelle. La première, peut-être la seule critique qui soit, c'est la critique de la conscience.

Telle apparaît, par exemple, aujourd'hui, dans son extrême nudité, la critique de Maurice Blanchot. Il n'en

*est pas de plus pure. Il n'en est pas non plus de plus
littéraire. Littérature de la littérature, conscience de la
conscience, elle correspond exactement dans le domaine
de la critique à ce que Mallarmé a réalisé dans un plus
haut domaine, celui de la poésie.*

*Mais l'on peut se demander aussi si la critique est vouée
à refléter exclusivement la conscience. Puisque celle-ci est,
comme nous le croyons maintenant, conscience de quelque
chose, n'est-il pas possible de retrouver, tout au bout
de l'acte littéraire, ce quelque chose qui fut objet de pensée ? « Nous avons vu, dit Marcel Raymond, la conscience
s'isoler... Tout change quand elle consent à se laisser
pénétrer par une volupté, à trouver son bonheur dans
la lumière extérieure, à accueillir la sensation. » Quelque
part au fond de la conscience, de l'autre côté de la région
où tout est devenu pensée, au point opposé à celui par
où l'on a pénétré, il y a donc eu et il y a donc encore
de la lumière, des objets et même des yeux pour les
percevoir. La critique ne peut se contenter de penser une
pensée. Il faut encore qu'à travers celle-ci elle remonte
d'image en image jusqu'à des sensations. Il faut qu'elle
atteigne l'acte par lequel l'esprit, pactisant avec son corps
et avec celui des autres, s'est uni à l'objet pour s'inventer
sujet.*

*Telle est, me semble-t-il, l'importance extrême de la
critique de Jean-Pierre Richard. En elle la conscience
apparaît non à vide mais aux prises, appliquée à transformer en matière spirituelle un monde incarné. Une nouvelle critique naît, plus proche à la fois des sources géné-
tiques et des réalités sensibles. Nouvelle critique, d'ailleurs
longuement préparée par l'effort critique des derniers vingt
ans. En premier lieu il faut toujours revenir à ce livre
unique, le plus grand dans la critique de notre siècle,*
De Baudelaire au surréalisme, *où Marcel Raymond, avec
une sorte de patiente magie, sut découvrir, au-delà des
œuvres, leur contact avec les choses, l'effacement des frontières entre l'objectif et le subjectif. A peine moins impor-*

*tant, issu d'ailleurs des mêmes régions de méditation pas-
sionnée, le grand livre d'Albert Béguin sur* l'Ame romantique et le rêve, *révélait la nature comme la matière même
du songe que l'esprit poursuit. Mais à côté des œuvres
proprement critiques il y en a d'autres. Toute la philosophie récente s'est située dans un domaine voisin de
la critique, un domaine de pré-philosophie, où ce qui
apparaît est la profonde similarité de la philosophie et
de la littérature dans l'acte premier par lequel elles se
tournent vers leurs objets. Ainsi sous le nom d'incar-
nation, Gabriel Marcel décrit la situation de l'être lié à
son corps, centre d'expérience. Sartre saisit la conscience
comme conscience d'autre chose que soi. Depuis longtemps déjà, dans une œuvre qui est une des plus agiles
de notre époque, Jean Wahl parcourt les variétés d'un
« réalisme naturel », où la pensée est toujours « bra-
quée sur quelque chose, venant de quelque chose ». Plus
récemment les livres de Merleau-Ponty mettent au jour
le fouillis des « complicités primitives au monde », confondues dans l'ambiguïté de la perception. Enfin parmi les
philosophies qui ouvrent un champ à la critique, il n'en
est pas de plus féconde que celle de Gaston Bachelard.
Par sa loi des quatre éléments, elle montre « l'étonnant
besoin de pénétration qui, par-delà les séductions de l'imagination des formes, va penser la matière, rêver la matière,
vivre dans la matière ou bien — ce qui revient au même
— matérialiser l'imaginaire ».*

*Ces comparaisons ne sont pas lourdes au livre que
voici. Je dirai même qu'il les appelle, tant il est issu
naturellement des œuvres dont je viens de parler. Rarement une pensée a fait si justement profit des pensées
qui la précèdent. Rarement l'application a correspondu
si exactement aux principes. Il ne s'agit nullement ici de
philosophie, jamais de la conscience isolée. Tout ce qui
aurait pu s'y trouver de général et d'abstrait, est comme
s'il n'avait pas même été conçu. Rien ne demeure qu'une
pensée merveilleusement apte, non seulement à s'enfon-*

cer dans la substance des œuvres, mais encore à remonter jusqu'aux expériences sensibles qui en constituent la source et souvent aussi la structure. En deçà de l'œuvre il y a l'être ; en deçà de l'être il y a le monde. Monde des autres, avec lequel il s'agit de communiquer. Monde, par exemple, tantôt trop distinct et tantôt trop vague, lieu alternatif de la connaissance et de la tendresse, que Stendhal ne peut se concilier qu'en le voilant de pénombre et en le situant au fond des perspectives de son regard. Ou encore, dans l'extraordinaire Flaubert, *l'ouverture d'un monde en profondeur, le glissement de l'être en pleine matière, là où « le sentiment coule dans une cohérence trouble ». A partir de ce livre il devient difficile pour la critique de s'enfermer à l'intérieur des consciences. Intériorité et extériorité s'entrepénètrent dans leur milieu communiquant. Comme le dit Sartre à propos de Francis Ponge, « Ici matérialisme et idéalisme ne sont plus de saison. Nous sommes loin des théories, au cœur des choses mêmes ». Cœur des choses, cœur de l'esprit.*

Georges Poulet

Avant-Propos

On s'accorde assez communément aujourd'hui à reconnaître à la littérature une fonction et des pouvoirs qui débordent largement son rôle ancien de divertissement, de glorification ou d'ornement. On aime à voir en elle une expression des choix, des obsessions et des problèmes qui se situent au cœur de l'existence personnelle. Bref la création littéraire apparaît désormais comme une expérience, ou même comme une pratique de soi, comme un exercice d'appréhension et de genèse au cours duquel un écrivain tente d'à la fois se saisir et se construire.

C'est dans cette perspective qu'il faut lire les études ici réunies. On y verra Flaubert et Stendhal, successivement occupés, souvent d'ailleurs sans le savoir eux-mêmes, à la recherche de certaines solutions intérieures. Chacun d'eux, dans les divers champs qu'a traversés sa vie concrète, expérience de l'espace, du temps, de l'objet, du rapport avec autrui ou de la relation avec soi-même, nous y a paru retrouver et affirmer la permanence de certaines structures intérieures, de certaines attitudes d'existence qui définissent et qualifient son originalité.

Car il ne saurait exister d'hiatus entre les diverses expériences d'un seul homme : qu'il s'agisse d'amour ou de mémoire, de vie sensible, de vie spéculative, dans les domaines apparemment les plus séparés se décèlent les mêmes schèmes. Tel paysage, telle couleur de ciel, telle courbe de phrase éclairent l'intention de telle option morale, de tel engagement sentimental. Telle obscure rêverie de l'imagination dynamique ou matérielle rejoint en profondeur la spéculation la plus abstraitement conceptuelle. Et c'est dans les choses, parmi les hommes, au cœur de la sensation, du désir ou de la rencontre, que se vérifient les quelques thèmes essentiels qui orchestrent aussi la vie la plus secrète, la méditation du temps ou de la mort. Le travail critique a donc ici consisté en une mise en relation, ou mieux en une mise en perspective des diverses données apportées par l'œuvre et par la vie. A l'intérieur de ces perspectives, — qui souffrent bien évidemment de se présenter comme un étalement, une succession, — chaque texte et chaque analyse tentent de renvoyer à l'ensemble de la description, recevant d'elle leur sens et lui apportant en retour leur clarté particulière. C'est seulement dans ce jeu de lueurs reçues et renvoyées que peut résider leur signification : celle-ci ne peut être qu'une orientation, que l'indication d'une certaine direction fuyante au bout de laquelle on serait heureux de voir se profiler l'unité supérieure d'une existence enfin délivrée de tous ses faux hasards et rendue à sa cohérence singulière.

La littérature n'a pourtant pas pour seule, ni peut-être même pour plus importante fonction de refléter cette unité : l'œuvre n'a pas été ici considérée comme un message ou comme un résidu, comme la simple traduction de quelque méditation intérieure ou comme la trace à demi effacée de quelque ineffable extase. L'écriture fait-elle aussi partie de l'expérience la plus intime ; elle en épouse les structures, mais c'est pour les modifier, les infléchir. Pourquoi même écrire si ce n'est, comme disait Rimbaud, pour changer la vie, pour découvrir un monde où nous soyons vraiment au monde ? On a donc vu dans l'écriture une activité positive et créatrice à l'intérieur de laquelle certains êtres parviennent à coïncider pleinement avec eux-mêmes. Flaubert et Stendhal nous sont deux exemples d'une parfaite adéquation à soi-même, ici allégrement, là douloureusement atteinte. L'élaboration d'une grande œuvre littéraire n'est rien d'autre en effet que la découverte d'une perspective vraie sur soi-même, la vie, les hommes. Et la littérature est une aventure d'être.

Connaissance et tendresse
chez Stendhal

« ... De là a dû résulter cette disposiion singulière des esprits, et ce contraste si remarquable
que vous avez remarqué entre le *positif* des sciences de fait qui ont régné jusqu'à notre temps
et les *pensées mélancoliques,* le besoin d'*émotions vagues,* etc... N'est-ce pas, mon respectable
ami, que l'altération ou l'absence des croyances
fermes et positives a laissé un vide où les imaginations jeunes les plus cultivées... *s'étendent* et
débordent, pour ainsi dire, sans trouver un but,
un terme où s'arrêter ? »   Maine de Biran
          Lettres à Stapfer, cité par Gouhier.
     Les conversions de Maine de Biran, p. 15.

« Je fais tous les efforts possibles pour être sec.
Je peux imposer silence à mon cœur qui croit
avoir beaucoup à dire. Je tremble toujours de
n'avoir écrit qu'un soupir, quand je crois avoir
noté une vérité. » Stendhal, *De l'Amour,* I, 57.

A travers toutes ses vies, réelles et imaginaires, et à tous les niveaux de son expérience, Stendhal apparaît double : esprit lucide et logique, désireux d'arriver au vrai par les chemins, même les plus arides, de l'analyse ; mais aussi rêveur chimérique, amant passionné, emporté au moindre prétexte dans la mélancolie romanesque et l'imagination du bonheur. On voit même le plus souvent « en cette rare combinaison d'ardeur et de clairvoyance [1] » son charme premier, son originalité majeure. Mais on se contente généralement d'abandonner Stendhal à cette dualité, sans trop se soucier de décrire les attitudes concrètes entre lesquelles il se partage, ni la formule selon laquelle peuvent se marier ses deux tendances ennemies. C'est au contraire à montrer la coexistence de ces mouvements opposés et à découvrir quels ont pu être de l'un à l'autre les transitions, les compromis ou les passages, qu'a voulu s'employer cette étude. Elle a tenté de retrouver, dans tous les domaines qu'a traversés l'expérience stendhalienne, la présence et le mélange des deux climats essentiels de *sécheresse* et de *tendresse*, l'appel des deux principes centraux de détermination et d'indistinction entre lesquels son œuvre et sa vie même paraissent tout entières partagées [2].

---

1. M. Blanchot, *Faux-pas*. — 2. Les références des textes cités renvoient, sauf indication contraire, aux *Œuvres complètes de Stendhal*, Ed. Henri Martineau, Divan.

1

Tout commence par la sensation. Aucune idée innée,
aucun sens intime, aucune conscience morale ne préexis-
tent dans l'être à l'assaut des choses. Le héros stendhalien se dresse en face de l'univers aussi démuni, aussi
libre de préjugés que le premier homme au matin de la
création. Stendhal reçoit en effet du xviiie siècle l'image
d'un héros vierge et nu que sa seule expérience instruira
peu à peu. Julien au séminaire, Fabrice à Waterloo sont
eux aussi des ingénus ; dignes fils du Huron de Voltaire
ou du Persan de Montesquieu, ils se forment par leurs
sensations, se laissent amener par elles à la connaissance
des choses et à la conscience d'eux-mêmes. Mais, et ceci
les distingue profondément de leurs aînés, ils ne se contentent pas d'attendre passivement la venue de l'expérience :
ils vont au-devant d'elle, au besoin même ils la provoquent. Homme de l'ère napoléonienne, disciple de Maine
de Biran, Stendhal a appris les vertus de l'effort et de
l'activité. Et devant ses héros la vie s'étend comme une
brousse sensuelle au travers de laquelle il s'agira de se
tailler le plus savoureux chemin. Le bonheur pour eux
ne s'attend pas, comme dans l'ancien épicurisme : il se
chasse et se force. La sensation est une proie, à la fois
le cadeau d'un hasard et la récompense d'un courage. La
chasse au bonheur peut alors aboutir à la réussite de
quelques instants parfaits, dont le contenu sensible suffit
à résumer et justifier une vie.

Stendhal connut de tels instants. Fort peu nombreux,
certes ; mais assez nombreux cependant pour qu'autour
d'eux, comme autour de quelques pics isolés, tout le paysage de sa vie ait pu se grouper et s'ordonner. Dimanche 24 Thermidor, jour où, « après avoir pris pour la

première fois de l'extrait de petite centaurée et de fleurs d'oranger », Stendhal découvre « les pensées qui commencent le cahier de la ferme volonté », — dimanche de Claix où il écrit ses premiers bons vers, — feu d'artifice chez Frascati, avec la tête d'Adèle sur son épaule, — lecture de *la Nouvelle Héloïse* au-dessus de l'église de Rolle, — première audition, dans une petite ville italienne du Matrimonio Segreto, chanté par une actrice adorablement édentée... tous les stendhaliens connaissent et révèrent ces minutes précieuses où le hasard extérieur est venu exactement combler l'exigence de l'âme. Stendhal lui-même leur voue un culte sans distraction, et jusqu'au dernier jour il tâche d'en conserver en lui la trace.

Mais ce fut justement l'un des grands paradoxes stendhaliens qu'un être si passionnément attaché à la poursuite du bonheur dût finalement s'avouer presque impuissant à se décrire un peu nettement à lui-même les diverses nuances de ce bonheur, et même à en garder en lui une image distincte. Car le bonheur se vit ou se revit, mais il ne peut se raconter ; la violence même de son rapt empêche de le regarder et de le connaître. « On ne peut apercevoir, écrit Stendhal, la partie du ciel trop voisine du soleil [3]. » A plus forte raison ne peut-on contempler le soleil lui-même : c'est dire que le bonheur, « bonheur parfait, goûté avec délices et sans satiété, par une âme sensible jusqu'à l'anéantissement et la folie [4] », est une ardeur éblouissante. Et quand l'instant heureux s'est terminé, lorsque l'âme sensible revient de sa folie et renaît à elle-même, elle ne peut trouver en elle qu'un souvenir confus de cet état d'extase dans lequel cependant elle s'était tout entière plongée.

Mais cette confusion ne peut satisfaire Stendhal. Pour combler pleinement son âme la chasse au bonheur devrait ne point exclure la connaissance du bonheur. Aussi va-t-il

---

3. *Vie d'Henri Brulard*, II, p. 319 — 4. *Vie d'Henri Brulard*, I, p. 182.

tenter de retrouver tous ces moments apparemment perdus, et de reconquérir sur l'indistinct ces bonheurs trop
puissants, ces sensations trop vagues. Son expérience commence par l'ardeur, mais son entreprise la plus lucide
consiste à circonscrire cette ardeur, à la connaître, puis
à établir entre les pointes brûlantes de sa vie une continuité de sentiment où sa conscience ne soit pas menacée.
Il lui faut pour cela non plus *sentir* mais *percevoir* :
et contre Rousseau, grand maître des âmes sensibles, Stendhal va faire appel à ces professeurs de pensée que sont
les Idéologues.

« Tant que je n'ai pas marqué les limites d'une vérité,
que je ne l'ai pas sommée, elle n'est qu'à moitié découverte... C'est une ligne que je voudrais connaître et dont
je n'ai pas la direction. En marquant les limites je me
préserverai de la vérité mal appliquée, grande source d'er-
reurs. T'is true [5]. »

Tel est le premier mouvement de reconquête. Pour posséder le vrai il faut le définir, c'est-à-dire en tracer les
limites. Faute d'un contour qui la cerne, la vérité s'égare
et se dilue : bref la connaissance circonscrit [6]. C'est en
dégageant sensations, idées ou sentiments de la confusion
dans laquelle l'expérience immédiate les lui offre que la
conscience les promeut véritablement à l'existence. Pour
elle n'existe que le clair, n'est clair que le distinct, et
distinct que ce qu'une ligne enferme, confirme. L'univers
va donc se morceler ; dans sa masse originellement confuse
apparaîtront des parties détachées ; et ces parcelles vivront
côte à côte, juxtaposées, limitées à elles-mêmes, enfermées
en elles-mêmes. Dans un univers d'effusion et de générosité
pure l'analyse vise à instaurer une règle nouvelle, la règle
du *quant à soi*.

Mais comment appliquer ce programme ? Comment cir-

---

5. *Filosofia Nova*, II, p. 56. — 6. Cf. aussi Tracy : « Il ne
connaîtrait donc pas proprement dans le sens que nous attachons
à ce mot *connaître*, qui comporte toujours l'idée de *circonscrip-
tion* et de spécialité. » *Eléments d'Idéologie*, IV, p. 71.

conscrire une pure effusion, cerner un éblouissement ? Le propre du bonheur n'est-il pas de défier le regard, de se refuser à toute analyse ? Certes, répond Stendhal, mais il nous reste la ressource de le définir *indirectement,* par la description des sensations qui l'avoisinent ou de celles dont il est l'absence. « Je ne pourrais, ce me semble, écrit-il dans *Henri Brulard* [7], peindre ce bonheur ravissant, pur, frais, divin, que par l'énumération des maux et de l'ennui dont il était l'absence complète. » Ainsi l'envers d'un masque décrit à sa façon le visage sur lequel il a été moulé. C'est ici le vide qui est chargé de suggérer la plénitude, l'ombre d'appeler la lumière. Les peintres, dit ailleurs Stendhal, ne font pas autrement : « le peintre n'a pas le soleil sur sa palette », mais il peut suggérer la sensation de clarté soit en forçant les parties sombres, — et c'est le *clair-obscur,* — soit par l'utilisation du *ton général,* en répandant sur l'ensemble de son tableau une lumière uniforme et diffuse [8]. Et Stendhal lui-même s'adonne assez peu au clair-obscur littéraire : c'est une « triste façon, certes, de décrire le bonheur » que de le traduire en termes de souffrance ou d'ennui. Dans Henri Brulard, par exemple, devant « la difficulté, le regret profond de mal peindre et de gâter ainsi un souvenir céleste [9] », il préfère renoncer et se taire. Mais la *Chartreuse* réussit là où *Henri Brulard* avait échoué ; et cette réussite semble bien due à ce que Stendhal y reprend et transpose ce procédé du *ton général* qu'il avait emprunté aux plus grands peintres. Sur l'ensemble de son roman il fait en effet flotter une atmosphère de bonheur, un voile de gaîté légère et poétique qui rendent les plus hautes

7. Ibid, I, p. 185. — 8. « Si, pour rendre le simple clair-obscur, il faut qu'il fasse les ombres plus sombres, pour rendre les couleurs dont il ne peut pas faire l'éclat, puisqu'il n'a pas une lumière aussi brillante, il aura recours à un *ton général.* Ce voile léger est d'or chez Véronèse, chez le Guide il est comme d'argent, il est cendré chez le Pezarese, etc... » *Histoire de la Peinture en Italie,* I, p. 61. — 9. I, p. 185.

joies facilement, presque immédiatement compréhensibles. L'extase heureuse semble y faire partie de l'expérience la plus familière ; si bien qu'en y conservant tout son charme, le bonheur cesse d'y apparaître éclatant ou vertigineux.

Mais il est bien d'autres vertiges. Une fois la vérité cernée ou apprivoisée, il reste à l'empêcher de glisser et de se perdre dans le mouvement intérieur qui propose sans cesse à l'esprit des vérités nouvelles. « Comme en idéologie, il faut savoir à chaque instant retenir notre intelligence qui veut courir ; de même dans la théorie des arts, il faut retenir l'âme qui sans cesse veut jouir, non examiner [10]. » Tout Stendhal est dans cette divine impatience ; et les ivresses de son intelligence diffèrent assez peu du jaillissement de ses désirs. Toujours il veut aller plus vite, dépasser, brûler la vérité acquise pour s'élancer vers la vérité nouvelle. « Mon âme, écrit-il, est un feu qui souffre s'il ne flambe pas. Il me faut trois ou quatre pieds cubes d'idées nouvelles par jour [11]. » Et sous le feu de cette ardeur aucune pensée n'a le temps de prendre forme, de s'installer en lui. A peine ses idées s'esquissent-elles que d'autres idées, déjà, les poussent et les remplacent. Toute pensée reste chez lui à l'état naissant, condamnée à l'adolescence : à aucune d'entre elles il ne laisse le temps de se développer, de mûrir, de devenir lieu commun. La vie de l'esprit, elle aussi, est « faite de matinées ».

Il importait cependant de maîtriser tous ces bondissements : dans un monde de réalités débordantes ou volubiles l'analyse vise à rétablir un ordre, une immobilité. Et c'est pourquoi elle a pour premier instrument le *langage*. Stendhal, à la suite des idéologues, fait donc confiance aux mots : il voit en eux des garde-fous, des moyens de fixer et de déterminer l'informe. Le 24 janvier 1806,

---

10. *Vie de Rossini*, I, p. 180. — 11. *Correspondance*, II, p. 137. *Civ. Vecchia*, I, II, p. 1834.

il rêve par exemple à la perfection qu'il atteindra sans doute dans dix ans, quand il aura pleinement maîtrisé son style, quand, écrit-il

« j'aurai acquis l'habitude de voir les bornes des vérités, ou, ce qui en est le moyen, de ne pas me laisser entraîner par mon imagination, et d'attacher un sens constant et déterminé à chacun des mots qui expriment une nuance dans les caractères [12]. »

Et cette « constance » lui sera garantie par une longue étude qui « doit être de connaître et de déterminer le « sens des mots [13] ». « Avant que de peindre un caractère » il faudra par exemple « parfaitement déterminer ce carac-« tère..., c'est-à-dire le mot qui le nomme. Ainsi, avant de faire le *vaniteux,* décrire parfaitement, en une demi page ce que c'est que la *vanité,* séparer entièrement les actions qui désignent l'orgueil [14]. » Le mot ne peut donc borner la vérité qu'à la condition d'avoir été lui-même préalablement délimité. L'analyse s'occupera de fixer le langage afin de mieux pouvoir trier les sentiments ; l'abstrait précède ainsi le concret, et le jeune Stendhal, avant de se lancer dans le monde, entreprend de se fabriquer un vocabulaire [15]. Une fois cette tâche accomplie, il n'aura plus à redouter aucune confusion : aucun flou ne pou-

---

12. *Journal,* II, p. 323. — 13. *Journal, II,* p. 323. — 14. *Molière, Shakespeare,* p. 251. — 15. Un sentiment pour chaque mot, mais aussi un seul mot pour chaque sentiment : tel doit être le grand principe qui préside à la fabrication du vocabulaire idéal. Très logiquement, Stendhal déteste donc la fausse richesse des *synonymes* : « Rien ne dégoûte plus d'apprendre une langue que la multiplicité vicieuse des synonymes. J'appelle multiplicité vicieuse celle des synonymes qui ont exactement le même sens. Les pédants appellent cela richesse de la langue. Un vocabulaire bien fait nous ôtera cette richesse funeste... » Et, si l'on considère comme synonymes les mots correspondants des divers dialectes ou des diverses langues étrangères, on peut imaginer une simplification totalitaire qui, supprimant tous les termes équivalents sauf un, créerait une langue universelle. « Ainsi les jeunes gens trouveront moins de difficulté à apprendre l'italien, et peu à peu les dialectes tomberont. » *Mélanges de Littérature,* III, p. 130.

vant plus se glisser entre le sentiment et l'expression, le réel viendra exactement remplir les cadres vides du langage, et la connaissance du monde deviendra exercice de style. C'est en effet sur la *grammaire* que s'achève et se couronne l'édifice idéologique.

Si précise, en ses définitions et en ses règles, que se voulût cette rhétorique nouvelle, il lui manquait pourtant de fixer et de résumer ses résultats en des signes absolument immuables : mesures et chiffres. Une signification peut varier, mais une formule demeure invariable. Et si Stendhal aima tant les mathématiques, ce fut pour avoir très tôt reconnu en elles une puissance immobilisante, une passion d'exactitude qui les situe dans l'échelle de la rigueur bien au-dessus de toutes les autres créations humaines. Il les aima non point pour leur puissance de déduction et d'enchaînement, leur mouvement inexorable, mais tout au contraire pour la fixité que leurs formules et leurs théorèmes imposent à des réalités naturellement instables. Mathématiquement définie la ligne ne peut plus en effet s'infléchir, s'ouvrir, trahir. On peut se reposer sur sa certitude éternelle. Les mathématiques sont donc la voie royale de l'esprit, et à les pratiquer on est sûr de toujours marcher droit, de ne jamais avoir à rougir de soi-même. C'est ainsi que les mathématiciens des romans stendhaliens cultivent le plus souvent de pair la pensée ferme et la rigueur morale. Et sans doute en revanche ne sont-ils point doués de cette flexibilité d'esprit et de manières qui fait les grandes réussites mondaines ; leur intransigeance peut même quelquefois paraître inélégante et dure. Mais Stendhal ne cesse de les aimer et de les admirer ; jamais il ne renonce à passer pour l'un d'eux. Il réclame par exemple « une suite d'équations pour le profil de l'Apollon [16] » ; ou bien il voit « dans le dessin correct, savant, imité de l'antique comme l'entend David, une science exacte de même nature que l'arithmétique,

16. *Marginalia,* I, p. 335.

la géométrie, la trigonométrie [17] ». Il adore les notations chiffrées, les petits schémas qui illustrent la vie des sentiments, les courbes et les graphiques qui résument l'évolution des passions. Bref les mathématiques brillent au ciel beyliste comme un pur, un inégalable modèle.

Redescendu sur terre, c'est à la science juridique, au *droit* que l'homme stendhalien s'adressera pour apaiser son besoin de rigueur. Car le droit règle les relations humaines. L'amour de Stendhal pour le *Code Civil* est bien connu : mais comment croire que ce goût fut seulemen stylistique ? N'est-il pas plus vraisemblable de penser que Stendhal aima le *Code* tout simplement parce que le Code *codifiait* ? La loi est bien, elle aussi, une machine à immobiliser, un appareil à définir. Elle tranche ; autour d'elle n'existe aucune marge ; on la commente mais on ne la tourne pas ; on est dans la loi, ou hors la loi ; et ce n'est pas l'esprit, mais la *lettre* qui décide. De ce pouvoir contraignant de la formule, écrite ou jurée, le roman stendhalien offre de très curieux exemples. Clélia se voue sans appel aux ténèbres. Et la grande faute du comte Mosca consiste à avoir omis d'écrire, sous la dictée du prince, le mot « *procédure injuste* » qui aurait lié le monarque et sauvé Fabrice. C'est que la formule admise oblige, même si l'on a le pouvoir de passer outre.

Comme les mathématiques définissent le vrai, le droit s'efforce de promouvoir le juste : mais cet effort est souvent vain. Car si la géométrie ne peut jamais créer l'erreur, la loi accepte trop souvent de servir et de consacrer l'injustice : il suffit pour cela que son décret intervienne *après*, non plus *avant* l'acte arbitraire. A l'inverse des mathématiques qui sont toujours *a priori,* elle se contente alors de légitimer après coup un débordement criminel, de confirmer un fait établi, de sanctionner un acte qu'elle n'a pas eu la sagesse ni le pouvoir d'interdire. Elle devient un simple instrument au service des tout puissants, et,

17. *Mélanges d'Art,* p. 42.

pour la grande masse des hommes, une machine à opprimer et à contraindre. Ainsi, dans la *Chartreuse,* Rassi entoure de formes juridiques les pires coquineries de ses maîtres ; son astuce procédurière sait transformer en règles leurs plus aberrantes fantaisies. Instrument de servitude, la loi sert maintenant de barrière à la liberté individuelle ; elle décrit les limites au-delà desquelles toute avancée provoque une sanction ; bref, par elle enfermés dans un réseau de règlements et d'interdits, les hommes se trouvent ramenés à une condition misérable et précaire. Ils ne sont plus que des prisonniers potentiels. Et c'est par un assez juste symbole que le duché de Parme vit à l'ombre de la Tour Farnèse.

Reste bien sûr la solution de la révolte, de l'évasion : nier le règlement ou sauter la muraille. Fabrice glisse le long de sa corde et Julien provoque ses juges. Tous deux connaissent la joie de la rupture et d'affirmer aux yeux des hommes qu'ils tireront désormais d'eux-mêmes leur propre loi. Au cœur du libéralisme stendhalien la tentation anarchique va donc équilibrer la tentation juridique. Et Stendhal de rêver aux belles époques d'autrefois où chaque âme énergique prenait en main son propre sort. Mais cette royauté des insoumis s'achevait le plus souvent dans les pires désordres ; et Stendhal aura tôt fait de découvrir que la seule vraie forme moderne d'insoumission, c'est l'hypocrisie. Julien, Fabrice s'efforcent alors de dissimuler, de se faire à eux-mêmes leur propre prison pour échapper aux geôles sociales. Ils jouent le jeu de la légalité, mais d'une légalité dont ils ont reconnu l'arbitraire : car la limite juridique, loin de se découvrir comme le contour mathématique à la suite d'un raisonnement juste, ne fait guère que traduire un état de fait, que recouvrir une frontière sociale. Pourquoi dès lors ne pas s'essayer à franchir cette frontière ? Regarder l'ensemble des forces que le droit sanctionne, les éprouver, les faire jouer à son profit, unir la rigueur mathématique et le cynisme juridique, tel sera l'art du parfait politique.

La politique débute donc elle aussi par une analyse : elle est un exercice de lucidité. « Le vague tue la politique [18]. » Précision, réalisme, sécheresse, telles devront être les premières vertus de l'ambitieux. Rien ne distingue donc ici l'activité pratique de la fonction spéculative : « Pour être bon philosophe, il faut être sec, clair, sans illusion. Un banquier qui a fait fortune a une partie du caractère requis pour faire des découvertes en philosophie, c'est-à-dire, *voir clair* dans ce qui est ; ce qui est un peu différent de parler éloquemment de brillantes chimères [19]. »

Ainsi M. Leuwen père passe avec un égal succès de la Banque au Parlement ou à la vie mondaine : les millions ne lui résistent pas plus que les hommes. Çà et là les mêmes méthodes lui assurent une égale réussite. A l'inverse de Balzac, qui croit en la spécificité des activités différentes et que chacune d'entre elles réclame une technique particulière, Stendhal se fie à la valeur universelle et partout vérifiée de l'analyse. Car le cœur humain ne varie pas [20]. Une fois reconnu le mécanisme des quelques grandes passions qui font agir les hommes, l'apprenti idéologue peut se croire maître de toutes les situations possibles. Il déchiffre l'énigme des conduites, pénètre le secret des cœurs ; banquier, amant, premier ministre, il jouit d'une égale clairvoyance qui lui permet de gagner à tous les coups. Car « une fois découverts les motifs des actions des hommes », quoi de plus facile que de provoquer en autrui l'action que l'on attend de lui ? Il suffira de faire agir le bon ressort, de susciter le bon motif. La séduction « logique » de Mélanie, et, sur un plan supérieur, le dressage de Mathilde par Julien illustrent à merveille cette technique de la *direction* d'autrui, dont Sten-

---

18. *Mélanges Intimes*, I, p. 368. — 19. *Mélanges de Littérature*, II, p. 283. — 20. « La marche de l'esprit humain », disait déjà Destutt de Tracy, « est toujours la même dans toutes les branches de ses connaissances... et la certitude de ses jugements est toujours de la même nature, et a toujours des causes semblables... », *Traité d'Idéologie*, I, p. 175.

dhal vait déjà pu trouver chez Laclos de scandaleux exemples. « Je lis dans son âme à livre ouvert. Chaque jour j'apprends à mieux y lire. Je connais les passions [21]... » A la limite, l'analyse investit celui qui en possède les secrets d'une puissance quasi magique : l'univers lui devient totalement transparent.

Tel est du moins le vœu de l'apprenti idéologue. Mais ce vœu reste le plus souvent sans effet, et la réalité a tôt fait de décevoir son espérance : l'expérience vécue s'avère au contraire un lieu d'obscurité et de mystère. Malgré tous les efforts de l'analyse autrui demeure imprévisible. Et d'abord parce qu'autrui peut à son tour me deviner et me prévoir : deux clairvoyances opposées s'annulent. Etre le seul, rêvait Stendhal, à avoir lu Helvétius... Mais, même seul à connaître le souverain livre, pourrait-on être sûr de ses prévisions ? Non, avoue Stendhal, l'état actuel de nos connaissances ne permet pas d'atteindre à un tel degré de certitude. Car la conduite humaine résulte de l'action d'un jeu de forces dont nous pouvons bien déterminer la *direction,* mais dont nous ne sommes pas encore à même de calculer *l'intensité.*

« Par les connaissances théoriques que nous possédons, nous parvenons bien à distinguer ces forces ; mais nos connaissance sont trop vagues pour que nous puissions apprécier avec exactitude leur intensité. Par conséquent nous ne pouvons connaître la résultante : la conduite de l'homme [22]. »

---

21. *Journal,* II, p. 56. — 22. *Mél. de Litt.,* II, p. 174. Cf. aussi Tracy, *Eléments d'Idéologie,* I, p. 169 : « Nous n'avons point de mesures précises pour évaluer directement le degré de l'énergie des sentiments et des inclinations des hommes, de leur bonté ou de leur dépravation... C'est ce qui fait que les recherches dans ces sciences sont plus difficiles, et leurs résultats moins rigoureux. » On ne peut alors déterminer les sentiments que d'après leurs *effets :* « La juste mesure des effets sert à estimer les causes. » Connaissance *a posteriori* qui condamne bien évidemment toute espèce de prévision.

Un élément d'incertitude vient ainsi se glisser dans les rouages de la machine. Il explique, parmi bien d'autres causes, pourquoi le roué ne parvient pas à séduire sa victime et pourquoi ses plans font long feu, tout comme ceux du trop malin politique. Dans l'un et l'autre cas, une inconnue sentimentale est venue faire échec à la divination analytique.

Divin échec d'ailleurs, qui rend à l'amour sa part de risque, et qui transforme la politique en un exercice dangereux, donc amusant. La toute puissance ennuie, car elle a toujours gagné d'avance. Mais dès que s'entrevoit la possibilité de perdre, tout se ranime. Mosca et la duchesse connaissent parfaitement Ranuce Ernest. Les ressorts de son caractère ne présentent pas pour eux le moindre mystère : ils ignorent seulement quelle force s'affirmera prépondérante dans telle occasion donnée. Quand la duchesse lui demande de traiter la reine avec plus d'égards, elle ne sait pas si l'orgueil offensé se montrera plus fort chez lui que le désir de plaire. Et la vie de Fabrice, plus tard, sera suspendue à l'issue d'un débat analogue : vaut-il mieux sacrifier Fabrice ou conserver Mosca, satisfaire à la vengeance ou à l'ambition ? Les forces s'équilibrent et le dénouement reste douteux ; Ranuce Ernest choisit de ne pas choisir, prolongeant l'angoisse et le roman jusqu'au jour où la duchesse décide à sa place, et contre lui. Mais l'aventure aurait moins de charme pour tous ses participants sans ce doute sans cesse entretenu, cet enjeu incertain, cette crainte perpétuelle dont la calèche en permanence attelée fournit une assez belle image.

Il ne s'agit point pour autant de se résigner à l'obscur : à défaut de pouvoir calculer l'intensité des sentiments, la logique s'attache à en découvrir les mouvements les plus subtils. La netteté de la connaissance dépend en effet

pour Stendhal du nombre et de la précision des *détails*
qu'elle enferme.

Le détail correspond, dans la perception ou dans la
connaissance, à l'élément ultime que distingue l'analyse.
Il joue le rôle d'atome de la réalité sensible, de petite
parcelle indivisible et dure sur laquelle le regard bute
et s'appuie. Aussi tend-il à se contracter toujours davantage vers la limite idéale qu'est le point ; et le contour
dont il se cerne représente le dernier découpage possible,
une sorte de *nec plus ultra* de la géométrie analytique.
A maintes reprises Stendhal répète, après les idéologues
et en particulier Destutt de Tracy [23], qu'il n'est de vérité
que détaillée. C'est le détail qui, localisant et estampillant
la sensation, la transforme en perception. C'est lui qui,
— voile de navire profilée sur l'horizon, visage de jeune
fille aperçu du haut d'un clocher, arête de poisson perdue
dans une assiette d'évêque, — façonne et authentifie personnages et paysages. Accessoire premier de l'égotisme,
c'est lui enfin qui fait apparaître la mémoire comme
vivante et la description comme réelle. Dans sa reconstruction de la réalité le romancier doit donc s'appliquer
à retrouver ou à inventer la petite circonstance. C'est
ainsi que Stendhal loue en Mérimée, à propos de la *Vénus
d'Ille,* les « contours extrêmement nets et même secs »
et « l'admirable attention aux petites choses, trait du bon
romancier, et la hardiesse d'appuyer sur ces petites choses [24] ». Mais ailleurs il lui semble que cette hardiesse
s'efface devant un goût excessif de la brièveté :

« Il la fit descendre de cheval, sous un prétexte, dirait
Clara.

23. Selon Tracy, la *sensation,* élément premier et indifférencié,
devient *jugement* en s'explicitant et se détaillant. La *perception*
n'est que cette sensation détaillée et en quelque sorte dépliée
devant l'esprit. « Nous pouvons faire en deux mots l'histoire
de l'être animé, quel qu'il soit ; il *sent,* il *juge ;* c'est-à-dire que
ce qu'il avait d'abord senti en masse, il *le sent ensuite en détail.* »
Logique, p. 327. — 24. *Marg.,* II, p. 316.

Dominique dit : « Il la fit descendre de cheval en faisant semblant de voir que le cheval perdait un de ses fers et qu'il voulait l'attacher avec un clou. »

Abréger l'*explication* de ce détail, mais le mettre au lieu de *sous un prétexte* [25]. »

Le grand péché contre le roman n'est donc pas d'écrire : « La marquise sortit à quatre heures », mais d'omettre les circonstances de cette sortie. Le banal naît ici d'une vision appauvrie, trop rapide ; et la concision même du récit sert seulement à en dissimuler le vague.

C'est qu'aux yeux de Stendhal le plus grand crime reste de noyer le contour, de dissoudre le vrai. La concision n'était encore que demi mal ; mais que dire par exemple de *l'enflure* ? L'enflure prétend, certes, ne pas détruire les vérités, mais elle les défigure gravement. Car, comme la surface distendue d'un ballon lentement gonflé laisse apparaître, de plus en plus gros mais de plus en plus vagues, et comme progressivement dissous dans leur écartèlement, les traits des dessins qui la recouvraient, de même l'agrandissement d'un ensemble noie les détails beaucoup plus qu'il ne les souligne. Telle est l'enflure, « c'est-à-dire l'exagération des grands traits, l'oubli des petits [26]. » Oubli impardonnable, surtout s'il provient d'un désir *d'effet* littéraire. Ainsi Madame de Staël se force à gonfler ses sentiments :

« Elle a voulu être très sensible. Elle s'est fait, dans le secret de son cœur, une gloire, un point d'honneur, une extase d'être très sensible. Ensuite, elle a mis là-dessus son exagération...

Comme cependant elle a voulu faire de la tendresse, elle est tombée dans le galimatias [27]. »

Triste châtiment d'une tendance impénitente aux débor-

25. *Marg.*, II, p. 96. — 26. *Fil. Nov.*, I, p. 103. — 27. **Aux** âmes sensibles, p. 53, N.R.F.

dements du cœur : distendu, dilué, le sentiment finit par
s'évanouir dans l'effort qui l'exagère [28], et l'âme sans retenue ne trouve plus en elle qu'un vide déchiré.

Plus dangereux encore ceux qui visent à distraire le
contour et à noyer la détermination pour rejeter l'idée
ou le sentiment dans l'infinité des possibles. L'exagération
détruisait le détail, mais laissait subsister la forme. Le
vague vise à abolir toute forme en une vibration vapo-
reuse. Le sentiment se définit alors par sa tendance à
l'indéfini, par son horreur de toute limite. Ainsi Chateaubriand, levant toute barrière, lance les passions dans
le *vague* célèbre où se perd leur expansion. Stendhal ne
voit ici que basse hypocrisie ; extases et évanescences
camouflent seulement pour lui le vrai sentiment qui se
cache. Religion, amour idéal, ce ne sont que voiles com-
modes de l'inavouable. Et Stendhal va tenter d'arracher
tous ces voiles. Tous les uniformes, qui ont depuis trente
ans recouvert le corps et l'âme du héros ingénu, il veut
les renvoyer à la grande friperie littéraire, à ce magasin
d'accessoires où les romantiques puiseront au contraire
avec générosité. Sous les chemises envolées de Fragonard
ou de Boucher se devinait l'agréable franchise des corps.
Mais David jette un peplum romain, Ingres un velours
impérial, Gros un drap tout militaire sur le secret des
anatomies humaines. Le siècle se boutonne. Stendhal
entreprend au contraire de déshabiller ses héros, de rechercher en eux « le vrai dessin du nu, le dessin des passions,
bien différent de la brillante draperie de *Valentine* [29]. »
Par horreur pour la mollesse flottante du vêtement qui
pend et trompe, il fait cruellement ressortir la saillie du
muscle, la ligne du nerf [30]. La lithographie romantique

---

28. Au contraire : « Ce que le sentiment gagne en force, il le
perd en étendue. F. A. Chateaubriand. » *Fil. Nov.*, I, p. 10. — 29.
Marg., II, p. 216. — 30. « Moi, écrit-il dans son *Journal*, à qui le
dessin a donné l'habitude de chercher le nu sous les vêtements et de
me le figurer nettement. » Maints passages de ses essais esthétiques

aime à faire onduler sous des clartés lunaires la transparence des écharpes et des voiles : la mode est alors au *diaphane,* ce vague érotique des corps. Mais Stendhal ne s'estime satisfait que lorsqu'il a réussi à décrire et à animer cet être souverainement nu : un écorché.

Les paysages ont eux aussi leurs muscles ; les peintres les étalent sur leur toile comme de grands corps harmonieux ; et Stendhal les considère avec le même regard dur d'anatomiste. Dans tout spectacle extérieur il remarque d'abord les lignes de force autour desquelles l'ensemble se construit, les frontières visibles qui départagent les masses. Il n'a jamais plus de plaisir que dans les vues panoramiques où la campagne s'étale avec la netteté d'un relevé topographique : il serait de nos jours un fanatique du paysage aérien. Ainsi du haut de la Sainte-Baume éprouvet-il une joie toute intellectuelle à regarder « Marseille, les îles, la mer, comme une carte bien faite [31] ». Il a besoin d'un ciel net dont nuages ni brouillards ne viennent encombrer la pureté, où chaque détail contemplé puisse découper ses contours sur la netteté des détails voisins, et où les motifs se profilent en arabesque. A la « cime indéterminée des forêts », bel exemple de la scandaleuse

montrent comment son besoin d'exactitude se satisfait dans cette analyse des corps qu'est l'anatomie, mais aussi comment, poussée trop loin, cette connaissance musculaire provoque une certaine sécheresse de vision. Stendhal loue par exemple le Guide « de rechercher avec une exactitude rigoureuse les formes les plus fugitives de chaque muscle », *(Ecoles Italiennes de Peinture,* III, p. 202) mais il reconnaît ailleurs *(Peinture en Italie,* I, p. 182) que, même ainsi nuancée, cette expression musculaire demeure très rudimentaire parce que « les passions douces ne se rendent pas visibles par le mouvement des muscles. » La rêverie tentera dès lors d'envelopper les contours ; les corps retrouveront leurs voiles et leur pudeur. — 31. *Journal,* III, p. 56.

mollesse de Chateaubriand, il répond ainsi en observant qu'

« en France le contour que les forêts tracent sur le ciel est composé d'une suite de petites pointes. En Angleterre ce contour est formé de grosses masses arrondies [32]. »

Et de multiples textes, tout aussi curieux, attestent ce goût d'une nature où les formes se modèlent en une série d'emboîtements et de découpages.

La montagne, par exemple, vue d'en bas, constitue pour la vision analytique un morceau de choix ; ses pentes ravinées disposent sous le regard l'architecture de leurs plans conjugués. La petite ville de Verrières, au début du *Rouge*, s'étend « sur la pente d'une colline dont les touffes de vigoureux châtaigniers marquent les moindres sinuosités [33] ». Stendhal adore aussi les paysages des Alpes « où l'air est si pur et la vue s'opère si bien qu'à tous moments on croit à peine être séparé par un quart de lieue de ces pics de neige dont on distingue avec netteté la moindre déchirure et les moindres détours et sur lesquels on verrait sauter les chamois [34] ». La lumière a ici pour premier rôle de durcir les contours ; et le matin lave les formes de la confusion où les avait plongées la nuit. Ainsi dans ces célèbres lignes de la *Chartreuse* :

« La chaleur accablante qui avait régné pendant la journée commençait à être tempérée par la brise du matin. Déjà l'aube dessinait par une faible lueur blanche les pics des Alpes qui s'élèvent à l'orient et au nord du lac de Côme. Leurs masses blanchies par les neiges, même au mois de juin, se *dessinent* sur l'azur clair d'un ciel toujours pur... L'aube, en s'éclaircissant, venait *marquer* les vallées qui les séparent en éclairant la brume légère qui s'élevait du fond des gorges [35]... »

Magnifique illustration de l'effort d'une intelligence qui lève peu à peu ses voiles pour émerger vers la clarté. La

32. *Mémoires d'un Touriste*, Lorient, le 7 juillet, II, p. 133. — 33. *Le Rouge et le Noir*, I, p. 3. — 34. *Marg.* II, p. 363. — 35. *Chartreuse de Parme*, ch. VIII, I, p. 271.

joie la plus parfaite récompense alors le spectateur en qui chaque détail, visuel ou sonore, vient imprimer sa marque immobile :

« Fabrice distinguait le bruit de chaque coup de rame ; ce détail si simple le ravissait en extase [36]... »

Extase qui reste pourtant étrangement passive. Car à ces paysages si parfaitement nettoyés de toute incertitude, il manque d'apparaître vivants et humains, d'engager le regard à les parcourir, l'imagination à les poursuivre. Au lieu d'en caresser l'enveloppe, l'œil les a dépouillés, stérilisés, privés de tout vrai relief. Le monde s'étale dès lors comme un vaste panorama : horizontal, il se déploie comme une carte d'état-major, vertical, il se dresse comme un décor de théâtre. Ne croyons pas d'ailleurs que les choses n'y soient pas *distantes* les unes des autres. Bien au contraire : la netteté de la vision n'ayant de prix que si celle-ci apparaît comme un gain sur l'indistinct, le spectateur rejette dans le lointain l'objet contemplé pour se donner le plaisir de le reconquérir sur la distance. Il veut voir de loin comme on voit de près, en hypermétrope. Mais à travers ce jeu tout intellectuel, le lointain devient un faux lointain, un indéterminé provisoire que l' « opération » du regard vient victorieusement réduire. Le relief n'existe en somme que pour aussitôt s'aplatir ; l'espace n'apparaît que pour confirmer sa défaite, pour affirmer que plus rien ne demeure en lui d'inexploré ni d'exaltant, qu'il a seulement été le milieu limpide d'une expérience parfaitement réussie. Le regard l'a traversé, non parcouru ; il en a éprouvé le creux, non la profondeur. Nous verrons plus tard Stendhal se heurter à ces problèmes essentiels du trompe-l'œil et de la perspective, dont la méditation le conduira dans des chemins bien différents de ceux où son goût du distinct l'a maintenant engagé. Sa géométrie demeure pour le moment bidimensionnelle ; vienne la troisième dimension, intensité

---

36. *Chartreuse de Parme*, ch. **VIII, I**, p. 292.

des sentiments, profondeur de l'espace, contagion de
l'amour, et cet univers-plan devra trouver la direction
vers laquelle s'ouvrir. Il sera temps alors de passer du
mécanique au dynamique, de découvrir dans le monde
et dans l'esprit tout un jeu de solidarités mouvantes, et,
par une conversion un peu semblable à celle que décrit
Proust à la fin du *Temps Retrouvé,* de construire une
psychologie dans l'espace. Mais la sécheresse de sa vision
protège pour l'instant Stendhal contre l'oscillation des
lignes et le débordement des formes. Le paysage idéologique se veut sans bavures, sans ombres, sans mystère.

   Le paysage intérieur, sera-t-il aussi facile de le dessiner à l'encre de Chine ? Car les sentiments vivent par
touffes ; ils se mélangent, se pénètrent et se recouvrent.
Toute la tradition psychologique française va vers l'exploration d'une complexité toujours croissante, en même
temps qu'elle essaie de déplier cette complexité à la
lumière d'une expression toujours plus limpide. Pour s'insérer dans cette tradition, Stendhal était admirablement
armé : par sa connaissance de l'idéologie d'abord, qui
poussait jusqu'à la manie le goût de la division, mais
surtout par son instinctive passion de la clarté. Pour
connaître ce qu'il éprouve, il lui faut en effet défaire le
nœud passionnel, isoler chaque nuance sentimentale, lui
assigner un nom et une place, bref la ranger dans l'une
des cases qu'a préparées pour elle l'analyse du langage.
Et s'il veut éviter la schématisation, c'est-à-dire sauver
à la fois la complexité et la clarté des sentiments, il lui
faudra présenter en une dissociation temporelle ce qui
dans l'expérience immédiate lui était donné *ensemble ;* il
lui faudra étaler dans le temps les divers fils dont le nœud
sentimental était formé. Les sentiments vont dès lors se
distinguer en se succédant ; ils se séparent les uns des
autres ; et, comme le prisme décompose la tristesse du
gris en toute la gamme brillante de l'arc-en-ciel, chacun
d'eux gagne à cette désintégration un supplément d'éclat
et de vivante alacrité.

Les sentiments acquièrent alors une existence individuelle, une vie, une mort, un visage qui n'est qu'à eux. Chacun d'eux « occupe l'âme », dit Stendhal, l'emplit jusqu'à déborder. « Il n'eut plus qu'une pensée... » « Il ne pensa plus qu'à une chose... » Combien de fois dans le roman stendhalien de semblables formules soulignent l'absorption d'un personnage par un sentiment, sa totale insensibilité à tout ce qui n'est pas ce sentiment, son oubli de tout ce qui pourrait l'en écarter ou l'en distraire ? Hallucinantes et tyranniques comme des gros plans de cinéma, les « pensées » s'installent sur le devant de la conscience. Elles empêchent toute fuite, bouchent toute issue. Aucune arrière-pensée n'en vient, comme par exemple chez Proust, équilibrer ou nuancer l'attaque. Leur contour épouse parfaitement celui de la conscience. Aucune ombre dans les âmes stendhaliennes, aucune frange autour des sentiments, ni même aucune dentelure. Purs et parfaits, les sentiments sortent de l'ombre d'un seul jet, d'un seul bloc. L'élégance, la franchise de geste du héros stendhalien tiennent sans doute à cette brutalité intérieure, et à ce que, flèche qui vole vers sa cible, il n'est occupé à chaque instant que d'un seul projet, hanté par une seule pensée, poussé par une seule et irrésistible impulsion. Rien ne s'accroche à lui, ne le retient en arrière ou ne ralentit son offensive. Il s'envole sans lest.

Et cela est vrai même des moments de lutte intérieure, des débats entre Julien et Mathilde par exemple, où l'âme du héros semble immobile et partagée. Même alors l'hésitation n'est faite que de la succession extraordinairement rapide de mouvements contraires. Désir d'aimer, désir de résister à l'amour se suivent à une telle vitesse qu'ils peuvent paraître coexister. Mais, à regarder de près, on constate qu'ils ne se mêlent jamais, et que chacun d'eux règne tour à tour sur l'âme dans une pureté totale, mais dans un espace de temps trop bref pour que le héros puisse passer à l'acte. La tension dramatique provient alors d'un effet de mouvement retenu, de vibration immobile. Que l'on songe au contraire aux moments où la passion a le temps de s'installer et de s'accrocher dans l'âme, par exemple au désir de vengeance qui, à la fin du *Rouge,* pousse Julien vers le meurtre. A-t-on besoin d'invoquer la catalepsie ou l'hypnotisme pour rendre compte de sa chevauchée d'aveugle, de son langage bégayant, de ses gestes précis et absents de somnambule ? Voyons plutôt dans cette obsession un cas limite, un exemple pathologique et trop parfait de la tyrannie que les sentiments peuvent exercer sur l'âme, et qui transforme celui qui les éprouve en un aliéné provisoire. Car pour vivre en pleine lumière, le héros stendhalien n'en a pas moins ses démons. Lui aussi est un possédé.

Et ces démons changent sans cesse. Les sentiments règnent sans s'attarder, et leur départ semble aussi brusque qu'était imposante leur présence. Derrière eux, ils ne laissent traîner aucune trace : le plus souvent même, le sentiment qui les suit les heurte et les nie bien plus qu'il ne les prolonge. Stendhal est un maître de l'hiatus. Et c'est bien là une conséquence logique de la division analytique : car pour atteindre au sentiment pur, l'analyse a dû rompre autour de lui tout contact, empêcher tout mélange, briser les articulations intérieures. La discontinuité des sentiments garantit en somme leur pureté. C'est pour rester purs et intacts qu'ils se développent par mutations brusques, en lignes zigzagantes, sans trouver dans l'être qui les éprouve aucun milieu intérieur qui puisse amortir leur choc. L'âme n'est pas ici un onctueux liquide, mais un lieu vide où ils ne peuvent que se cogner les uns aux autres, puis disparaître :

« Chose à bien remarquer, l'âme n'a que des *états,* et jamais de *qualités* en magasin. Où est la joie d'un homme qui pleure ? Nulle part, ce fut un état [37]. »

Toute la vie du cœur est soumise à la loi de ce passé simple : rien ne peut relier ces états les uns aux autres,

37. *Journal,* I, p. 191.

et l'être s'y trouve enfermé dans un présent saccadé et successif.

Une autre exigence intérieure allait encore contribuer à forcer, à exagérer cette discontinuité psychologique : Stendhal croit le *choc* nécessaire pour maintenir l'âme éveillée. « La sensibilité, écrit-il après les idéologues, de quelque manière, dans quelque organe qu'elle s'exerce ne vit jamais que de changements, que de contrastes [38]. » Si grand est le pouvoir endormant de cette *habitude* dont Maine de Biran vient justement de décrire les démarches et les méfaits. Bref l'homme ne vit que secoué. Et l'on s'explique ainsi l'extraordinaire violence des sentiments dans le monde stendhalien, la brutalité de leur apparition : monde où les idées vous « viennent comme une crampe [39] », où la main saute au poignard en même temps que le soupçon au cœur, où les héros sont à chaque instant surpris par la découverte de ce qu'ils sentent ou par la révélation de ce qu'ils sont devenus. Lucien Leuwen se voit aimer, puis cesser d'aimer, puis aimer à nouveau, avec le même étonnement, comme s'il s'agissait d'un autre : « Depuis hier, je ne suis plus maître de moi, j'obéis à des idées qui me viennent tout à coup et que je ne peux pas prévoir une minute à l'avance [40]... » Mais il savoure sans se l'avouer la fraîcheur de ce monde où règne l'imprévisible. Etre naturel, c'est alors s'abandonner au changement, se livrer au choc, à la surprise et à l'oubli, ne pas vouloir se ressembler toujours ni toujours se prévoir. Le héros stendhalien n'a pas un *caractère* ; il n'est pas constamment tendu vers sa définition ou son essence, mais il vit au jour le jour, selon la couleur de l'heure et le hasard de la rencontre. Libre et souple, il glisse, comme le roman qui relate ses aventures, dans un perpétuel présent.

Et ce présent reste vivant parce qu'irrégulier dans son mouvement même. Rien de plus monotone qu'une suite

---

38. *Fil. Novia*, I, p. 369. — 39. *Chartreuse, I*, p. 253. — 40. *Lucien Leuwen*, I, p. 348.

unie d'aventures, c'est ce que montrent bien tant de mauvais romans picaresques. Mais l'aventure garde ici tout
son sel, parce que l'âme l'accueille chaque fois d'une
manière différente. Le *tempo* de la vie intérieure s'accélère ou se ralentit en effet selon le climat du moment,
son degré de relâchement ou de tension. Il y a chez Stendhal une vitesse psychologique, et c'est elle qui se charge
d'indiquer cette dimension essentielle dont une psychologie linéaire serait incapable de rendre compte, l'intensité ou l'épaisseur du sentiment, son importance relative.
La notion de *rythme intérieur* vient ainsi bouleverser les
données de la psychologie bidimensionnelle : les « états »
surgissent et s'évanouissent plus ou moins vite selon que
la passion s'amasse ou se détend. Comme le cinéma peut
suggérer le trouble d'un personnage en multipliant la
vitesse ou l'incohérence des images que saisit son regard,
de même le roman peut affoler le découpage psychologique aux moments de crise violente. La célèbre analyse de la jalousie de Mosca illustre à merveille cette
technique de l'accélération intérieure : Mosca regarde danser devant ses yeux des gestes imaginaires ; il *voit* des
baisers qui n'existent pas ; et les diverses idées que la
situation inspire à son cerveau torturé défilent pendant
ce temps en lui à une allure effrénée. Par delà les mouvements qui la trahissent, sa jalousie n'est même que ce
vertige. Car, comme l'avait déjà vu le jeune Stendhal de
la *Filosofia Novia* :

« En fait de style, la forme fait partie de la chose.
Pour les sentiments, le rythme les montre. Le rythme
doit donc entrer dans un ouvrage en proportion des sentiments qui y sont. Cela n'est vu que par les gens de
génie [41]. »

Il faut donc voir dans le rythme un substitut dynamique de cette troisième dimension dont Stendhal refuse
encore de tenir compte. La vitesse de déroulement de ses

41. *Fil. Novia*, II, p. 38.

états psychologiques lui permet de les dépasser et de les lier en une synthèse qui est proprement un sentiment. L'unité formelle prélude à l'unité substantielle.

Il semble même qu'entre le rythme intérieur des états psychologiques et le rythme extérieur des événements racontés, Stendhal ait établi de secrètes correspondances. Dans le *Rouge,* aux moments de crise passionnelle, les vitres se brisent, les calèches s'affolent, les événements se multiplient, tout survient à la fois. Mais le bonheur crée entre ces moments effrénés de grands lacs de calme et de silence où rien n'arrive que les petits événements quotidiens d'une intimité heureuse. La composition du livre, qui suit le rythme intérieur de l'improvisation stendhalienne, repose sur cette alternance involontaire de repos et de galops, cette respiration profonde de la tension et de la détente, de la vie ramassée et de la vie qui s'étale. Car Julien, cet infatigable cavalier, connaît aussi les bonnes auberges. Il sait pratiquer l'art de la halte. Sur la haute montagne qu'il vient de gravir, il s'arrête un instant et s'abandonne à une rêverie de vie simple : « Le voyageur qui vient de gravir une montagne rapide s'assied au sommet et trouve un plaisir parfait à se reposer ». — Mais, ajoute-t-il bientôt, « serait-il heureux si on le forçait à se reposer toujours [42] ? » Il lui faut alors rebondir en avant vers le but que son ambition lui assigne. Et c'est cette souplesse intérieure, cette élasticité d'âme qui font de lui un pur héros stendhalien.

Appuyons le contour, forçons la détermination, exagérons la discontinuité, et nous obtiendrons le *comique*. Le rire, secousse corporelle, naît du spectacle d'un homme secoué. Dans le comique mouvements et moments ne s'enchaînent plus du tout les uns aux autres. Séparés par des intervalles grandissants, ils prennent une existence

42. *Le Rouge et le Noir,* ch. 23, I, p. 273.

chaotique et dérisoire : la discontinuité devient alors incohérence.

Le comique comporte des degrés. Si les intervalles ainsi distendus s'agrandissent assez pour que la venue de chaque élément nouveau surprenne, tout en demeurant assez petits pour que cette surprise ne heurte pas, c'est le *sourire* qui s'épanouit sur les lèvres. Le sentiment qui fait sourire est celui qui vient tromper, mais non rudoyer l'attente. Ainsi pour la « jeune fille folâtre » que chaque nouveauté effleure délicieusement et pour qui, dit Stendhal, « chaque sensation est un nouveau plaisir et excite une surprise agréable qui fait naître le *Sous-Rire* » [43]. Franchissons un pas de plus, agrandissons encore les intervalles ; la soudaineté provoquera cette fois le rire. Je ris du démenti que le réel inflige à l'habitude, de la faille soudain creusée dans la solidité des choses, de la continuité brusquement brisée ; je ris de Lucien Leuwen jeté par son cheval dans la boue de Nancy sous les yeux de sa belle, ou de Rassi grotesquement courbé sous les coups de pied de son prince. Bref le comique — tout comme d'ailleurs le tragique — repose sur la puissance émotionnelle du *tout à coup* :

« Le *soudain* ne serait-il point la chose *sine qua non* il n'y a ni *rire,* ni *pleurer.* Si cela est, en amenant la chose qui doit faire rire ou pleurer quelqu'un par les degrés les plus petits possibles pour ce quelqu'un, on pourrait éviter le rire ou les larmes [44]. »

Stendhal découvrira ces charmes insensibles lorsqu'il engagera ses héros dans les chemins de la tendresse : par le flou et par la modulation, peinture et musique lui enseigneront alors tous les glissements de la vérité progressive. Mais c'est sur scène que Stendhal veut atteindre au comique, et la vérité théâtrale n'est pas progressive. Loin de lier, le théâtre juxtapose et sépare. Comme la sculpture, il aime la vérité excessive et figée :

43. *Mollère*, VII. — 44. *Fil. Nov.*, I, p. 250.

« Rien ne met dans un jour plus ridicule la sorte d'exagération indispensable au théâtre que l'*immobilité* éternelle de la sculpture [45]. »

Le théâtre avance donc par immobilités successives ; chaque instant s'y drape en une sculpturelle ou grotesque dignité : monde d'hommes-statue et de sentiments de pierre.

Toute la différence du comique et du tragique réside alors en l'insistance plus ou moins grande avec laquelle, en cette parade immobile, gestes et sentiments seront soulignés et cernés. La discontinuité restant dans les deux cas la même, c'est la force du contour, sa puissance d'isolement qui décident ici. Car le sentiment joué, si pétrifié qu'il se veuille, trouve parfois un écho chez le sentiment réel du spectateur ; entre scène et salle il peut s'éveiller une sorte de sympathie qui est à la source du *tragique*. Partagé, le sentiment est déjà à demi délivré. Le comique, au contraire, enferme inexorablement en eux-mêmes personnage et spectateur. Au premier, il donne le seul souci de lui-même et de ses petits desseins, l'irrémédiable myopie de la passion vicieuse, et non cette générosité d'attitude qui fait de tout héros tragique un beau suppliant. Au second, il donne « la vue de sa supériorité », qui excite en lui un plaisir d'amour-propre peu favorable à la sortie de soi. Le rapport comique existe donc par le contact lointain de deux solitudes dont l'une juge l'autre. La rampe accuse les distances de manière à prévenir toute tentative de sympathie ou de pitié, c'est-à-dire tout glissement vers le tragique :

« L'écueil du comique, c'est que les personnages qui nous font rire ne nous semblent pas secs et n'attristent pas la partie tendre de l'âme. La vue du malheur lui ferait négliger la vue de sa supériorité [46]... »

Point de comique sans sécheresse : le rire coupe le contact humain.

La puissance isolante du comique va se manifester avec

45. *Mél. d'Art*, p. 131. — 46. *Peinture en Italie*, **II**, p. 172.

le plus d'éclat dans cette forme absurde et excessive d'art qu'est la caricature. Seuls y comptent désormais le contour, l'enveloppe. L'intérieur n'y existe plus, et l'homme s'y réduit à sa parade, ou bien à sa grimace. Renal, Valenod, Rassi, Sansfin n'ont aucune existence réelle ; marionnettes dures et creuses ils ne sont rien d'autre que leurs gestes, leur mimique. En eux aucune pensée vivante, leur façade recouvre un grand vide silencieux. De façon analogue les habitués de l'hôtel de la Mole ne sont guère que des morts vivants ; absurdement anachroniques, l'histoire semble les avoir vidés de leur substance, et ils ne continuent à vivre que par leur part la plus superficielle : leur politesse. Et sans doute sont-ils l'expression la plus achevée de la vision comique de Stendhal, s'il est vrai que celle-ci se condamne à ne faire évoluer devant elle que des corps vidés d'âme, des vérités privées de sens, bref de pures et de décevantes apparences simplement destinées à rebuter toute forme de contact vrai ou de sympathie humaine.

Telle est l'extrême pointe à laquelle aboutit la tentative stendhalienne de distinguer et de limiter le vrai. Après avoir brisé la continuité des choses, l'esprit les a enfermées en des contours qu'il a voulus de plus en plus rigoureux. Tant que le culte du détail les sauvait de la schématisation, il en était resté à une vision sèche mais saine. Voici que la tentation comique l'amène maintenant à détruire le détail, puis à vider la vérité de tout contenu, au profit d'un contour exaspéré. En ce monde de plus en plus formel la ligne cesse d'être moyen pour devenir fin, et le mécanisme de la détermination l'emporte sur le souci de l'objet à déterminer. A la limite, qui est le comique, la détermination tue le déterminé. Et, certes, Stendhal a appris du XVIIIe siècle l'art de vivre par sa surface et de voiler sous un sourire le grand vide des cœurs. Mais le point où nous le voyons maintenant parvenu ne peut représenter pour lui qu'une intenable limite. Il va lui falloir repeupler la vérité, lui redonner un contenu vivant, une plénitude intérieure. Succombant à la tentation inverse, il nous faut le voir maintenant redescendre vers des terres obscures où l'attendent sans doute de plus profonds bonheurs.

2

« Hélas, toute science ressemble en un point à la vieillesse, dont le pire symptôme est la science de la vie, qui empêche de se passionner et de faire des folies pour rien. Je voudrais, après avoir vu l'Italie, trouver à Naples l'eau du Léthé, tout oublier et puis recommencer le voyage [47]... »

Connaître, ce peut être en effet renoncer à aller plus loin, avouer qu'il n'y a plus rien à connaître, se résigner au connu. « La science, ajoute Stendhal, peut conduire à voir uniformité, à l'ennui. » Le triomphe de la connaissance s'accompagne donc d'un défaut de la surprise ; et ce monde, que tant d'efforts avaient pourtant conquis sur l'indistinct, Stendhal en accuse maintenant la dureté monotone, l'aspect définitif, le découpage, bref ce qu'il nomme lui-même *sécheresse*. Comment échapper à cette malédiction du savoir ?

Un premier moyen serait sans doute de détruire le savoir. Mais puisque l'oubli volontaire nous est interdit, puisque le Léthé ne coule pas sur cette terre, pourquoi ne pas s'arranger de manière à ne jamais pouvoir se souvenir ?

« Voulez-vous ne voir Rome qu'une fois, cherchez à vous former bien vite une idée nette des sept collines. Mais si vous voulez revenir à Rome avec plaisir, ne cherchez point cette idée exacte, fuyez-la au contraire [47]... »

Comme Gide verra dans l'irrésolution le secret de ne pas vieillir, c'est dans une technique de l'inexactitude

47. *Promenades dans Rome,* I, p. 304.

volontaire que Stendhal trouve un moyen de sauver la fraîcheur de sa vie. L'indécision de sa vision présente y préserve le plaisir de toutes ses visions futures ; rendus à leur flottement, libérés de leurs définitions, les paysages redeviennent neufs et imprévus. C'est en somme une politique de sage et de consciente ignorance qui aura sauvé la variété et l'intérêt de l'avenir.

Mais voir les choses sans les connaître, en jouir sans les épuiser, cela revient à les imaginer. Et l'imagination prévient en effet la connaissance paralysante en laquelle Stendhal voit désormais un esclavage réciproque des choses et de l'être. Elle établit avec l'objet un contact libre et souple, lui laissant une marge de liberté sans pourtant le couper entièrement du moi. Et surtout elle ne propose aucune image précise :

« Nous avons dit que l'imagination était une conception qui s'affaiblissait peu à peu. Une conception obscure est celle qui représente un objet entier à la fois sans nous montrer ses plus petites parties ; et l'on dit qu'une image est plus ou moins claire selon qu'un nombre plus ou moins grand des parties de l'objet conçu auparavant y est représenté [48]. »

L'imagination voit donc en gros, et non plus en détail. Et dans les ensembles mêmes, elle a tendance à moins souligner les contours. Elle retrouve l'indistinct tantôt par un effacement général des lignes, tantôt par une sorte de distraction qui amène la conscience à ne plus retenir que les détails relativement importants aux dépens du minuscule, tantôt enfin par une partialité qui, accentuant démesurément une seule partie de l'objet, en compromet l'équilibre global et en fausse la connaissance :

« L'imagination n'empêche pas de voir, mais, faisant sans cesse exagérer les proportions d'une partie, elle empêche de porter d'un caractère un jugement sain, parce qu'elle empêche de voir en quelle quantité il a toutes les qualités qu'il a, et par conséquent quel doit être le résultat de leur ensemble [49].

De toutes façons, elle déforme la réalité, en méprise ou en voile les limites. La force poétique de l'ambition chez le héros stendhalien tient ainsi à l'extrême indécision des images qui se proposent à lui. Sans aucun contenu qui l'alourdisse, aucune idée préconçue qui l'entrave, son désir s'élance en flèche vers l'inconnu. Si Julien se contentait de suivre les chemins tout tracés d'une carrière au bout de laquelle l'attendraient, tiare ou bâton de maréchal, des récompenses certaines et prévues, rien ne pourrait le distinguer d'un ambitieux ordinaire [50]. Mais, s'il s'efforce de toujours déterminer le futur immédiat, il ne prévoit que rarement les lointains de sa vie. Ce grand stratège a des plans, mais point de projets. Son imagination ne se fixe aucun but ; elle est un mouvement pur. Dans l'aigle qui symbolise pour lui le destin napoléonien, Julien admire l'aisance et la gratuité du vol, non pas la direction ni la puissance. Bref il se perd dans la jouissance des mille figures vagues que suscitent en lui l'ardeur de la jeunesse et l'appel ambigu de l'avenir [51].

49. *Molière*, p. 251. — 50. Ni même de l'ambitieux théorique que, sur un ton parfois agréablement stendhalien, Hérault de Séchelles décrit dans son *Traité de l'Ambition*. L'ambition y apparaît comme une force de stabilité : « Un grand but est un *sta sol*. Il détruit ces vacillations causées par les révolutions diurnes et annuelles du soleil et tient notre rayon visuel attaché sur le même rhumb, fixe la girouette humaine et l'empêche de parcourir en entier l'horizon de nos vains désirs » (p. 50). L'ambition stendhalienne refuse au contraire de se braquer ; elle veut jouir de toute la largeur de l'horizon. — 51. Stendhal a pu se souvenir ici des analyses en lesquelles Maine de Biran étudie les effets de l'habitude sur l'imagination. L'habitude rive l'imagination à un seul but, mais dans « l'Unité de but, il y a une grande variété de moyens ». Et Biran évoque les « perspectives vagues, illimitées, les hasards, les chances diverses de l'ambition, de la gloire »... « Le cadre du tableau imaginaire, ajoute-t-il, peut bien être fixe, mais c'est comme un tableau mouvant dont les figures successives se groupent, se combinent en mille

Le plus souvent, pourtant, le réel s'accroche et tyrannise. L'attention analytique s'était attachée à lui avec une obstination trop passionnée pour qu'il lui soit maintenant facile de s'en déprendre. Pour glisser hors de son emprise il faudra donc user de ruse, rechercher, parmi la masse des objets que propose l'expérience, ceux qui paraîtront les moins refermés sur eux-mêmes, qui sembleront inviter à la suggestion ou à la conjecture, et qui d'une quelconque façon avoueront n'être pas seulement ce qu'ils sont. Formes inachevées, idées ébauchées, sentiments esquissés, l'imagination connaît admirablement les points de moindre résistance du réel, les lieux moins défendus par où elle a le plus de chance d'ouvrir sa brèche. Les ruines romaines par exemple, grandes formes effritées, la provoquent à « s'envoler dans les temps anciens ». « L'étranger qui aime les ruines » trouve du plaisir « *à faire abstraction de ce qui est,* c'est-à-dire à se figurer un édifice tel qu'on le voyait quand il était fréquenté par les hommes portant toge » [52]. Rêverie triste qui peut se comparer « au sombre plaisir d'un cœur mélancolique » et constitue « le seul grand plaisir que l'on trouve à Rome » [53]. Stendhal avoue cependant rêver assez peu au passé historique : son imagination aime mieux se porter vers un en-avant qui permet toutes les folies, que se retourner vers un en-arrière dépassé et épuisé. C'est pourquoi aux tableaux achevés il préfère les esquisses :

« Nous approuvons qu'une esquisse donne souvent plus de plaisir qu'un tableau fini, parce que l'imagination achève le tableau chaque jour, comme il lui convient [54]. »

---

manières ; il n'y a point là de continuité d'impression, point de monotonie, de répétition uniforme, car le monde imaginaire est sans bornes » (*Influence de l'habitude sur la faculté de sentir,* Ed. Cousin, p. 151). De là vient que les passions à la fois libèrent et asservissent, puisqu'en elles se trouvent combinés le « principe de mouvement » de l'imagination et la « force d'inertie » de l'habitude. — 52. *Promenades dans Rome,* I, p. 285. — 53. *Promenades dans Rome,* I, p. 44. — 54. *Marg.,* I, p. 284.

Car l'esquisse est en quelque sorte ruine à rebours. Elle tire sa supériorité de venir avant, non après l'achèvement, et de se trouver par conséquent moins déterminée par lui. L'imagination qui, dans la méditation historique, s'appliquait à seulement reconstituer les contours perdus, s'y trouve ici absolument libre de créer à son gré : aucune nostalgie ne vient plus guider ni asservir la fantaisie de son invention.

Différentes de par leur orientation, ces deux rêveries, dont l'une se tourne vers le passé et l'autre vers l'avenir, ont pourtant ceci de commun que toutes deux s'efforcent de compléter une image fragmentaire. A travers le contour effrité ou incomplètement refermé de la forme ou de l'idée, cette sorte d'imagination n'opère pas une fuite où la réalité s'oublierait au profit d'une création irréelle. Elle ne repère au contraire les brèches du réel que pour se donner le plaisir de les boucher. Ce que les ruines du Colisée suggèrent à Stendhal, ce n'est pas le monde romain dans son ensemble, revécu dans la profondeur d'un passé poétique, mais simplement l'image d'un Colisée tout neuf. A travers les esquisses de Poussin, il aime à retrouver non pas comme les imaginations modernes un état qui serait en-deçà de l'esquisse et qui le ferait coïncider avec le mouvement premier d'un artiste génial, mais seulement, dans le prolongement de l'esquisse, la multiplicité des tableaux que celle-ci aurait pu devenir. Semblable à l'intelligence de par son désir d'achever, cette imagination trouve sa seule indétermination dans le nombre infini des achèvements possibles. Elle veut le contour, mais le veut assez friable pour pouvoir le détruire à son gré, et pour le lendemain, tracer d'autres contours. Fantôme fébrile de l'intelligence, elle s'épuise dans un perpétuel va et vient entre la réalité et son prolongement, détruisant les choses afin de les reconstruire et ne brisant la forme que pour la déterminer à nouveau. Libre à demi, mais plus qu'à demi esclave, elle apparaît caractéristique du malaise d'un esprit qui hésite encore sur sa vraie direction.

C'est donc deux formes, ou plutôt deux niveaux d'imagination que l'on est amené, à ce stade de l'analyse, à distinguer chez Stendhal. La première est obscurcissement progressif du réel, montée de la rêverie pure ; la deuxième ne quitterait jamais le monde, mais s'efforcerait sans cesse de le compléter et de le corriger. C'est cette dernière que, dans *De l'Amour*[55], Stendhal peint sous les traits de « l'imagination ardente, impétueuse, primesautière... qui voit les objets extérieurs », mais se contente d'être enflammée par eux et « les tourne sur le champ au profit de la passion ». Les mêmes objets lui permettront sans doute de nourrir demain une autre passion, tout aussi violente, mais dirigée, comme un autre achèvement de la même ébauche, dans une direction différente. A cette imagination fébrile Stendhal oppose une autre forme d'imagination, qui tient moins au réel, et qui finit même par complètement s'en affranchir. « L'imagination qui ne s'enflamme que peu à peu, lentement, mais qui, avec le temps, ne voit plus les objets extérieurs et parvient à ne plus s'occuper ni se nourrir que de sa passion : elle est favorable à la constance. » A cette première forme la cristallisation empruntera sa violence impatiente, à la seconde ses pouvoirs irrésistibles de maturation lente et de fidélité.

Si différentes qu'elles soient, ces deux formes d'imagination doivent cependant apprendre, comme le dit Stendhal, « les droits de la réalité ». Au rêveur l'expérience enseigne qu'un seul contour, le vrai, vient limiter une réalité qui s'avère bien vite sans grandeur :

« A huit ans quelle idée ne se fait-on pas d'une bataille ; c'est alors que l'imagination est fantastique, et les images qu'elle trace immenses. Aucune froide expérience ne vient en *rogner les contours*[56]. »

Mais Waterloo *rogne* le rêve de Fabrice ; sous la pression de la vie l'immensité fantastique de la rêverie se

55. II, p. 197. — 56. *Promenades dans Rome*, I, p. 44.

rétrécit peu à peu, jusqu'à ce que ses contours coïncident avec le contour du vrai. « Le premier fait, dit Stendhal, *circonscrit* l'imagination [57]. » Nous voici à nouveau prisonniers du même cercle, cernés par les mêmes certitudes. Autour de ses héros Stendhal n'a élevé tant d'horribles murailles, il n'attache à leurs pas tant de hideux geôliers que pour symboliser notre destin spirituel. Car une fois l'imagination domptée, les formes cessent d'indéfiniment s'agrandir ou de perpétuellement se renouveler pour se clore à nouveau sur leur réalité immobile. Il faut entendre alors les termes magnifiques [58] par lesquels Stendhal proteste contre ce monde envahi par la figure, contre ce royaume de la définition et de l'exactitude, qui, emporté dans un monotone appétit de connaissance et de recensement, en vient au comble de sa fausse plénitude à oublier le grand vide des cœurs :

« Ce peuple de figures, de tant de nations différentes, de tant de formes diverses... tout cela, dès que je cherche une âme, n'est plus à mes yeux qu'un *vaste désert d'hommes* [59]. »

3

Le monde s'est figé, vidé sous un regard : c'est l'œil qui, après avoir séparé et cloisonné les choses, règne désormais sur ce peuple sans vie, sur ce désert sans âme. Et non contente d'avoir tout tué hors de l'âme, c'est à l'âme elle-même que cette tyrannie va maintenant s'attaquer. Pour que sa propre entreprise se retourne en effet contre lui-même, il suffit que Stendhal se sente devenir

57. *Marg.,* II, p. 139. — 58. Et paradoxalement empruntés à Chateaubriand... — 59. *Mélanges d'Art,* p. 44.

l'objet, et non plus le sujet de la vision analytique, et
qu'au lieu de partir de lui, ce soit vers lui que vienne
le tout puissant regard. Car le traitement auquel il a sou-
mis les choses, autrui peut aussi bien le lui infliger à
lui-même. A son tour il se sent regardé, soupesé et jugé ;
sa liberté, il la sent se réduire à une définition, à une
essence. A la joie de connaître vient alors se mêler une
panique inverse dont tous les mouvements le poussent
vers la fuite, le repli et la préservation de son secret.
Et l'on peut rendre compte de quelques-unes des attitudes les plus typiquement stendhaliennes par ce fondamental désir d'échapper aux déterminations, d'égarer les
témoins et les juges.

Ce regard qui l'immobilise, il pourra l'éluder par divers
procédés, le masque [60] par exemple, ou bien la fuite. Cette
image à laquelle autrui veut le réduire, il la réfute en
lui opposant une autre image, ou en se refusant à admettre
aucune image, par l'hypocrisie ou par la pudeur. Entre
ces deux attitudes Stendhal n'a d'ailleurs pas le choix :
il se reconnaît incapable, parce qu'homme, de pratiquer
ou même de comprendre la pudeur. Il voit au contraire
en elle le premier attrait et le grand privilège de la femme,
un mécanisme mystérieux devant la délicatesse duquel
l'analyste le plus subtil avoue son impuissance. Sa finesse
évasive, écrit-il, résulte uniquement « d'associations de sensations qui ne peuvent pas exister chez les hommes et,
souvent, délicatesses non fondées dans la nature. » La
pudeur serait alors, et Stendhal suit ici Helvétius, un fruit
charmant de la civilisation. De toutes façons l'homme
peut seulement en parler par « ouï-dire ». « Ces habitudes souvent indéchiffrables, filles de la pudeur » [61], il
ne peut que les constater et en subir le charme. Mais
elles lui sont nécessaires pour qu'il se sente charmé ; il

60. Il faut lire sur tous ces thèmes le remarquable article de
J. Starobinski sur *Stendhal pseudonyme*, dans *Les Temps Modernes*, 1950. — 61. *De l'Amour*, I, p. 120.

n'aime pas les femmes trop transparentes, se lasse vite
par exemple de cette Louason en qui il avait été pourtant
si fier de pouvoir lire à livre ouvert. En Mme de Chasteller au contraire, c'est l'obscurité, l'imprévisibilité, les
sursauts rétractiles d'une délicatesse sans cesse effarouchée
que Lucien Leuwen adore ; et les sentiments de Lucien
ne font ici que reproduire ceux de Stendhal lui-même
pour Métilde. Car le charme de la pudeur, c'est d'abord
celui de l'incompréhensible [62].

La pudeur donne le change. Elle est une « habitude
de mentir », un mensonge instinctif et souple. L'hypocrisie existe au contraire en un effort constamment soutenu pour ne jamais démentir un mensonge qui a été
décidé avant tout acte, et que toute la conduite tente
de systématiquement opposer aux regards qui l'explorent.
Elle ne recule ni n'attaque, mais veut dresser entre le
monde et l'âme une paroi sans faille. Dans la mesure
cependant où l'être se propose d'adhérer à travers elle
à une fausse définition de soi, elle l'enferme elle aussi
dans ce monde de sécheresse dont il voulait précisément
se soustraire. Car elle le détermine, ou commande du
moins ses gestes avec plus de rigueur que n'auraient pu
le faire tous les regards sur lui braqués. Tout comme
la vanité elle le transforme en spectacle, l'oblige à vivre
sur scène : mais alors qu'inconsciente d'elle-même la vanité
le tourne uniquement vers les autres, l'hypocrisie le rend
en outre son propre spectacle. Par elle il se voit agir
et contrôler ses moindres mouvements. Ennemie de tout

---

62. L'amant ne doit ni voir ni comprendre la femme aimée ; il
doit respecter son mystère. Dans les *Privilèges du 10 avril* 1840,
Stendhal accorde à son « privilégié » un don universel de voyance,
mais ce dont s'arrête au seuil de l'amour :
Vingt fois par an, le privilégié pourra deviner la pensée de
toutes les personnes qui sont devant lui à vingt pas de distance.
Cent fois par an, il pourra voir ce que fait actuellement la
personne qu'il voudra ; il y a *exception complète pour la femme
qu'il aimera le mieux.* (*Mél. Int.* I, p. 205).

spontané, l'hypocrisie étouffe donc et crispe ; elle rend esclave, au pire sens du mot. Toute son expérience d'enfant avait montré à Stendhal qu'elle était un faux remède, un remède pire que le mal, puisque sous prétexte de le dérober à autrui elle ne faisait que mieux le soumettre au jugement du monde, et le soumettait en outre à ce juge plus impitoyable qu'aucun autre spectateur : lui-même. N'oublions pas que pour Stendhal Julien Sorel est un héros pitoyable et malheureux.

Stendhal adopta donc le plus souvent une troisième attitude : ni repli pudique ni défense hypocrite, mais offensive scandaleuse. La provocation lui fut une pudeur retournée. Vulgarité complaisante, étalage de soi, grossièreté cynique, plus personne, aujourd'hui ne se laisse prendre à cet art de « stendhaliser » qui réussit pourtant à éloigner de lui tout un siècle de bien-pensants. Les amis de Stendhal ne se sentent peut-être pour lui tant de tendresse que pour avoir été obligés de conquérir leur vrai Stendhal sur tant de faux Stendhal. Leur affectueuse curiosité doit passer toute une série d'initiations, vaincre toute une suite d'obstacles, et découvrir tous les mots-clés, les Sésame ouvre-toi qui leur permettront d'entrer au cœur d'une œuvre que tant de précautions défendent encore. La mystification ne relève pas ici, comme plus tard chez Baudelaire ou chez les Surréalistes, d'un dessein plus vaste, d'une esthétique de l'étonnement ou d'une morale de l'incongru : le tapage scandaleux lui sert seulement à cacher sa vérité intérieure. Allant plus loin encore, il découvrit que cette vérité même pouvait devenir son meilleur refuge, à condition d'apparaître excessive, incroyable. Tel est *l'égotisme,* moyen d'à la fois se connaître et se dissimuler, de jouir de soi et de défier les autres. La sincérité s'y étale, mais s'y étale un peu trop crûment pour paraître vraiment sincère. A ce piège subtil un Valéry lui-même s'est laissé prendre : il faut beaucoup aimer Stendhal pour comprendre que la parade du naturel sert chez lui à sauver la vraie nature, et la sincérité à protéger la liberté.

Cette liberté, c'est seulement dans le secret qu'elle ose pleinement s'affirmer : rideaux baissés, volets fermés, clefs tournées dans la serrure, Julien peut tirer de dessous son matelas le portrait de Napoléon et reprendre la lecture interdite du *Mémorial*. Ce matelas protecteur, nous le retrouvons à tous les moments de la vie de Stendhal. Les constants camouflages, rébus, énigmes, anagrammes, pseudonymes, qui font aujourd'hui encore la torture et la joie des exégètes, n'en sont qu'un équivalent littéraire. Et ce n'est pas là un simple jeu de cache-cache. Car s'il est un personnage qui infecte l'univers stendhalien, qui y empoisonne toute relation sincère, c'est bien le personnage de l'espion. Stendhal le voit partout, le jette aux trousses de tous ses héros. Eternellement traqués et épiés, Julien, Lucien, Fabrice se savent regardés, mais ignorent qui les regarde. La puissance de l'espion tient en effet à ce qu'il voit sans être vu : caché dans l'ombre, il surveille et possède sa victime sans que celle-ci puisse même tenter de se défendre. L'espion suprême, c'est alors celui qui se perd dans une masse, s'efface derrière un collectif. Cet espion sans visage, ce professionnel anonyme de la délation et du secret, on sait que ce fut pour Stendhal le *prêtre*. La *Congrégation* lui apparût comme une sorte d'œil universel, plongeant grâce à son organisation temporelle dans le secret des vies, et pénétrant aussi par la confession à l'intérieur des âmes. Déguisés, dispersés, innombrables, présents partout et nulle part, les Jésuites tendent sur l'Europe le filet d'une police infaillible. Que l'on songe par exemple à la scène rocambolesque où, dans une auberge d'Alsace, l'abbé Castanède et ses acolytes promènent une lanterne sourde sur le visage de Julien faussement endormi : comment ne pas voir dans cette lumière indiscrète un symbole assez clair du viol moral qu'est la confession ? Car le confessionnal regarde et condamne ; le prêtre est un voyeur et un voleur. Et l'athéisme stendhalien a trouvé pour traduire cette hantise quelques traits prodigieux, ce mot par exemple de l'abbé

Chase Bernard à Julien, le jour où tous deux sont en train d'orner la cathédrale de Besançon :

« Attention aux confessionnaux ! C'est de là que les espionnes des voleurs épient le moment où nous avons le dos tourné [63]... »

Des mots pareils ne relèvent pas de la seule satire anticléricale, ils éclairent d'un seul coup l'angoisse cachée d'une conscience. Car si Stendhal rend responsable de sa méfiance les régimes d'inquisition policière et religieuse sous lesquels ses héros et lui-même ont été condamnés à vivre, il semble bien qu'une telle obsession dépasse de très loin la répugnance naturelle de tout esprit libre à l'égard d'un pouvoir injuste. Elle traduit bien plus certainement une peur essentielle des autres, et l'invincible crainte de sentir peser sur sa vie un regard étranger qui la juge et la nie. Ainsi Ranuce Ernest se met chaque soir à plat ventre par terre pour chercher sous son lit de très improbables assassins : étranglé par la peur, et par la honte de sa peur, il nous est comme une exemplaire victime de cette obsession du regard qui possède à des degrés divers toutes les créatures stendhaliennes.

L'ombre seule peut protéger du regard ; et l'on comprend alors pourquoi la nuit tient une place si importante dans la géographie stendhalienne du bonheur. A l'âme craintive ou tendue la nuit permet d'abandonner sa pudeur ou de relâcher son attitude : c'est elle qui dans son obscurité assume à sa place hypocrisie, pudeur, et qui accorde au héros de devenir vraiment lui-même. Dans la nuit de Vergy Julien oublie de jouer à Julien :

« il ne pensait plus à sa noire ambition, ni à ses projets si difficiles à exécuter. Pour la première fois de sa vie, il était entraîné par le pouvoir de la beauté... »

63. *Le Rouge et le Noir*, I, p. 341.

Entraîné, c'est-à-dire emporté hors de soi, soulevé par des « transports d'amour et de folle gaieté » [64] bien loin de la sèche image de lui-même à laquelle il voudrait toujours se réduire. Délivré par la nuit, parce que protégé par elle.

Et c'est elle encore qui sur les bords du Lac Majeur cache Fabrice aux yeux des gendarmes qui le poursuivent :

« Assis sur son rocher isolé, n'ayant plus à se tenir en garde contre les agents de police, protégé par la nuit profonde et le vaste silence, de douces larmes mouillèrent ses yeux, et il trouva là, à peu de frais, les moments les plus heureux qu'il eût goûtés depuis longtemps [65]. »

Protection qui s'accorde aussi à Mme de Chasteller, pendant sa promenade avec Lucien dans les bois du Chasseur Vert, en cette soirée d'été toute baignée d'échos mozartiens, « une de ces soirées enchanteresses que l'on peut compter au nombre des plus grands ennemis de l'impassibilité du cœur... » « La nuit qui tombait tout à fait, écrit Stendhal, lui permit de ne plus craindre les regards [66]. » C'est alors qu'elle se laisse aller à ce demi-aveu silencieux qui à la lumière retrouvée des lustres et du jour lui apparaîtra si horrible. La nuit délivre ainsi les uns de leur comédie, les autres de leur méfiance ou de leur timidité. A tous elle accorde, dans son grand silence discret, le repos et la détente. Il faut alors savoir se taire. « N'ajoutez pas une syllabe... », dit à Lucien Mme de Chasteller : créant une nouvelle forme de relation, les mots, qui affirment, définissent, donnent forme à l'informe, obligeraient à reprendre l'escrime mortelle, le jeu de feinte et de parade où s'épuisent et se détruisent les cœurs. Il faut s'abriter au plus profond de l'ombre, fuir même la lueur des étoiles, ou « l'indiscrétion d'un ciel trop profond et trop clair ». Il n'est pour le héros stendhalien de nuit véritable que blottie au sein d'une

64. *Le Rouge et le Noir*, I, p. 116. — 65. *Chartreuse de Parme*, I, p. 270. — 66. *Lucien Leuwen*, II, p. 40.

forêt, cachée sous de grands branchages déployés qui en
voilent, en couvent l'intimité.

Dans ces nuits calmes d'été qui entourent sans cerner,
et dont l'ombre, tremblante comme une eau de lac, semble offrir à l'âme une sorte de milieu opaque et doucement fluide où laisser flotter sa rêverie, les sentiments
en viennent à perdre tout contenu précis. La rêverie qui
s'empare de l'être l'ouvre si bien à tous les effluves de
la nuit qu'elle crée dans la conscience une sorte de vide
heureux en lequel chaque sensation vient délicieusement
résonner. Ainsi Julien :

« Perdu dans une rêverie vague et douce si étrangère
à son caractère, pressant doucement cette main qui lui
plaisait comme parfaitement jolie, il écoutait à demi le
mouvement des feuilles du tilleul agitées par ce léger
vent de la nuit, et les chiens du moulin du Doubs qui
aboyaient dans le lointain [67]. »

Point d'orgue où la vie s'étale, et où la phrase stendhalienne abandonne son habituelle sécheresse pour se ralen-
tir en un magnifique effet de distance indéfiniment reculée.
Les nuits stendhaliennes sont ainsi remplies de petites
sensations crissantes, feuilles crépitantes de pluie, vagues
expirant sur une grève, aboiements de chiens dans le loin-

_____

67. *Le Rouge et le Noir*, I, p. 116. En 1838, Stendhal songe
à animer un personnage, *Robert,* qui lui serait complètement
opposé, une sorte d'anti-Stendhal. « Mettre mon imagination à
peindre l'absence de l'imagination. Me dire : que sentirais-je à
sa place ? Et lui faire sentir le contraire. » « En embrassant
la plus jolie femme, il ne voit que ce que le plus sec des
jockeys ne saurait nier, c'est-à-dire... la valeur de ses pendants
d'oreille. Ne devant aucune jouissance à son imagination, Robert
est fort attentif à la commodité de son fauteuil, à la bonté
de son dîner, au confortable de son appartement, etc... » Il
réussit dans la vie parce que « sa lorgnette n'est jamais ternie
par le souffle de l'imagination ». Il est pur regard, parce qu'il
ne conçoit pas que les choses puissent être connues autrement
que par le regard : « L'âme passionnée, le jeune Jean-Jacques,
s'attache aux prédictions de son imagination, Robert *ne fait cas
que de ce qu'il voit.* » *Mélanges de Littérature,* I, p. 235.

tain, qui, fixant l'attention extérieure, permettent la distraction profonde. Cela n'apparaît nulle part mieux que dans cette page du *Rouge*, où Julien, seul dans la cathédrale de Besançon, obscure et odorante comme les bois de Vergy, (et où il apercevra en effet tout à l'heure en une hallucination suprême le fantôme voilé de Mme de Rénal) entend sonner la grande cloche et se met à rêver. Stendhal s'amuse, un peu lourdement peut-être, à rapprocher les réflexions que ce son eût inspirées au parfait héros idéologique de la rêverie indistincte où Julien se perd :

« Les sons si graves de cette cloche n'auraient dû réveiller chez Julien que l'idée du travail de vingt hommes payés à cinquante centimes... Il aurait dû penser à l'usure des cordes, à celle de la charpente, au danger de la cloche elle-même qui tombe tous les deux siècles [68]. »

Au lieu de cela :

« Le silence, la solitude profonde, la fraîcheur des longues nefs... où régnait une demi obscurité rendaient plus douce la rêverie de Julien. Son âme avait presque abandonné son enveloppe mortelle qui se promenait à pas lents dans l'aile du nord confiée à sa surveillance. Son œil *regardait sans voir* [69]. »

Au lieu de se dissoudre en une élucidation intellectuelle, la sensation sert seulement à rattacher l'être à son « enveloppe ». Ultime pointe de son contact avec le réel, elle empêche la conscience de se perdre tout à fait, en continuant à lui faire sentir son existence. Je suis ici puisque je sens, mais ailleurs puisque je me sens à peine sentir. Apprendre à regarder sans voir, à regarder pour ne pas voir, tel est sans doute le dernier mot de la sagesse pour le héros sensible, et pour tous ceux qui comme lui mettent leurs sensations au service de leur rêverie.

La *mélancolie* est une nuit de l'âme. Comme l'ombre,

---

68. *Le Rouge et le Noir*, I, p. 342. — 69. *Le Rouge et le Noir*, I, p. 343.

elle noie peu à peu les arêtes, confond les certitudes, mais c'est sur les sentiments que s'exerce maintenant l'œuvre de confusion. Elle est une sorte de crépuscule du cœur où tous les orages s'apaisent : lentement, voluptueusement, elle brasse la substance des états psychologiques, en mélange et en marie le contenu selon des combinaisons nouvelles et changeantes. Rien n'effraie davantage l'âme abandonnée à cette rêverie mélancolique, à cette *morbidezza,* dit Stendhal, que le choc, la brusquerie ou la secousse, toute cette vie de chaos et de surprises à laquelle le héros stendhalien semblait irrémédiablement voué :

« Il est certain, me disait M. Cormer, qu'il y a dans notre caractère italien quelque chose de sombre et de tendre qui ne s'accommode point des mouvements précipités. Cette nuance de délicatesse et de volupté douce manque tout à fait en Espagne, aussi la beauté y est-elle rare...

Ici, *tout mouvement, quand l'âme est rêveuse semble un effort pénible* [70]. »

Car la rêverie, mélancolique ou tendre, où couve « le feu sombre et voilé des passions tendres et profondes », échappe aux lois de la succession discontinue. Les sentiments dont elle se compose ne se découpent plus les uns après les autres, comme les images d'un album feuilleté, sur le fond de la conscience, mais s'engendrent les unes les autres en un développement continu. « Un amant dans la mélancolie parle lentement parce qu'il trouve du plaisir à développer sa pensée. » La pensée n'est plus alors cette course folle de sentiments entrechoqués, mais le *développement* qui approfondit chaque sentiment et l'arrache à sa solitude en lui prêtant la coloration et la résonance des sentiments voisins, en l'emportant en un glissement où toute distinction se trouve bientôt abolie. Et si l'âme se sent encore trop dure pour rompre ainsi toutes ses amarres, trop sèche pour se laisser partir à

70. *Promenades dans Rome,* I, p. 96.

la dérive, elle peut demander à la musique de l'inciter à ses tournoiements bienheureux :

« ... Mozart est toujours sûr d'emporter avec lui, dans le *tourbillon de son génie,* les âmes tendres et rêveuses et de les forcer à s'occuper d'images touchantes et tristes... »

de ces images où l'esprit se perd car

« quelquefois la force de sa musique est telle que, l'*image présentée restant fort indistincte,* l'âme se sent tout à coup envahie et comme *inondée* de mélancolie [71]. »

Comme la marée vient inonder la sécheresse des sables, la mélancolie couvre de ses remous les images claires de la conscience. Puissance liquide et liquéfiante, elle amollit les barrières, s'infiltre dans les défenses, oblige l'âme la plus sèche à succomber au délicieux « laisser-aller des passions tendres », en lequel la sensibilité raidie trouve enfin sa détente et son naturel. « Tristesse *onctueuse* » écrit Stendhal à sa sœur Pauline, savoureuse parce que longtemps ressassée, remuée. Par elle désormais cohérente la vie s'écoule comme un fleuve sans cassure. En elle l'être trouve enfin l'onction qui lui manquait et l'unité de ces sentiments par la suite desquels sa durée ne se *déroule* plus seulement mais se *compose.* Mais cette unité n'est obtenue qu'au prix de tout ce que l'analyse avait tenté de conquérir ; clarté, distinction, et finalement connaissance de soi.

De là vient que Stendhal n'ait jamais pu donner de la mélancolie une définition précise ni une description tant soit peu détaillée. Elle est moins en effet un sentiment que le vertige par lequel les sentiments se fondent peu à peu en un brouillard d'échos et de passages. Semblable à la *rêverie tendre,* qui plonge l'âme dans une imagination confuse des possibles, elle s'en distingue

71. *Vie de Rossini,* I, p. 69.

cependant par une nuance d'insatisfaction qui semble affecter d'un signe négatif ses mouvements les plus délicieux :

« La mélancolie vient d'une passion non satisfaite d'une certaine manière, ou de plusieurs passions non satisfaites [72]. »

Et ailleurs, sur un ton plus romantique, Stendhal évoque cette

« mélancolie non avouée qui aspire à quelque chose de mieux que ce que nous trouvons ici-bas, et qui, dans toutes les situations où la fortune et les révolutions peuvent placer une âme malheureuse

Still prompts the celestial light
For which we wish to live or dare to die [73]. »

Mais, le plus souvent, Stendhal explique la puissance *dérivante* de la mélancolie par l'absence de sensations assez vives pour accrocher l'âme au réel et pour l'occuper, ne serait-ce que par sa pointe. L'on a vu que la rêverie, par exemple chez le Julien de la cathédrale de Besançon, réclamait une absorption préalable de l'attention par la sensation : cette sensation vient-elle à manquer, l'attention se retourne sur la rêverie que la distraction protégeait, et en fait apparaître comme vide la prétendue plénitude. L'*ennui* serait alors une rêverie qui se regarde, et dont le mouvement d'expansion se figerait en une immobilité de miroir :

« L'esprit voit tout impossible, l'âme s'afflige, et l'on s'ennuie... [74].

L'ennui est une maladie de l'âme dont le principe est l'absence de sensations assez vives pour nous occuper. Ce qui est habituel n'excite plus de sensations vives en nous [75]. »

Remarque inspirée de Hobbes, et conforme en effet à toutes les descriptions d'un siècle pour qui il n'est de

---

72. *Fil. Nov.*, I, p. 202. — 73. *De l'Amour*, I, p. 41 (en note). — 74. *Fil. Nov.*, I, p. 202. — 75. *Fil. Nov.*, II, p. 85.

conscience que dans l'éclat, la densité ou l'acuité des sensations. Mais la mélancolie vécue diffère assez sensiblement de cette mélancolie théorique : insatisfaite mais comblante, vide mais source de plénitude, moins qu'une maladie elle apparaît comme un remède aux malheurs de l'âme desséchée. Car le vide qu'elle a creusé dans l'âme, la sensibilité va l'exploiter comme une profondeur résonnante, en laquelle lancer, par la circulation des nostalgies, des souvenirs et des projets, le libre jeu de ses architectures.

Cela n'apparaît jamais mieux que dans la distinction qu'établit Stendhal à la suite de Kurke, entre la douleur *sèche,* et cette douleur que la mélancolie vient consoler, et qu'il nomme *regrettante.* La première forme de douleur consiste dans la vue lucide de tous les avantages présents dont me prive le malheur que je viens de subir. La seconde me détache au contraire de cette énumération sèchement désespérée, pour me plonger dans une vision rétrospective des bonheurs autrefois vécus et maintenant disparus. Reviviscence d'une douceur passée, le regret voile et attendrit la douleur présente. Présent et passé s'y fondent en une évocation vague d'où l'avenir lui-même n'est pas exclu, car « faire voir le bonheur, quoique en songe, c'est presque donner de l'espérance [76]. » Processus presque proustien par lequel le passé illusoire devient plus vrai que ce présent réel qu'il confirme, complète, et ouvre en quelque sorte à l'avenir. Les moments les plus éloignés de notre vie se rejoignent ainsi en une sorte d'*onction* nouvelle, qui est à la fois baume et mélange, puisqu'elle procure en même temps cohérence et apaisement. Comme la mélancolie, mais plus profondément qu'elle, le regret agit donc dans le sens de l'unité intérieure. Car ce n'est plus au gré des flottements hasardeux de la sensibilité, mais bien dans la tonalité d'un bonheur essentiel qu'il relie des moments de la vie infi-

76. *Vie de Rossini,* **II**, p. 153.

niment lointains les uns des autres. Il ne console en somme la douleur que pour avoir d'abord réconcilié avec lui-même l'être écartelé.

Et c'est aussi pourquoi la musique a de si grandes vertus consolatrices :

« Pourquoi la musique est-elle si douce au malheur : C'est que, d'une manière obscure et qui n'effarouche pas l'amour-propre, elle fait croire à la *douce pitié*. Cet art change la douleur sèche du malheur en douleur regrettante ; il peint les hommes moins durs, il fait couler les larmes, et rappelle le bonheur passé que le malheureux croyait impossible [77]. »

Car si le présent devient perméable au passé, pourquoi un autre cœur ne s'amollirait-il pas et ne s'ouvrirait-il pas à mon malheur ? Cette pitié que mon passé accorde à mon présent, pourquoi une autre âme n'en ferait-elle pas don à ma solitude ? Si les barrières sont rompues qui séparaient les divers instants de ma durée, pourquoi ne se briseraient pas en même temps les barrières plus dures encore qui séparent les consciences ? Et certes Stendhal dit bien qu'il s'agit de ne pas « effaroucher l'amour-propre » : on ne jette pas d'un seul coup au soleil de la liberté l'homme qui sort d'une prison obscure. La musique délivre avec précaution, mais avec générosité : en elle toutes les délivrances se rejoignent, celle qui m'unit à moi-même et celle qui me joint à autrui. Discrètement elle me rend à mon propre bonheur en même temps qu'elle m'ouvre à l'humaine sympathie :

« Les beaux-arts sont faits pour consoler. C'est quand l'âme a des regrets, c'est durant les premières tristesses des jours d'automne de la vie, c'est quand on voit la méfiance s'élever comme un fantôme funeste derrière chaque haie de la campagne qu'il est bon d'avoir recours à la musique [78]. »

77. *Histoire de la Peinture*, II, p. 174. Ed. Champion. — 78. *Vie de Rossini*, II, p. 152.

Le fantôme du regard embusqué, de la présence espionne et ennemie, il est donc donné aux beaux-arts, et à eux seuls, de l'exorciser. Seuls ils auront pouvoir de le transformer en signe de sympathie. Ranuce Ernest n'aimait sans doute pas la musique : l'eût-il aimée, elle l'aurait affranchi de ses angoisses, libéré de sa solitude, elle lui aurait appris à vivre naturellement, spontanément, de confiance [79].

Une fois la méfiance vaincue et la confiance instaurée, on peut voir changer tous les éclairages : ce que l'on prenait pour attaque apparaîtra réponse, pour jugement intérêt, pour indiscrétion sympathie ; et c'est finalement l'amour qui, arrachant les êtres à leur prison, établira entre les âmes une profondeur toute peuplée d'échos.

Stendhal aime les échos ; il leur attribue même des pouvoirs tout spéciaux d'évocation et de création. Echos des cloches des petits villages italiens portés par les eaux du lac de Côme, échos du bourdon de l'église de Rolle ou des troupeaux perdus dans la montagne, échos des chants d'oiseaux entre les murs du Colisée qui reportent

---

79. Dans les *Privilèges du 10 avril 1840*, qui traduisent sous une forme humoristique et fantastique quelques-uns des rêves stendhaliens les plus profonds, l'on note que l'un des principaux miracles que Stendhal réclame de God pour son « privilégié » est la transformation à volonté de l'indifférence en amour et de la haine en sympathie :
Le privilégié, ayant une bague au doigt et serrant cette bague en regardant une femme, elle devient amoureuse de lui à la passion, comme nous voyons qu'Héloïse le fut d'Abelard. Si la bague est un peu mouillée de salive, la femme regardée devient seulement une amie tendre et dévouée. Regardant une femme et ôtant sa bague du doigt, les sentiments inspirés en vertu des privilèges précédents cessent. La haine se change en bienveillance, en regardant l'être haineux et frottant une bague au doigt. *Mélanges Intimes*, I, p. 198.

sa rêverie au temps de la Rome primitive, il aime l'agrandissement et le prolongement vibratoire qu'ils apportent
à sa sensation. L'écho renvoie en effet le son, mais il
l'enrichit en même temps de tout le trajet qu'il lui fait
parcourir dans l'espace : symbolique en cela de l'amour,
où le sentiment ne se développe que par l'échange et
le passage. De cet échange le regard, sorte d'écho visuel,
sera l'instrument privilégié. Ainsi Fabrice, après avoir
percé un petit trou dans le guichet qui lui cachait Clélia,
dit d'abord sa joie : « Si je parviens seulement à la voir,
je suis heureux. » Mais il lui faut bientôt davantage :
« Mais non pas, reprend-il, il faut aussi qu'elle voie que
je la vois [80] », qu'elle me regarde en train de la regarder.
L'amoureux vise ici à se faire accorder un premier regard,
qui soit une sorte d'aveu, ou qui signifie du moins que
l'autre accepte de s'engager dans l'échange. Et le refus
même de ce premier regard peut signifier davantage encore
que son acceptation : car s'interdire de jeter les yeux
sur l'autre, cela revient à reconnaître implicitement tout
le prix qu'on attache à sa présence. La fuite pudique
apparaît alors comme la meilleure réponse à la demande
amoureuse ; et le plus beau moment de la vie de Fabrice
est sans contredit, raconte Stendhal, celui où, vaincue par
son regard posé sur elle, Clélia s'enfuit en renversant
ses arrosoirs. Le regard échangé ou même refusé exalte
donc tout autant que le regard subi paralysait : il est
le signe le plus éclatant de la communication rétablie,
de la solitude vaincue.

Pour donner à cette télépathie l'occasion de déployer
ses résonances, les amants doivent ménager entre eux un
espace. Dans leur promenade muette et tendre du Chasseur Vert, Lucien et Mme de Chasteller laissent subsister
entre leurs rêveries parallèles toute la largeur d'une avenue
de forêt qui les joint mieux qu'aucune parole. Et de même
Octave et Armance, assis aux deux coins opposés du grand

80. *La Chartreuse de Parme*, II, p. 140.

salon familial, se signifient l'un à l'autre « leur dévoue-
ment sans bornes » par un subtil mécanisme d'écho :
  « Le soir, quand ils étaient aux deux extrémités opposées de l'immense salon où Mme de Bonnivet réunissait
ce qu'il y avait alors de plus remarquable et de plus
influent à Paris, si Octave avait à répondre à une question, il se servait de tel mot qu'Armance venait d'employer, et elle voyait que le plaisir de répéter ce mot lui
faisait oublier l'intérêt qu'il pouvait prendre à ce qu'il
disait. Sans projet, il s'établissait ainsi pour eux, au milieu
de la société la plus agréable et la plus animée, non pas
une *conversation* particulière *mais comme une sorte
d'écho,* qui, *sans rien exprimer bien distinctement,* semblait parler d'amitié parfaite et de sympathie sans bornes [81]. »
  Le premier effet de l'amour est bien de détruire les
bornes et d'établir entre deux êtres une communication
spontanée qui, comme celle qui s'institue entre Octave
et Armance, n'est ni une conversation ni un dialogue.
Car si la conversation enferme le causeur en lui-même,
en le faisant briller devant autrui, si le dialogue, plus
ouvert, aboutit cependant à fixer les deux partenaires sur
leurs positions respectives, cette forme d'échange vise à
créer entre deux êtres une communauté d'affection où
chaque mouvement soit moins expression de soi que
réponse à l'autre. Stendhal, qui nomme *intimité* ce
bonheur fait d'accueil et d'écho, note que le sentiment
ainsi échangé demeure vague et de toutes façons indes-
criptible. L'intimité est le milieu communiquant où l'amour
effectue implicitement ses échanges. Le bonheur stendhalien y fleurit dans l'égalité silencieuse et le respect naturel
de l'autre. Aux yeux de l'homme, écrit Simone de Beau-
voir la femme n'est ni objet, ni même altérité, mais sujet
libre : « La femme est vraiment chez Stendhal cette conscience autre qui, dans la reconnaissance réciproque, donne
au sujet autre la même vérité qu'elle reçoit de lui [82]. »

81. *Armance*, p. 194. — 82. *Les Temps modernes*, 1949.

Mais cette reconnaissance s'enveloppe le plus souvent d'incertitude. Comment déceler un sentiment dont on ignore les démarches réelles ? Comment s'assurer que l'écho a vraiment été renvoyé par autrui ? Comment interpréter le langage des yeux ? L'amour naissant vit d'une ambiguïté que par timidité ou par coquetterie les femmes se plaisent le plus souvent à prolonger. Car elles ont appris à tout dire sans rien dire, à se déclarer sans s'avouer, à ne pas se définir, c'est-à-dire à ne pas se compromettre. Si l'aveu donne des droits à l'autre, le regard, en un clin d'œil, peut en effet tout dire et tout nier :

« On peut tout dire avec un regard, et cependant on peut toujours nier un regard car il ne peut pas être répété *textuellement* [83]... »

Par tactique autant que par nature l'amour déteste donc la *lettre*, l'explicite ; il vit d'allusions. Et Stendhal d'évoquer un diplomate à qui la tyrannie

« ... a donné une manière originale de faire des récits, par des mots entrecoupés qui disent tout et rien. Il faut tout entendre, mais libre à qui que ce soit de répéter textuellement toutes ses paroles, impossible de le compromettre. Le cardinal Lante lui disait qu'*il avait volé ce talent aux femmes,* je dis même les plus honnêtes. Cette friponnerie est une représaille cruelle, mais juste, de la tyrannie des hommes [84]. »

Dans le véritable amour on n'est jamais sûr de rien, on marche les yeux bandés. C'est un monde de vérités toujours changeantes, où aucun résultat n'est jamais acquis, où chaque minute remet tout en question, mais où les risques d'échec sont amplement compensés par les bonheurs de la surprise. Sans cette ignorance l'amour ne serait qu'un long chemin cérémoniel ; avec elle, il devient découverte, aventure.

Et aventure merveilleuse où tout se finit bien : car la

---

83. *De l'Amour,* I, p. 127. — 84. *De l'Amour,* I, p. 127.

certitude y naît des doutes mêmes, comme s'il suffisait de s'abandonner au hasard pour se trouver aussitôt récompensé. L'amour se développe en effet par contagion, et le meilleur moyen de le provoquer, c'est encore de le ressentir soi-même. Lucien avoue piteusement ses échecs de dandy impassible et de séducteur à froid : « Je n'aurai jamais de succès que par le plat et vulgaire moyen de la *contagion de l'amour,* par la pitié, les larmes... et ce qu'il (son cousin Ernest) appelle, ce chimiste de malheur, la voie humide [85]. » A maintes reprises, Stendhal décrit les mystérieux pouvoirs de cette « humidité », de cette confiance instinctive, de « ce mouvement nerveux et involontaire de la franchise répondant à la franchise [86] », « ce certain effet nerveux de l'intimité et de la franchise provoquant la franchise » [87], que symbolise charnellement la contagion des sourires et des baisers, et par lequel, subissant en un retournement ironique le contrecoup de son attaque, le séducteur se trouve pris à son propre piège. Chaque amant devient alors origine et point d'arrivée, sujet et objet, cause et effet de l'amour : « Rien d'intéressant comme la passion, c'est que tout y est imprévu et que l'*agent y est victime* [88]. »

On objectera que certaines formes d'amour semblent se refuser à tout échange. De nombreux textes stendhaliens tendent à présenter en effet la cristallisation comme une opération intérieure qui demande seulement au réel de lui fournir un prétexte, un point de départ. La femme aimée n'est plus alors la partenaire, mais l'objet de l'amour. L'amant s'accommode fort bien de son absence, voire même dans les cas extrêmes de son inexistence : il lui suffit de savoir qu'elle a quelque part existé. La distance qui sépare les deux amants s'agrandit ici à l'infini, jusqu'à laisser l'amoureux seul en face d'un fantôme que son propre rêve a créé. Il peut alors jouer voluptueu-

85. *Lucien Leuwen*, III, p. 361-62. — 86. *De l'Amour*, I, p. 167. — 87. *De l'Amour*, II, p. 64. — 88. *De l'Amour*, II, p. 180.

sement de cette passion dont il a la propriété exclusive, et qu'aucune intervention d'autrui ne pourra venir troubler. Il la laisse descendre en lui, la protège jalousement contre l'autre, préférant le bonheur d'aimer à la joie de se sentir aimé. Telle est cette *rêverie tendre* que Stendhal avoue avoir placée au-dessus de tous les autres plaisirs, et grâce à laquelle il put peupler sa solitude de tout un jeu d'imaginations heureuses. Aimer sans réponse, sans désir de réponse et sans obligation de répondre soi-même, comme on admire une statue, cela peut en effet représenter une pointe extrême de l'amour. Stendhal blâme Mme de Staël de n'avoir pas su y atteindre : « Elle ne sent pas le bonheur d'aimer, *elle veut toujours du retour,* elle ne sent pas qu'on a du plaisir à aimer, comme une âme sensible aime l'Apollon du Belvédère [89]. » L'Apollon ne peut pas venir gêner l'amour qu'on lui porte : son insensibilité rassure et encourage. De même Julien auprès de Mathilde, et sans doute Stendhal auprès de Métilde se prennent à rêver à une pétrification de l'autre : « Ah, se disait-il en écoutant le son des vaines paroles que prononçait sa bouche comme il eut fait un bruit étranger ; *si je pouvais couvrir de baisers ces joues si pâles, et que tu ne le sentisses pas !* [90] » Phrase extraordinaire de suggestion intérieure et poétique : ces paroles lointaines et absurdes, cette pâleur des joues y semblent annoncer une destruction de l'être aimé en tant qu'esprit et âme, et comme y présager un passage à l'insensible et absente froideur du marbre. Jamais Stendhal n'a traduit avec plus de puissance le désir insensé, la folle tentation d'un amour solitaire.

Certaines formes de passion semblent donc bien se ramener à un vain et silencieux dialogue de l'amoureux avec sa chimère. Mais on peut se demander si cette description, qui est le plus souvent celle que trace Stendhal

---

89. *A Pauline,* 2 Fructidor, An XII. — 90. *Le Rouge et le Noir,* II, p. 342.

lui-même, correspond bien à la réalité intérieure, et s'il n'y a pas quelque illusion dans cette croyance à un amour sans réciprocité. Laissons de côté les âmes vulgairement exigeantes qui comme Mme de Staël ne donnent que pour recevoir, et exigent d'abord un *retour*. Mais l'amoureux de l'Apollon lui-même se contente-t-il d'un perpétuel *aller ?* Peut-il toujours adorer un vide en lequel ses pensées se perdraient ? Pour être *imaginé,* l'objet de l'amour solitaire n'est pas en réalité moins vrai que celui de l'amour échangé. Il y a toujours écho et circulation, mais au lieu de résonner entre deux êtres vivants cet écho s'établit maintenant entre l'amant et l'être imaginé que la cristallisation crée en face de lui, en lui-même. « *Toute chose imaginée,* écrit Stendhal, *est une chose existante* pour l'effet sur le bonheur [91]. » La cristallisation serait alors circulation intérieure, continuel aller-retour de soi à soi, d'un soi quotidien à un soi transfiguré, — la passion n'étant rien d'autre que ce mouvement de passage, ou plutôt cet engendrement réciproque de l'un à partir de l'autre. Tout en étant créé et nourri de la seule substance intérieure, l'amour renouvelle donc et recrée l'être.

Et ce fantôme, né de la seule imagination, la passion produit son plus étonnant miracle en le faisant coïncider avec un être réel : à la fin du long circuit intérieur de la cristallisation, l'amoureux stendhalien émerge à la lumière d'une passion *véritable.* Sous son souffle la statue s'anime, le fantôme s'incarne. A l'inverse de l'imagination proustienne qui, semblable à la lanterne magique du jeune Marcel, recouvre seulement de ses projections les murs d'une réalité qui lui demeure irréductible et contre laquelle le désir viendra finalement se briser, l'imagination stendhalienne rejoint au terme de son voyage dans l'irréel une réalité qu'elle a elle-même créée. Avec du romanesque elle fait du vivant. Il ne faut donc plus la voir comme une puissance stérile et solitaire, une sorte d'onanisme

91. *De l'Amour,* II, p. 242.

de l'âme : elle débouche sur les choses et sur leur jouissance. Car il a suffi de croire à l'amour pour le faire
exister, de le nourrir dans l'âme pour le créer dans le
monde : il est fils de la confiance.

Marcel Proust fait dans *la Prisonnière* une curieuse
remarque sur le rôle de l'*altitude* dans l'univers stendhalien. « Vous verrez dans Stendhal, dit Marcel à Alber-
tine, un certain sentiment de l'altitude se liant à la vie
spirituelle : le lieu élevé où Julien Sorel est prisonnier,
la tour au haut de laquelle est enfermé Fabrice, le clocher
où l'abbé Barnès *(sic)* s'occupe d'astronomie et d'où
Fabrice jette un si beau coup d'œil [92]... » Déjà reconnu
comme le milieu naturel de l'intimité amoureuse, voici
que l'espace apparaît maintenant comme la dimension
même du spirituel, le domaine concret de l'imaginaire.

C'est bien en effet en termes d'espace, vertical ou
horizontal, que se traduisent les valeurs stendhaliennes les
plus pures. Cet univers où les âmes se distinguent les
unes les autres par leur plus ou moins grande puissance
d'*exaltation,* qui ne connaît de plus ignoble défaut que
la *bassesse,* ni de plus belle vertu que la *hauteur* du
caractère, où l'on a, dit Stendhal, « des devoirs selon la
portée de son esprit » [93], ce monde s'oriente selon des
lignes de force très nettement ascensionnelles. Loin du
« réel plat et fangeux », on s'y élance vers la griserie des
« espaces imaginaires ». Toute psychanalyse stendhalienne
devrait étudier les thèmes d'évasion dans l'espace, de jouissance aérienne des horizons où l'œil s'enchante à cette
« magie des lointains » que Stendhal aimera tant chez le
Corrège. Lointains magiques parce que la transparence de
l'atmosphère parvient, en enveloppant les objets d'un voile
d'air, à les alléger de leur réalité pour faire courir sur
eux les reflets changeants de la rêverie. Cette magie est
bien la même que l'on retrouve dans l'amour : lui aussi
opère le relais de la perception par l'imagination, de la

92. *La Prisonnière,* II, p. 237. — 93. *De l'Amour,* II, p. 211.

réalité proche par l'image lointaine. « Toute passion, dit Maine de Biran en un texte que Stendhal médita, est une sorte de culte superstitieux rendu à un objet fantastique ou qui, dans sa réalité même, sort du domaine de la faculté perceptive, pour passer tout entier sous celui de l'imagination. Cet objet est toujours plus ou moins *enveloppé, indéfini ;* il s'offre dans un *certain éloignement* et sous plusieurs aspects divers [94] »... La passion projette son objet dans un espace qui l'affranchit de ses limites et le libère de la vision exacte, immobile. Elle l'évapore dans un lointain à demi fantastique mais qu'un dernier scrupule de netteté vient curieusement limiter par une ligne ultime, la ligne d'horizon. « Un amant voit la femme qu'il aime dans la ligne d'horizon de tous les paysages qu'il rencontre... » C'est au bout d'une perspective que la vraie passion profile le plus aisément ses mirages.

Et cette perspective est aussi bien temporelle que spatiale : du haut du clocher de Grianta, Fabrice domine non seulement l'étendue de pays, lacs et montagnes, qui se déploie devant ses yeux, mais aussi bien l'étendue temporelle, passé, présent et avenir, de sa vie tout entière. Le château paternel et les eaux du lac de Côme qui le ramènent aux jours de son enfance, les prophéties de Blanès qui le jettent tout d'un coup vers les événements de son futur : devant lui c'est toute son existence qui s'étale. Ces astres que Blanès lui montre au bout de sa lunette, il croit très sincèrement découvrir dans leur scintillement lointain les lignes de son avenir. Il se sent appelé, déterminé par eux, comme si au bout de toutes les indéterminations de l'espace et du temps, qui n'en font plus ici qu'une seule, une sorte d'espace-temps poétique, se découvrait soudain l'exact visage de son destin. Stendhal peut bien juger absurde cette foi astrologique : il n'en accorde pas moins un grand prix à son pouvoir de communion et de révélation. Point même de grand amour,

---

94. *Infl.* de l'habitude, p. 150, Ed. Cousin.

pense-t-il, sans la présence d'une certaine magie divina-
trice, sans l'accompagnement d'une obscure conscience qui
tâche d'exorciser le hasard et de lier pour cela le sentiment aux réalités qui lui sont apparemment les plus étrangères. Par la prévision, la liaison, par un appareil très
subtil de vœux et d'interdictions, la *superstition* tente de
conjurer les redoutables indéterminations de l'amour :
    « Il n'est point d'amour véritable, quel que soit son
bonheur actuel, qui ne puisse redouter cette catastrophe,
l'apercevoir en quelque sorte dans le lointain. Et toutes
les grandes passions sont craintives et superstitieuses [95]. »
    La superstition aperçoit les lointains temporels de
l'amour. Elle ouvre la jouissance présente à l'attente peu-
reuse d'un avenir dont sa magie négative essaie de bannir
tout malheur. Bref elle creuse le présent vers le futur,
comme le regret le rendait perméable au passé. Sous son
empire Fabrice, Clélia, Mme de Rénal ne peuvent plus
vivre dans leurs seules sensations actuelles : chacun de
leurs instants s'agrandit et résonne de l'écho, de l'appel
ou de la menace de tous leurs autres instants. Leur vie
s'ouvre et se lie. Ils la voient comme une destinée.
    La jouissance de cette altitude d'où la double étendue
de l'espace et du temps se déroule sous un seul regard,
ne disons donc plus qu'elle est seulement *panoramique* :
l'espace n'apparaît plus comme la distance négative qui,
séparant la conscience de son objet, permet d'en mieux
apercevoir le schéma simplifié, mais il devient de façon
positive et concrète comme une sorte d'éther liquide où
les sentiments se gonflent en une expansion indéfinie. « La
vivacité et la durée des sentiments, écrit en une remarque
très stendhalienne Maine de Biran, se proportionnent toujours à l'étendue illimitée des perspectives, à l'éloignement
des objets, ou à l'indétermination des idées qui leur cor-
respondent [96]. » L'espace incarnant en somme la liberté
créatrice de l'imagination, c'est tout naturellement que la

---

95. *Vie de Rossini*, I, p. 315. — 96. *Infl. de l'habitude*, p. 148.

hauteur revêt dans le monde stendhalien — comme par exemple la *profondeur* dans l'univers baudelairien — une signification spirituelle et morale. Les lieux hauts invitent aux hautes pensées :

« Du clocher, ses regards plongeaient sur les deux rives du lac, à une distance de plusieurs lieues, et cette vue sublime lui fit bientôt oublier toutes les autres ; elle réveillait chez lui les sentiments les plus élevés... Le bonheur le porta à une hauteur de sentiments assez étrangère à son caractère [97]. »

Pour Fabrice, jouissance de l'altitude signifie donc envol de la pensée [98]. Nul doute que le rêve de vol n'ait en effet hanté l'imagination stendhalienne. Depuis l'épervier napoléonien du *Rouge* jusqu'à la première grive abattue par Henri Brulard, et qui lui donna, nous dit-il, l'un des plus grands plaisirs de son enfance, en passant par « ce jeune corbeau » qu'il voit le 24 mars 1807, « tomber et expirer dans l'Ocker, petite rivière près de Brunswick »,

---

97. *La Chartreuse de Parme,* ch. 8, p. 287. — 98. Autre texte très significatif de la *Chartreuse* (Correction Chaper, Ed. de Cluny, p. 271) : Notre jeune Milanais marchait, écoutant le silence, et les yeux fixés sur les arbres qui fermaient l'horizon de la plaine, qui est immense à cet endroit. *La profondeur* de ses émotions faisait *voler* son attention au-dessus de la prudence et du bons sens qu'un Normand de son âge eût tiré des plus petites circonstances. Toute la différence c'est que l'âme du Normand, si tant est qu'il y ait âme, *s'embourbe* bientôt dans la première jouissance de grossière vanité ; les âmes comme Fabrice ne se contentent pas d'être officier de la garde nationale de leur bourg ou de porter une demi-aune de ruban à leur boutonnière, mais s'envolent souvent bien au-delà, et quelquefois font des folies.

Ici encore l'émotion se déploie dans l'espace, apparaît comme un envol, un arrachement à la bourbe de l'humanité moyenne. Le danger de l'enlisement est en outre très nettement précisé : c'est la *vanité,* qui est une forme de la vie sous le regard. Dans l'émotion vraie au contraire le regard se perd, et c'est l'un des éléments de beauté de ce texte, dans une double immensité horizontale et verticale. La « profondeur de l'émotion » découvre ainsi ses coordonnées concrètes.

chute dans laquelle il voit « une belle image de la mort »,
toute une série d'images aériennes viennent recouvrir de
leur symbolisme les rêves les plus profonds d'ambition,
de sadisme ou de mort. Car vivre vraiment, c'est s'arracher du sol, c'est connaître l'ivresse et la rapidité d'un
vol libre : « Pour la première fois, Mathilde aima ; la vie,
qui toujours, pour elle, s'était traînée à pas de tortue,
volait maintenant [99]... » Homme des cimes, sans cesse
emporté à l'extrémité de lui-même, le héros stendhalien
aspire maintenant à quitter le sommet : l'imagination,
déjà, le conviait à un semblable arrachement, mais on
la voyait au dernier moment hésiter et fléchir. Seul le
sens du *sublime* parvient alors à l'élever au-dessus de la
terre et de sa condition.

Le sublime domine : il est un vol moral, un équivalent
éthique de l'imagination aérienne : aussi comporte-t-il
divers niveaux d'altitude, divers degrés d'authenticité.

Le *faux sublime,* que Stendhal nomme « sec », propose à l'âme ambitieuse un *modèle* à la hauteur duquel
celle-ci tente de s'élever. L'individu se hisse au-dessus
de lui-même, mais seulement pour s'identifier à une image
idéale. Si bien que ce sublime se distingue au fond assez
mal d'un conformisme de la grandeur. La noblesse de
Mathilde semble par exemple moins pure que celle de
Julien, parce que plus soucieuse d'imitation. Elle se nourrit
à des préjugés aussi contraignants que toutes les règles
mondaines auxquelles Norbert, Croisenois, Beauvoisis, et
tous leurs gracieux cousins en dandysme conforment scru-
puleusement leurs moindres gestes. Elle n'est en somme
qu'un snobisme de l'anachronique : Mathilde s'est seulement trompée d'époque ; elle ne fait rien d'autre que refuser les modes de son temps pour adopter des modes
vieilles de trois siècles ; tendue vers l'imitation de ce vieux

99. *Le Rouge et le Noir,* **II,** p. 354.

de la Mole, qui mourut le 30 avril 1574 en place de Grève, est-elle si différente de toutes les jeunes filles de 1820 qui, pour avoir trop lu *la Nouvelle-Héloïse,* sont seulement capables d'aimer comme on récite ? Comme Ranuce Ernest campé sous le portrait de Louis XIV, elle mime la vraie noblesse beaucoup plus qu'elle ne la vit. Et chez Julien lui-même l'énergie spontanée se coule trop dans des moules reçus : pour se défier de tous les livres, il nous apparaît qu'il a un peu trop lu le *Mémorial.* Mais son héros possède sur celui de Mathilde l'immense avantage de n'avoir pas encore été englouti par l'histoire : participant à un mythe vivant, Julien n'a pas besoin, comme Mathilde, d'adorer des reposoirs ni de mettre le deuil pour célébrer des anniversaires. Pour lui, comme pour tous les jeunes gens de son âge, les pierres de la Malmaison, le tombeau de Ney sont tout chauds encore de présences bouleversantes, de souvenirs à peine étouffés, d'une histoire plus réelle que celle de l'époque dans laquelle ils ont le malheur de vivre. Les forces vives de la Restauration demeurent napoléoniennes, telle est la grande excuse que Stendhal donne à son héros ; car s'il faut à tout prix imiter, il préfère que nous suivions les mythes de notre époque plutôt que de revenir aux croyances d'un temps révolu. *Racine et Shakespeare* retrouve cette idée simple que le romantisme répond au goût des jeunes gens de 1820, comme le classicisme correspondait à celui de leurs grands-pères. Le monde stendhalien fait ainsi, malgré les apparences, peu de cas de la nostalgie : il se veut contemporain, et s'il se peut contemporain de l'avenir.

Le vrai sublime, cependant, se soucie peu d'imiter passé, présent ou avenir, il vit selon les seules exigences de sa propre poussée. Il s'élève bien au-dessus des conformismes, des préjugés, des jugements d'autrui. C'est un cynisme aérien. Il suggère que nos actes sont bien au-dessous de ce que nous sommes, et que ce que nous sommes est bien au-dessous de ce que nous aurions pu

être, de ce qu'en réalité nous étions. « Moi seul, rêve
Stendhal, je sais ce que j'aurais pu faire. Pour les autres,
je ne suis tout au plus qu'un peut-être... » Mais le sublime
se moque des autres, et il peut très bien s'épanouir dans
la complaisance de ce « peut-être ». Le héros sublime
se sent supérieur à tous ses gestes : Julien glisse à travers
ses rôles sans se laisser entamer par aucun d'eux, Fabrice
vit loin de lui-même, en une sorte de détachement souverain où l'œil d'autrui le suit avec peine et envie : « Tout
est simple à ses yeux, parce que tout est vu de haut... ».
Mosca le regarde d'en bas, en homme obligé par son
métier à vivre à fleur de sol et au contact des hommes.
Le sublime est au contraire une forme de l'absence ; chez
Mme de Chasteller par exemple on le distingue mal de
la nonchalance ou de l'ennui. « Une âme élevée, écrit
Stendhal à Pauline, se met bien au-dessus de certaines
choses que le monde dispense... Ce qui fait les âmes éle-
vées, c'est leur propre sensibilité, c'est l'ennui intérieur [100]... » L'âme sublime s'exile alors dans son propre
vide, d'où elle domine et méprise la fausse plénitude des
activités humaines. Du haut de la tour Farnèse ou de
sa chaire de prédicateur, Fabrice ne conserve une pres-
tance si royale que parce qu'il refuse de se prendre au
sérieux : détaché, légèrement indifférent, magnifiquement
naturel parce que libre. Rien ne le retient parce qu'il ne
tient à rien : ni à la vie, ni à ses idées. Comme même, et
c'est Stendhal qui souligne, il n'a pas d'idées ni de sys-
tème, chaque pensée jaillit en lui, libre et chantante,
comme un impromptu de la sensibilité. Rien ne vient plus
briser sa spontanéité magnifique de jeune animal sauvage.
Son sublime, c'est alors le naturel épanoui.

Et son amour pour Clélia ne l'arrache à cette indifférence que pour éloigner davantage encore des hommes.
Il promène alors dans les salons un corps sans âme, une
sorte de fantôme fragile et fastueux en qui l'absence de

---

100. *Corr.*, II, p. 235.

tout intérêt humain finit par passer aux yeux du monde
pour une authentique sainteté. Et le monde se trompe-
t-il tellement ? Fabrice amoureux, a-t-on écrit, c'est déjà
Fabrice chartreux. Quoi d'étonnant, quoi même de moins
sacrilège, que de voir la passion si souvent protégée chez
Stendhal par des vêtements ecclésiastiques, si l'on réfléchit qu'amour et religion représentent deux formes très
voisines du détachement et de la retraite ? L'amour stendhalien produit ses plus belles fleurs dans le secret, à
l'ombre des prisons ou dans le parfum des cloîtres. Et
s'il réclame le plus souvent la complicité de la nuit, c'est
sans doute à cause de son horreur du regard et de l'explicite, mais plus encore peut-être parce que l'ombre est
le lieu du départ et du secret, une sorte de demeure
sacrée qui referme ses portes sur le bonheur. L'amour
stendhalien véritable se voue ainsi au silence et aux ténèbres. Heureux, Fabrice et Clélia échappent au lecteur et
à leur créateur lui-même ; trois années de bonheur se
décrivent en dix lignes ; et ils ne se perdent que pour
avoir voulu éclairer leur nuit, pour avoir succombé à la
tentation de Psyché [101].

La mort reste alors leur plus sûr refuge ; elle dérobe
et enlève les âmes sublimes. Julien, Fabrice, Octave meu-
rent moins qu'ils ne glissent hors de la vie. Leur créateur
leur accorde leur congé : ils s'en vont sans bruit, discrètement, gracieusement, dans la clarté d'un beau soleil levant,
face aux côtes de la Grèce, ou dans l'air frais d'une
matinée radieuse. On a l'impression que leur journée commence. « Jamais cette tête n'avait été plus poétique qu'au
moment où elle allait tomber. » Poétique, parce que la
poésie de la mort rejoint la poésie du sublime : toutes
deux auréolent des êtres à demi absents, déjà partis, et
que leur proche disparition transfigure. C'est la raison
pour laquelle la mort n'a rien d'effrayant chez Stendhal,

101. « Psyché perdit l'amour pour avoir voulu le connaître. »
Fil. Nov. I, p. 9.

pour laquelle elle ne s'accompagne jamais des révoltes du corps ni des angoisses de la conscience. L'être se confie au courant qui l'entraîne, il se laisse aspirer par le néant. Pour traduire la tranquillité, l'instantanéité de ce rapt, Stendhal a prêté à l'un de ses porte-parole les plus chers une suite d'admirables métaphores :

« Mais, madame la duchesse, dit Roizand, la mort est un mot presque vide de sens pour la plupart des hommes. Ce n'est qu'un instant, et en général on ne le sent pas. On souffre, on est étonné des sensations étranges qui surviennent, et tout à coup on ne souffre plus, l'instant est passé, on est mort. Avez-vous jamais passé en bateau sous le pont Saint-Esprit, qui traverse le Rhône près d'Avignon ? On en parle beaucoup à l'avance, on a peur, enfin on l'aperçoit devant soi à une certaine distance ; tout à coup le bateau est saisi par le courant et en un clin d'œil l'on voit le pont derrière soi.

— Ah monsieur, c'est ce moment de la mort dont je ne puis supporter l'idée.

— Mais madame, ce moment est occupé par une douleur quelquefois bien peu vive. On la sent encore et, par conséquent, l'on vit, on n'est pas mort, on n'est encore que dangereusement malade. Tout à coup, on ne sent plus rien, on est mort. Donc, la mort n'est rien. C'est une porte ouverte ou fermée, il faut qu'elle soit l'un ou l'autre, elle ne peut pas être une troisième chose [102]. »

Par cette porte, le héros stendhalien opère sa sortie. La mort lui est la forme ultime du détachement et pour ainsi dire l'envol définitif. Envol vers un autre bonheur ? L'athéisme de Stendhal nous empêche de le croire. Mais il est troublant de voir comment la mort toujours réunit les amants et semble leur préparer quelque part des retrouvailles. L'optimisme romanesque est si fort en Stendhal qu'il va jusqu'à balancer parfois le scepticisme incrédule. Car cette lumière confiante que l'amour heureux jette

102. *Une position sociale, Mél. de Litt.* I, p. 115.

sur toute la vie, on voit mal comment la brutalité d'un instant, et d'un instant dont Stendhal s'emploie en outre à proscrire toute nuance pathétique, pourrait seule suffire à l'éteindre. Mais ce sont là simples suggestions ; le lointain demeure et doit demeurer inconnu. Et puisque la vie du cœur, de la tendresse et de l'amour s'est tout entière située sous le signe de l'inconnaissable, il est beau que ce soit dans la suprême énigme qu'elle trouve, à tous les sens du mot, son achèvement.

4

Cependant il faut vivre, c'est-à-dire essayer d'être heureux : or la chasse au bonheur engage le héros stendhalien dans deux chemins opposés entre lesquels il doit choisir, et au bout desquels ne l'attend que la même inquiétude. Car si la vie dirigée par le besoin de connaissance aboutit à la délectation d'un monde exact, mais rongé de sécheresse et vidé de substance, la vie vouée aux délices du sentiment l'enferme d'autre part en une jouissance aveugle où l'objet de son plaisir et sa conscience même finissent par disparaître. « Ta véritable passion, écrit Stendhal à vingt ans, à la suite d'une lecture de Biran, est celle de connaître et d'éprouver. Elle n'a jamais été satisfaite [103]. » Aveu essentiel, et jamais infirmé par la suite, qui établit dans l'expérience stendhalienne l'hostilité radicale du connaître et du sentir, et qui les pose face à face comme deux mondes ennemis entre lesquels aucune copule ne vient jeter de pont, comme deux univers séparés qui semblent, en même temps qu'ils se repoussent l'un l'autre, exclure aussi la possibilité même du bonheur.

La force de Stendhal fut de reconnaître cette oppo-

103. *Fil. Nov*, II, p. 372.

sition, et de transformer la ligne de rupture en une ligne
de démarcation : de part et d'autre de cette frontière, et
malgré sa division profonde, son univers allait peut-être
parvenir à s'orienter, à se construire. Car de la même
façon que, dans le roman de Proust, l'univers enfantin
du jeune Marcel trouve sa cohérence en la croyance que
le côté de Guermantes et le côté de chez Swann sont
irrémédiablement séparés, le monde stendhalien prend
forme et assurance en se divisant en *côtés* ennemis : versant français et versant italien, verger Henri Gagnon et
jardin Elisabeth, salon de la Môle et grands bois de Verrières, côté Jean-Jacques et côté Helvétius : oppositions
essentielles où, en un constant dyptique, chacun des deux
partis, celui de l'esprit et de la sécheresse, celui du cœur
et de la tendresse, tente, et toujours vainement, d'exclure
l'autre. A cette hantise de dualité, que rappellent peut-
être les titres doubles : Rouge et Noir, Rose et Vert,
Amarante et Vert, la pensée la plus abstraite elle-même
n'échappe pas, puisqu'il est, nous dit Stendhal, « deux
explications des choses inexplicables, dont l'une entraîne
les âmes tendres et l'autre les esprits secs. L'une a pour
représentants Kant, Schelling, Fichte et tous les Allemands.
La triste raison, à laquelle il faut bien en revenir quand
il s'agit de raisonner, nous offre pour nous guider dans
la recherche si difficile du vrai les ouvrages de Bayle, de
Cabanis, de MM. de Tracy et Bentham [104]. » S'il semble
se ranger ici lui-même dans le camp de la triste raison,
Stendhal ne se privera pas plus tard d'excommunier la
même raison au nom du sentiment, Helvétius au nom
de Jean-Jacques, Poussin au nom du Corrège. Sans cesse
il passe d'un camp à l'autre.

Tout en maintenant les oppositions, la vie l'oblige en
effet à multiplier les expériences. Aucun thème plus profondément et poétiquement stendhalien que le thème de
la *montagne franchie,* en lequel se traduit symbolique-

104. *Promenades dans Rome,* II, p. 87.

ment la hantise du passage d'un côté au côté ennemi. Passage, pour le jeune Stendhal qui se laisse dégringoler le long des Alpes avec l'armée d'Italie, de la mesquinerie grenobloise à la générosité milanaise, de l'enfance à l'amour, — passage géographiquement inverse pour le jeune Fabrice d'une vie sous l'étouffoir à un rêve de vie libre et glorieuse. Et Julien, pour passer du côté de Verrières au côté des de la Mole, de Mme de Rénal à Mathilde, — ces deux mondes socialement et sentimentalement imperméables, et qui ne communiqueront en effet qu'une fois, par cette lettre de Mme de Rénal qui provoquera la catastrophe, — Julien doit lui aussi franchir sa montagne. Stendhal, en une phrase magnifique qui semble étirer la route et reculer l'horizon, nous montre son voyageur retourné vers ce passé qu'il quitte, accroché du regard à cette église de Verrières qui signifie pour lui tant de choses : « Son âme était navrée, et, avant de passer la montagne, tant qu'il put voir le clocher de l'église De Verrières, souvent, il se retourna. » Mais il regarde en même temps devant lui ; géographiquement et symboliquement sa vie s'enferme en deux vallées que le regard domine et juge. Rare vertu que celle qui, ne serait-ce que l'espace d'un instant, arrête l'âme sur sa ligne de crête et sait découvrir dans le destin des hommes comme une ligne de partage des eaux.

Stendhal ne crut cependant pas que le bonheur résidât dans la seule infidélité. Nostalgie et regret suivent le voyageur, lui présentent sans cesse les images d'un bonheur dont il est désormais séparé. Pour passer aussi légèrement d'un côté à l'autre, il faudrait ne jamais se souvenir. Mais auprès de Mathilde, c'est l'image de Mme de Rénal qui hante Julien, avec Mme d'Hocquincourt, celle de Mme de Chasteller qui poursuit Lucien. Pas plus qu'il ne parvient à vivre en des instants radicalement séparés, le héros stendhalien ne peut donc s'en tenir à des bonheurs absolument exclusifs. Et si, du fait de son apparente discontinuité le monde stendhalien, semble relativement peu souffrir du désaveu que conscience et sensibilité s'y infligent sans cesse l'une à l'autre, il reste que la chasse au bonheur s'avérerait impossible en un univers irrémédiablement divisé. Et on peut affirmer qu'elle s'avéra impossible en effet, que l'expérience vécue de Stendhal se solde par un échec. L'entreprise stendhalienne n'aurait alors connu le succès que sur le plan de la création romanesque : le dédoublement entre héros et romancier y aurait permis à Stendhal à la fois de jouir, en Fabrice, et de juger, en Stendhal. Mais on peut, sur le plan même de l'expérience, se refuser à admettre un tel échec, et nous croyons que Stendhal s'y refusa. Entre les exigences dont il a si nettement reconnu en lui-même la contradiction, nous croyons qu'il parvint à établir certains équilibres, qu'entre le monde de la sécheresse, ou de la connaissance, et celui de la tendresse, ou du sentiment, il découvrit toute une zone de glissements et de passages. Mieux même : au-delà des compromis instables où sécheresse et tendresse mêleraient provisoirement leurs bienfaits, l'on peut se demander si, plus profondément, Stendhal ne pratiqua pas une sorte de dialectique intérieure par laquelle passion et connaissance se seraient engendrées l'une l'autre. Mais il faut voir d'abord comment, mettant en œuvre une technique dont Hérault de Séchelle avait livré à son ambitieux le secret et la formule, Stendhal parvint à « déterminer ce qui était vague. et à confondre ce qui était distinct. »

5

Confondre ce qui est distinct, ce peut être d'abord, et très concrètement, faire glisser sur la netteté des formes un voile qui les estompe. Entre la stérilisante clarté du jour et la confusion de la nuit, aube et crépuscule peuvent ménager des jouissances mitigées ; les paysages y émergent au jour ou s'y imbibent d'ombre, tempérant d'incertitude la netteté de leurs contours. La mélancolie stendhalienne aime ainsi les saisons de passage, heures d'automne où les lignes, gonflées et mûries, semblent vibrer déjà de leur disparition proche, où les brouillards, comme en un tableau du Lorrain, alanguissent les lointains. Elle adore « les derniers beaux jours où une vapeur légère semble voiler les beautés de la nature pour les rendre plus touchantes, et où, même quand le soleil paraît dans sa splendeur, on sent qu'il nous quitte » [105], heures de l'adieu de Jésus à ses disciples, où, dit-il en reprenant un vers de Gray, « fades the glimmering landscape on the sight » [106]. Evanescence, passage, prélude au grand engloutissement, mais aussi délivrance de la tyrannie linéaire et du monde morcelé.

Comme l'écho agrandit et transmet les sons sans en compromettre la netteté, le halo vient alors adoucir les formes et attendrir les cœurs. Ainsi dans une de ces nuits italiennes « lorsque des étoiles scintillantes se détachent si bien sur un ciel d'un bleu foncé », où l'île de Capri « se détache dans le lointain au milieu des flots d'argent d'une mer doucement agitée », il arrive qu'un nuage vienne se glisser devant la lune, atténuant la clarté qui découpe si délicieusement tous les reliefs : « Insensiblement une nuée légère vient voiler l'astre des nuits, et sa lumière semble, durant quelques instants, plus suave et plus tendre ; l'aspect de la nature en est plus touchant, l'âme est attentive... » Mais cette attention n'est plus celle du spectateur dont l'œil parcourt une parfaite dentelure : elle devient plutôt l'attente du rêveur qui sent les choses soudain plus proches de lui, moins circonscrites, déjà débordantes et à demi ouvertes à son atteinte. Le paysage semble porteur d'un *sens* qui pénètre et occupe l'âme : « notre cœur sensible se laisse aller à une douce mélan-

105. *Peinture en Italie,* II, p. 114. — 106. *Peinture en Italie,* I, p. 240.

colie ; je ne sais quoi de sérieux s'empare de nous ; notre
âme semble se mettre en harmonie avec le soir et sa
tranquille tristesse [107]... » Harmonie, non plus spectacle.
Sorte de communauté mystérieuse, qui touche au mystère de la pudeur. Secret des âmes, voiles des paysages :
on dirait que pour lui paraître attirantes, ou même abor-
dables, les choses ont d'abord besoin de s'envelopper et
de se refuser. Ce « je ne sais quoi » de sérieux et d'harmonieux, qui met l'âme en communication avec un paysage ou avec une autre âme, naît de la dérobade même
qui plonge ce paysage dans l'obscur. La pénombre est le
lieu privilégié du passage et de l'aveu.

Et les sons eux aussi deviennent plus touchants s'ils
nous parviennent à travers l'épaisseur d'un espace qui en
amortit l'acuité. L'air les amollit et les allège. Rien de
plus doux pour Stendhal que le son moelleusement clair
d'une cloche lointaine, adouci et mouillé par l'eau d'un
lac au-dessus duquel il a voyagé. Sensation et imagination
s'unissent alors pour reconstruire le son originel, et
autour de lui tout un paysage :

« L'imagination est touchée par le son lointain de la
cloche de quelque petit village caché sous les arbres ; ces
sons, portés par les eaux qui les adoucissent, prennent une
teinte de douce mélancolie et de résignation[108]... »

Car les lacs tranquilles « dont l'eau calme réfléchit si
bien la profondeur des cieux » savent apaiser les tem-
pêtes de l'âme et les violences de la vie. A l'opposé de
l'*air* en qui nous avons cru reconnaître l'élément de
l'ambition, du sublime sans limites et de la liberté du cœur,
l'*eau* incarne dans le monde de Stendhal comme dans
celui de Jean-Jacques les tentatives de repli et de recueillement. Sur la douleur des âmes desséchées son humidité
étend un grand voile reposant. Fabrice reste toute sa vie
le jeune et hardi nautonnier du lac de Côme ; à chaque

---

107. *Vie de Rossini*, II, p. 188. — 108. *Chartreuse de Parme*,
I, p. 43.

blessure c'est auprès d'un lac qu'il cherche retraite. Tout le roman de la *Chartreuse* résonne grâce à lui de l'écho mouillé de ces eaux qui « à intervalles égaux viennent expirer sur les grèves » et calment en même temps l'agitation des cœurs. Le *Rouge* au contraire, roman plus dur, se prive de ce fond humide d'harmonies aquatiques. Terrien et montagnard, il manque à Julien, cette âme en qui « c'était tous les jours tempête » de pouvoir apaiser ses orages auprès d'une rive amie. Davantage voué à l'énergie et à l'exaltation, il ne connaît d'aquatique que le ruisseau maigrelet et tressautant auprès duquel a grandi sa jeunesse. Au contraire Fabrice sait admirablement utiliser le pouvoir des eaux pour adoucir l'aigreur des sensations. Par exemple en ce jour où, du haut du clocher de Grianta, il entend les coups secs des *mortaretti* :

« Lorsque le Saint Sacrement approche, on met le feu à la traînée de poudre, et alors commence un feu de file de coups secs, le plus inégal du monde et le plus ridicule, les femmes sont ivres de joies. Rien n'est gai comme le bruit de ces mortaretti *entendu de loin sur le lac* et adouci par le balancement des eaux [109]... »

Voyons dans cette scène un symbole de ce que Stendhal a tenté pour lui et pour ses héros, s'il est vrai qu'au feu de file sec et discontinu des sensations les plus particulières, il essaya de substituer l'unité harmonique d'un sentiment continu.

Mais c'est surtout à travers l'expérience des *beaux-arts* que Stendhal va tenter de résoudre, ou du moins d'atténuer la contradiction qui le divise. Non point qu'il ait été un connaisseur, ni même un amateur d'art très éclairé. Dans l'art il recherche d'abord son « émotion » [110]. Il

109. *Chartreuse de Parme*, I, p. 291. — 110. *Vie de Rossini*, II, p. 215.

regarde un tableau comme on admire une femme, écoute
une mélodie comme un aveu d'amour, poursuit en somme
à travers les beaux-arts non pas la révélation d'une beauté
qui leur soit propre, mais la reproduction des joies que
la vie offre ou devrait offrir à toute âme sensible. Mais
l'impureté de cette attitude, si choquante qu'elle puisse
apparaître au pur esthéticien, il faut pour notre part nous
en réjouir et reconnaître qu'elle convient admirablement
à notre propos. Car si dans l'expérience stendhalienne
l'expérience artistique n'est pas un champ séparé, isolé, si
les beaux-arts prolongent seulement pour lui l'ambition, la
science ou l'amour, il devient légitime de les considérer
dans la perspective désormais familière où se sont situées
toutes nos remarques précédentes. Et l'on découvre alors
que la jouissance artistique représenta pour Stendhal une
expérience privilégiée, puisqu'elle le mit à nouveau, et avec
quelle netteté, en face de son problème essentiel, et qu'à
ce problème elle lui permit en outre d'apporter quelques
précieuses solutions intérieures.

Logiquement et historiquement, car assez curieusement
les deux développements coïncident, la peinture commence
selon Stendhal par être une reproduction analytique du
monde. A peine dégagée de la « barbarie médiévale » et
de ce hiératisme gothique dont rien dans sa formation
idéologique ou sentimentale n'amenait Stendhal à saisir la
grandeur, elle s'engage sur la voie d'une étude rigoureuse
qui vise à rapprocher l'art de la nature. Cette peinture,
qui s'efforce de marquer nettement le contour, préfère à
la couleur le dessin accentué, et moule les muscles des
corps et les reliefs des paysages ; elle veut être en somme
une anatomie de la nature : et c'est bien en effet par
l'anatomie, l'analyse des corps, que le peintre commence
à apprendre son métier. Telle doit être, sèche et sans fantaisie, la peinture des apprentis peintres. Le meilleur
maître est le plus dur, Pérugin, non Rubens,

« Car c'est une remarque juste qu'il est plus facile aux élèves d'ajouter du moelleux aux contours étroits de leur maître que de se garantir de la superfluité des contours trop chargés. On ajoute aux muscles maigres du Pérugin. On n'ôte pas à ceux de Rubens. Quelques amateurs sont allés jusqu'à dire qu'il faudrait habituer la jeunesse, dès son entrée dans les ateliers, à cette sévère précision du XVe siècle [111] »

Mais on voit qu'il ne faut prendre cette sévère précision que comme point de départ à toute une évolution qui doit la laisser loin derrière elle. Comme elle donne au corps humain une armature d'os et de muscles que le moelleux des chairs viendra ensuite habiller et fleurir, elle dote la peinture d'une discipline essentielle dont la fantaisie et le sourire des grands peintres pourront plus tard tempérer la rigueur. De même les notes à *Lucien Leuwen* montrent que dans la création romanesque Stendhal marque d'abord avec rudesse les lignes de force, ce qu'il nomme ici aussi « les muscles », et laisse à une seconde lecture le soin d'arrondir les angles ou de tendre les draperies : à tout corps il faut d'abord un squelette.

S'en tenir à ces muscles grêles et à ces contours sans grâce, à ces corps crispés, privés de nonchalance ou de folie, serait cependant s'exposer à ce défaut de *sécheresse,* auquel n'ont échappé ni les primitifs, ni même la plupart des grands peintres dans leur période de formation, et qui suffit à tarir en Stendhal toutes les sources vives d'admiration et d'émotion. Tout ce qui est « étroit, timide, mesquin », tout ce qui étouffe l'âme sous la forme et la liberté sous l'exactitude rebute irrémédiablement son enthousiasme « Pour l'idée de la sécheresse, précise-t-il, voir le Christ du Titien, et celui d'Albert Durer [112]... »

Ce péché primitif de la peinture, auquel il arrive aux plus grands de succomber, voyons par quels moyens les peintres favoris de Stendhal l'ont évité.

111. *Histoire de la Peinture en Italie,* I, p. 192. — 112. *Histoire de la Peinture en Italie,* I, p. 177.

A l'orée de la grande période italienne, après Giotto, Masaccio, Castagno, mais avant Ghirlandajo,

«... il restait à donner de la plénitude aux contours, de l'accord aux coloris, plus de justesse à la perspective aérienne, de la variété aux compositions, et surtout de l'aisance au pinceau, qui semble toujours pénible dans les peintres nommés jusqu'ici [113]. »

Il restait en somme à assouplir la raideur des formes, à creuser la platitude des plans, à attendrir un univers encore figé, mais que tant de souffles déjà sollicitaient de vivre.

Et d'abord, premier pas, mais pas décisif si l'on se rappelle le culte stendhalien de la petite circonstance, il fallait sacrifier certains détails, élaguer l'innombrable et minutieux foisonnement qui fait ressembler tant de tableaux primitifs à des forêts délicatement broussailleuses, pour souligner les figures isolées qui jailliront mieux dans l'air et vers le regard :

« Il n'y a qu'un parti, sautons tous ces malheureux détails qui pourraient dérober une part de l'attention ; j'en pourrai donner plus de physionomie à ceux que je garderai [114]. »

Et cette *physionomie,* qui devient dès maintenant plus importante que l'exactitude, amènera bientôt à maquiller les détails survivants, à grossir par exemple le minuscule, à effacer le secondaire et à souligner l'essentiel, en vue d'un plus bel effet d'ensemble :

« Raphaël s'aperçut que les petites parties étaient les premières à se perdre par la distance, et par la masse d'air qui les séparait du spectateur, et que pour cela il fallait les agrandir dans les grands tableaux dont l'ensemble ne peut être aperçu qu'à une certaine distance... Il *osa abandonner les petits détails de la nature qui ne peuvent rien ajouter à l'expression, il apprit à distinguer le plus ou le moins nécessaire* [115]. »

113. *Histoire de la Peinture en Italie,* I, p. 191. — 114. *Ecoles Italiennes,* I, p. 29. — 115. *Ecoles Italiennes,* I, p. 142.

La loi d'expression devenant désormais maîtresse, — « l'expression est tout l'art », écrit Stendhal —, ses exigences, et elles seules, distinguent le plus et le moins nécessaire. Le tableau se simplifie, se stylise et s'ordonne afin de transmettre au spectateur un certain sens dont le motif représenté n'est plus que le porteur ou le prétexte.

Entre ces éléments libérés une composition progressive va établir un ordre plus souple. Le dessin, qui isole les figures, va peu à peu estomper son cerne, et, pour lier les plans, le contour peu à peu se dissoudre. La ligne droite, géométrique ou angulaire, qui à la limite se résumait en une formule, cède la place aux grâces moins calculables du contour sinueux. Le peintre « aura découvert que des contours droits et simples ne peuvent pas admettre des ondulations dans l'intérieur des parties [116]. » Le geste s'arrondit, les corps s'infléchissent, le monde ondule. Mieux encore : cessant d'apparaître linéaire, le contour n'est plus la barrière qui s'oppose aux débordements de la forme, mais bien l'accueillante frontière où deux motifs voisins viennent marier leurs périphéries. Dans les chefs-d'œuvre de Raphaël, « on ne distingue plus aucune ligne dans le contour comme dans ses autres ouvrages. » Les formes se distinguent dès lors par le tact délicat qui les fait s'épouser ; seule la rencontre des tons ou l'opposition des clairs et des obscurs limite désormais les motifs. De ce principe qui, donnant à la couche colorée le pas sur le trait de crayon, est à la base de tout le développement de la peinture moderne, Stendhal retrouve naturellement une application quand son œil regarde un paysage. « La route se dessinait en blanc au milieu de la verdure des prairies et des récoltes [117]... » « Comme je regardais la chute des montagnes du côté de Voreppe en soupirant ! C'était surtout au crépuscule du soir en été ; le contour en était dessiné par une douce couleur orangée [118]... » Ici

116. *Ecoles Italiennes*, II, p. 71. — 117. *A Pauline*, 25 juillet 1909, *Corr.* III, p. 188. — 118. *A Pauline*, 26 mars 1808. *Corr.*, III, p. 27.

encore ce sont les couleurs, ou plutôt leur rencontre qui dessinent et marquent les limites. La forme s'affirme par l'amical contact d'une autre forme.

Faisons un pas de plus : cette amicale contiguïté qui unit deux formes à la fois distinctes et solidaires va désormais provoquer le regard à glisser de l'une à l'autre. Et le spectateur découvre alors, grâce au libre passage de son regard, une dimension nouvelle, celle-là même que l'on rencontre pour la première fois dans les tableaux de Ghirlandajo.

« Il sut distribuer ses figures en groupes, et, distinguant par une juste dégradation de lumière et de couleurs les plans dans lesquels les groupes étaient placés, les spectateurs trouvèrent que ses compositions avaient de la *profondeur* [119]. »

Ruine du monde plan qui n'est pas due, soulignons-le, à un artifice de construction linéaire. Il ne s'agit pas de tromper l'œil par une habile illusion géométrique : c'est la seule dégradation des lumières et des couleurs qui, par le voyage continu auquel elle invite le regard, creuse la toile en profondeur.

Ainsi se crée cette sensation de *vaste* que Stendhal recherche à travers toutes ses admirations picturales. La peinture creuse le ciel ; tout comme la poésie elle est un art des lointains. En elle se satisfont les désirs de vol et de fuite de l'imagination rêveuse et même, assez curieusement, son besoin d'idéal. Non qu'elle console de la banalité du réel en présentant à l'émotion le spectacle d'un monde embelli : il suffit pour cela qu'elle projette les images de notre monde quotidien dans cette « magie des lointains » qui les transfigure en leur propre rêve :

« Le Poussin, par ses paysages, jette l'âme dans la rêverie ; elle se croit transportée dans *ces lointains si nobles, et y trouver ce bonheur qui nous fuit dans la réalité.*

___

119. *Peinture en Italie,* I, p. 180.

Tel est le sentiment dont le Corrège a tiré ses beautés [120]. »

Et Stendhal ajoute en note ces quelques lignes émouvantes :

« Telle est notre misère. Ce sont les âmes les plus faites pour ce bonheur tendre et sublime qu'il semble fuir avec le plus de constance. Les premiers plans sont pour elle la prosaïque réalité [121]. »

La puissance de la peinture sur l'âme sensible tient donc à la simplicité avec laquelle elle incarne et renouvelle la traditionnelle opposition romantique du réel et de l'idéal : premiers plans trop existants, lointains imaginaires vers lesquels la pente de la perspective invite à l'évasion, les deux grands éléments de la comédie romanesque s'y trouvent réunis en un ordre où le cœur peut trouver sa consolation. Car tout beau tableau doit être, comme tout grand amour, incitation du réel à l'imaginaire, départ de la platitude vers la profondeur, invitation au voyage. Semblable à ces bergers du Poussin qui s'en vont par un chemin sinueux vers l'horizon de la toile et la poussière d'un troupeau lointain, l'âme tendre s'enfonce dans les illusions du bonheur :

« La magie des lointains, cette partie de la peinture qui attache les imaginations tendres, est peut-être la principale cause de sa supériorité sur la sculpture (après les yeux). Par là elle se rapproche de la musique, elle engage l'imagination à finir ses tableaux, et si, dans le premier abord, nous sommes plus frappés par les figures du premier plan, c'est des objets dont les détails sont à moitié cachés par l'air que nous nous souvenons avec le plus de charme ; ils ont pris dans notre pensée une teinte céleste [122]. »

Mais un miracle transforme parfois cette illusion en vérité. Le réel devient alors « céleste ». Il se recouvre, comme dans l'amour, d'une couleur « magique et sacrée »

120. *Histoire de la Peinture*, I, p. 180. — 121. *Histoire de la Peinture*, I, p. 121. — 122. *Histoire de la Peinture*, I, p. 182 (en note).

au moment où il n'est plus seulement ce qui engage à
l'irréel, mais où il devient cet irréel lui-même. Nous
voyons alors les premiers plans comme dans le lointain,
toujours tangibles et immédiats, mais transfigurés par une
sorte de mirage romanesque : l'art du Corrège « *fut de
peindre comme dans le lointain même les figures du premier plan*. De vingt personnages qu'elles enchantent, il
n'y en a peut-être pas une qui les voie et surtout qui
s'en souvienne de la même manière [123]. » C'est par un effet
semblable que le bonheur transporte Lucien Leuwen « de
la vie dans le roman de la vie. » Le rêve n'est plus alors
obligé d'aller chercher refuge dans l'incertitude des lointains, mais il s'offre à nous réel, différent certes pour chacun de nous selon les nuances particulières de notre cristallisation, mais d'une présence aussi délicieuse et tangible que celle du bras de Mme de Rénal sous la main et
sous les lèvres de Julien. Dans la « perspective aérienne »
que la peinture creuse parmi les objets qu'elle figure, et
dans le faux mirage dont elle enveloppe les premiers plans,
il faut donc voir le symbole et l'image de la profondeur
romanesque que le bonheur donne à la vie.

Comprend-on maintenant pourquoi c'est en songeant
au Corrège que Stendhal créa le personnage de la Sanse-
verina ? Créature charmante et imprévue, sans cesse
emportée dans un tourbillon d'amusements et de passion,
Stendhal prend garde de la laisser toujours envelopper
d'un voile. n'est-il pas vrai à son propos aussi d'affirmer
que de « vingt personnes qu'elle enchante il n'y en a pas
une qui la voie et surtout s'en souvienne de la même
manière ? » Rien en elle n'est très précisément dessiné ;
sa délicieuse mobilité empêche de prendre d'elle aucune
vue décisive. L'ivresse de sa vie l'empêche de se connaître elle-même comme de se dévoiler à autrui : ses sentiments pour Fabrice, à mi chemin entre amour, amitié, tendresse, admiration, participent d'une dangereuse ambiguïté,

123. *Histoire de la Peinture*, I, p. 182 (en note).

en laquelle elle s'installe cependant avec une totale innocence. Elle est le seul personnage stendhalien auquel son créateur ait accordé la grâce d'une passion incertaine et à demi consciente le seul auquel il ait évité le terrible engrenage de la cristallisation. Enigme centrale en cette aventure où le hasard est roi, elle s'ignore et tous, Mosca comme le prince, l'ignorent. Seule sa femme de chambre la soupçonne et Fabrice, autre personnage élusif, la devine. La tendresse dont toutes ses attitudes débordent provient de la parfaite ingéniuté avec laquelle elle sauve cet « entre deux » sentimental, cette part de pénombre intérieure où nul ne sait exactement quel feu est en train de couver. Légère et lointaine, comme la flamme de la torche qu'elle agite du fond de la plaine de Parme pour annoncer à Fabrice l'heure de son évasion.

La peinture ouvre donc d'insensibles chemins qui conduisent âme et regard du réel vers l'imaginaire, du détail concret vers sa projection baignée d'air et rêvée. Toute solution de continuité briserait alors le voyage et détruirait le charme : si le découpage des plans superposés, tel que le réalise la vision analytique en décor de théâtre, ne parvient pas à donner la sensation de vrai relief, la faute en est à la brutalité douloureuse avec laquelle le regard, passant d'un plan à l'autre, doit chaque fois effectuer une sorte de saut dans le vide. La profondeur se conquiert par un effort volontaire qui rompt tout enchantement. Ici au contraire les effets de clair-obscur, les dégradés de lumière, le passage des teintes, l'enchaînement des motifs et l'équilibre des valeurs, tous les artifices d'une technique nouvelle s'emploient à ménager du proche au lointain une pente insensible, à faire de la sensation d'espace non pas le résultat d'un effort intellectuel, mais la récompense d'une passivité paresseuse. Il suffit de se laisser conduire par la main. Ce talent nouveau

«... c'est l'art de bien disposer tout l'ensemble d'un tableau quelque grand qu'il soit, de placer judicieusement les paysages et les gradations de lumière, de manière que l'œil n'éprouve aucun trouble à la vue de ces immenses compositions, mais est doucement conduit par les divers degrés de lumière *à passer successivement d'une partie à une autre* [124]. »

De là aussi le charme suprême des paysages du Corrège :

« Ses tableaux font plaisir à l'œil aussitôt qu'il les regarde, ils reposent la vue et la flattent doucement par la succession des couleurs les plus brillantes et des nuances insensibles qui se perdent les unes dans les autres...

... Peut-être que des couleurs brillantes et qui se perdent les unes dans les autres sans rien de tranchant, sans rien *qui donne à l'œil une secousse violente,* ont, en elles-mêmes quelque chose de beau auquel notre instinct est sensible [125]. »

Mais ce « tranchant », ces « secousses violentes », cette discontinuité ici sentie comme douloureuse, souvenons-nous avec quelle ardeur Stendhal autrefois les recherchait. C'est en eux qu'il apaisait son goût du choc et sa hantise de maintenir par la surprise renouvelée le sentiment de l'existence. Voici que la peinture lui montre maintenant les beautés de l' « harmonie suave » et de ce qu'il nomme lui-même la « variété continue », en somme de cette *loi de continuité* en laquelle Maine de Biran, pourtant prévenu mieux que quiconque contre les méfaits insensibles de l'habitude, voit lui aussi la grande loi des beaux-arts :

« Pour nous émouvoir et nous plaire, il faut toujours aussi *nous attirer doucement hors de ce cercle* d'impressions trop étroit, trop uniforme, où l'habitude nous retient et nous fixe : c'est là tout le secret des beaux-arts ; c'est en ménageant des surprises à nos sens, en nous créant de nouvelles manières de voir et d'entendre, que le peintre et le musicien nous ravissent [126]. »

Les beaux-arts font doucement glisser de la réalité, habi-

---

124. *Ecoles italiennes,* II, p. 85. — 125. *Ecoles italiennes,* I, p. 7-8. — 126. *Influence de l'habitude,* p. 136.

tuelle dit Biran, prosaïque dit Stendhal, vers un monde où la surprise ne heurte plus et où la fantaisie la plus inouïe apparaît toute naturelle. Ils satisfont à la fois par la « variété » ou la surprise au désir d'éveil de la conscience, et par la continuité, ou l'insensibilité, au besoin de « perte » de l'imagination. En eux un équilibre semble atteint.

Equilibre d'ailleurs fort instable : car la tentation est grande d'aller plus loin encore sur le chemin de la continuité, de fondre couleurs et formes avec une telle suavité que l'œil, au lieu d'une succession variée, ne perçoive plus, comme en un tableau de Turner, qu'un tourbillon délicieux et confus. Chez le Corrège « l'empâtement », « l'épaisseur des couleurs » se trouvent conjurés par une merveilleuse « limpidité » qu'il est très difficile de conserver : « en les mettant de cette épaisseur » « les couleurs ne semblent pas posées avec le pinceau, mais avoir été *fondues* ensemble comme de la cire sur le feu » [127]. Douceur due aux mélanges des couleurs, à la *morbidezza* italienne qui, dans un climat de discrétion sacrée, semble devoir conduire à un allègement de la matière et à une sorte d'évanouissement des apparences :

« On aperçoit ici Saint-Joseph occupé dans le lointain à polir une pièce de bois ; les ombres de cette figure sont plus légères, la lumière est diminuée, les contours sont plus légers, tout semble se confondre [128]. »

Les tableaux les plus satisfaisants, sinon les plus beaux, seront dès lors ceux qui, sans aller aussi loin dans la voie du continu, sauront satisfaire à la fois la double exigence de l'âme. En face de la *Madonna del Sacco* d'Andréa del Sarto, tous les éléments apparemment contradictoires du monde stendhalien : tendresse et exactitude, naturel et artifice, surprise et insensibilité, instantanéité et continuité se trouvent réconciliés en une admiration sans réticences ;

« En considérant de près ce tableau, on ne peut se

127. *Ecoles italiennes*, II, p. 24. — 128. *Ibid.*, p. 41.

lasser d'en admirer le moelleux et le suave, réunis à un
fini parfait. On y peut distinguer chaque cheveu ; la dégradation de chaque demi-teinte est suivie avec un art merveilleux. Chaque contour est tracé avec la variété et la
grâce la plus rare ; et, au milieu de tant de soins, on
voit briller une facilité qui fait que tout semble naturel et,
pour ainsi dire, instantané. [129] »

« La musique est une peinture tendre ; un caractère parfaitement sec est hors de ses moyens. Comme la tendresse
lui est inhérente, elle la porte partout ; et c'est par cette
fausseté que le tableau du monde qu'elle présente ravit les
âmes tendres et déplaît aux autres [130]. »

La musique commence donc là où la peinture s'arrête.
Si celle-ci nous a paru une conquête progressive de la
sensibilité romanesque sur l'esprit d'exactitude, c'est dans
l'indétermination totale que celle-là nous place dès l'abord.
Cette *fausseté,* qu'elle étend comme un nuage sur la précision des sentiments et des formes, et qui par un effet
assez semblable à celui de la cristallisation amoureuse en
transfigure la réalité, la musique l'atteint tout naturellement et sans effort. Elle lui est à ce point « inhérente »
que l'on concevrait mal une musique d'abord vouée à
l'esprit de signification.

La musique ne *représente* en effet aucune réalité distincte ; Stendhal dit à maintes reprises qu'elle n'est que
son émotion, incitation à la rêverie vague, ou rappel d'un
bonheur passé. Mais l'émotion à laquelle elle se lie, la
rêverie à laquelle elle invite ou le passé qu'elle rappelle se
gardent bien eux-mêmes de se circonscrire trop nettement. La musique n'harmonise si bien l'échange amoureux que parce que l'amour a reconnu en elle une puissance indistincte d'expansion qui s'accorde admirablement
à son propre goût de l'implicite. Sans rien signifier, la
mélodie lointaine des cors du *Chasseur Vert* dispense ainsi
Lucien et Mme de Chasteller de se dire trop précisément

129. *Ecoles italiennes,* I, p. 31. — 130. *Peinture en Italie,* II,
p. 172.

leur amour ; à travers elle se poursuit une conversation silencieuse qui, « sans passer par l'esprit », descend au plus profond des cœurs et ménage, tout comme l'ombre dont leur promenade s'enveloppe, les sursauts de leur pudeur ou de leur timidité. La musique établit un contact, ouvre les âmes l'une à l'autre, les rend l'une à l'autre transparentes dans le flot d'une émotion commune. De l'amour, elle est moins l'interprète que l'introductrice :

« Dans l'amour passion on parle souvent un langage qu'on n'entend pas soi-même : *l'âme se rend visible à l'âme,* indépendamment des paroles employées. Je soupçonnerais qu'il y a un effet semblable dans le chant [131]. »

Comme tout art, la musique est cependant chargée d'un certain pouvoir d'expression. Elle admet certes « tant de vague dans cette expression » [132] que deux chanteurs peuvent, dans le courant d'un opéra, échanger leurs parties sans que le public s'en aperçoive : comme dans la cristallisation amoureuse, chaque rêverie particulière peut prêter à une mélodie une multitude de sens différents. « Il y a au fond de la musique », écrit H. Delacroix dans sa *Psychologie de Stendhal,* « une rêverie indéterminée que précisent les besoins profonds du cœur et les préoccupations du moment [133]. » Autant de mélodies que d'auditeurs et que d'instants. Il reste pourtant que pour un auditeur donné, Stendhal par exemple, une mélodie évoque certaines images privilégiées, qu'elle oriente la sensibilité dans une certaine direction, qu'elle impose en somme une signification. C'est à ce problème que se heurte Stendhal dans la plupart de ses essais sur la musique : comment la musique peut-elle être à la fois invitation à la rêverie libre et suggestion de certains chemins à suivre ? Comment parvient-elle à « préciser l'indéterminé » sans en amoindrir la jouissance, et à superposer au plaisir immédiat qu'elle procure une compréhension qui, loin de le limiter, le complète et l'achève ?

131. *Vie de Rossini,* p. 287. — 132. *Mélanges d'Art,* p. 339. — 133. *Vie de Rossini,* p. 193.

On sait le peu de goût qu'eut Stendhal pour la musique instrumentale, et combien il lui préféra au contraire toute espèce de musique vocale. A cette prédilection, il voit lui-même deux raisons essentielles :

« Il me semble que si nous voulons interroger notre âme avec soin nous y lirons que le charme de la voix provient de deux causes :

1. La teinte de passion qu'il est impossible qu'une voix ne porte pas dans ce qu'elle chante...

2. Le second avantage de la voix, c'est la parole ; elle indique à l'imagination des auditeurs le genre d'images qu'ils doivent se figurer [134]... »

La supériorité de la voix tient donc à une double possibilité d'expression dont la musique instrumentale est fatalement privée : au contact charnel que la voix conserve avec l'émotion, et à la liberté dont elle jouit de traduire cette émotion en langage.

Et d'abord l'origine humaine de la voie en fait l'expression, et pour ainsi dire le prolongement si direct de l'émotion qu'un beau chant semble sortir de la joie ou de la mélancolie qui lui ont donné naissance tout comme un ruisseau jaillit de sa source. Le sentiment qu'il porte jusqu'à nous y demeure encore enfermé de manière vivante et charnelle. L'instrument interpose au contraire entre l'émotion originelle et l'auditeur qui la recueille toute une distance inerte où le sentiment se désincarne et risque de s'égarer. Si le *vibrato* d'un violon ou la résonance d'un cor tentent de recréer le climat originel d'émotion, c'est par une bien vaine simulation : mais hors de cette imitation il n'est pas pour eux de salut. « L'on peut même dire que les instruments ne plaisent qu'à proportion qu'ils parviennent à se rapprocher de la voix humaine [135]. » Et ils y parviennent bien mal : leurs harmoniques ont moins de moelleux, leurs inflexions moins de souplesse, leur sonorité moins de richesse et d'étendue que celles d'une belle

134. *Vie de Rossini,* I, p. 167. — 135. *Vie de Rossini,* II, p. 166.

voix humaine. Il existe, il est vrai, des voix sèches et monocordes qui semblent ne peindre qu'un grand vide de l'âme : la beauté des voix, comme celle des cœurs, tient au contraire à une sorte de frémissement qui est le signe de la sensibilité, à un pouvoir soudain de s'altérer, de se voiler ou de s'enfler selon les nuances les plus infimes du sentiment :

« Jamais une voix d'un timbre parfaitement inaltérable ne pourra atteindre à ces sons voilés et en quelque sorte suffoqués qui peignent avec tant de force et de vérité certains moments d'agitation profonde et d'angoisse passionnée [136]. »

Chaque virtuose de la voix met alors dans son chant les nuances spéciales de son émotion :

« Crescentini donnait à sa voix et à ses inflexions une teinte vague et générale de *contentement* dans l'air... [137] »

Mais les plus grands, comme la Pasta, parviennent, en variant le timbre même de leur voix à évoquer simultanément toute une gamme d'émotions variées :

« C'est avec une étonnante habileté que Madame Pasta unit la voix de tête à la voix de poitrine : elle a l'art suprême de tirer une fort grande quantité d'effets agréables et piquants de l'union de ces deux voix. Pour aviver le coloris d'une phrase de mélodie ou pour en changer la nuance en un clin d'œil, elle emploie le *falsetto* jusque dans les cordes du milieu de son diapason, ou bien alterne les notes de *falsetto* avec celles de poitrine. Elle fait usage de cet artifice avec la même facilité de *fusion,* dans les tons du milieu comme dans les tons les plus aigus de sa voix de poitrine [138]. »

Avec ces changements de registre c'est aussi la tonalité sentimentale de la rêverie qui change brusquement. Car si la voix pure et éclatante suggère à Stendhal l'image d'un paysage nocturne où la clarté lunaire vient découper

136. *Vie de Rossini,* II, p. 178. — 137. Ibid, p. 148. — 138. Ibid, p. 179.

les formes et distinguer les contours, la voix où diverses
sonorités se mêlent et s'étouffent évoque pour lui, comme
un tableau dont les couleurs se confondent, un paysage
tendre, le même paysage nocturne que viendrait voiler un
nuage passager :

« Eh bien ! la voix de Madame Pasta, dans ces changement de *registres,* me donne la sensation de cette lumière
plus touchante et plus tendre qui se voile un instant pour
reparaître bientôt mille fois plus brillante [139].
Ce sentiment, je viens de l'éprouver, mais avec un mouvement plus rapide quand Madame Pasta a dit :
                    Ultimo pianto !
C'est aussi le sentiment qui s'empare de moi, mais d'une
manière plus durable, aux premières journées froides de
septembre, suivies d'une brume légère sur les arbres qui
annonce l'approche de l'hiver et la mort des beautés de
la nature [140]. »

Il n'est pas indifférent de noter que les sons simples et
sans mélange semblent liés à l'évocation de paysages
« secs », que la « fusion » sonore favorise au contraire
des images et des sentiments de mélancolie tendre. De
toute façon la qualité du son détermine la tonalité de
l'émotion provoquée ; la voix oriente et précise la rêverie.

A cette rêverie, les paroles dont le chant se recouvre
prétendent imposer un contenu plus net encore. Grâce à
elles la musique d'opéra indique, sans erreur possible, ce
que l'on doit comprendre et sentir. Jouant vis-à-vis des
sonorités un rôle analogue à celui qu'en peinture tient le
dessin par rapport à la couleur, elles viennent circonscrire
le chant, lui imposer la précision mais aussi la limitation
d'un *sens* explicite. Sans leur aide la musique demeurerait
une langue obscure, réservée à la jouissance de quelques
connaisseurs :

« La musique est un art dont les moyens sont étroits
et limités. Otez-lui le secours des paroles qu'elle est char-

139. *Vie de Rossini,* II, p. 188-90. — 140. *Vie de Rossini,* II,
p. 188-90.

gée de traduire, et qui la traduisent à leur tour, et vous
en ferez une sorte d'idiome hiéroglyphique intelligible pour
quelques adeptes, indéchiffrable pour le vulgaire des auditeurs [141]. »

Mais cet auditeur vulgaire lui-même — avec qui Stendhal s'identifiait sans peine — ne cherche pas dans les
paroles une simple clef au sens obscur que la mélodie révé-
lerait. La musique est chargée de traduire les paroles tout
autant que les paroles d'interpréter la mélodie ; le sens d'un
air se dégage même du combat, qu'entretiennent sans cesse
ces deux éléments opposés, dont l'un tire la musique vers
l'expression claire alors que l'autre la retient engagée dans
la suggestion vague. Eléments ennemis mais solidaires,
mélodies et paroles coexistent en une association
divisée, où ce n'est pas l'explicite qui a la meilleure place ; car si l'on ne peut se passer des paroles.
Stendhal juge bien gênante cette nécessité qui « ôte à la
musique la moitié de sa gloire ». Le grand musicien,
Rossini par exemple, parvient même, par l'utilisation d'une
langue musicale, à retrouver de très près les intonations
du langage parlé, « à se passer de poète ».

« C'est un étranger plein de grâces, qui, à force d'esprit,
parvient à se faire entendre sans interprète : c'est un
auteur naturel et facile qui triomphe des obscurités de la
langue dans laquelle il écrit, et qui, pour être compris des
gens du monde, n'a pas toujours besoin des éclaircisse-
ments d'un commentateur [142]. »

Si toutefois, pour des raisons de facilité, l'on estime
nécessaire de recourir à des paroles, l'on s'apercevra que
la langue la plus apte à interpréter sans trop la trahir
l'indétermination musicale sera justement celle qui conser-
vera dans son vocabulaire et son armature logique la plus
grande part de vague ou de fantaisie. Alors que le français, langue claire et depuis longtemps privée de ses

141. *Vie de Rossini*, I, p. 144. — 142. *Vie de Rossini*, I,
p. 144.

broussailles, se prête mal aux récitatifs tendres, la nature
flottante et encore indécise de l'italien en fait l'interprète
privilégié des belles mélodies :

« La langue italienne est abominable par son obscurité.
Toutefois ce défaut tient peut-être au manque de *logique*
de ces têtes-là, causé par l'habitude de 3 = 1. Ils mêlent
sans cesse les circonstances au fait principal.

Pierre le Grand bâtit Pétersbourg, dit la langue française. L'italien voudrait exprimer à la fois que au milieu
d'un marais, dans un lieu désert et sujet aux inondations
par le vent d'ouest, Pierre le Grand, voulant donner à
son empire une fenêtre sur l'Europe, etc... etc... bâtit
Saint-Pétersbourg [143]. »

Mais cet *à la fois* ne garantit-il pas la liberté d'interprétation en laquelle Stendhal voit le grand privilège de la
musique ? Si au vague de l'expression mélodique, les paroles superposent non plus un seul sens contraignant, mais
plusieurs significations confondues, me voici libre à nouveau de choisir et de rêver entre elles. Trop scrupuleuse,
la traduction ne traduit plus que le grand vague de l'ori-
ginal, et à travers les mailles des interprétations différentes
c'est ma liberté tout entière qui s'est glissée. Combien de
temps cette facilité durera-t-elle ? Pas très longtemps sans
doute, car la langue italienne est elle aussi envahie « par
la clarté française [144] », et seule sa longue cohabitation
avec la musique lui permet de résister à cet assaut.

Tout se passe en somme comme si la musique, dési-
reuse de ne rien livrer de ses secrets, avait gagné à sa
cause et contaminé de son obscurité les paroles qui
devaient se charger de l'interpréter. Beaucoup plus puissants que les mots sont en effet pour Stendhal les moyens
d'expression moins clairs et plus affectifs, ce qu'il nomme
par exemple *l'accent* :

« Je conclurai de ces observations que *l'accent* des

143. *Marginalia,* II, p. 248. — 144. *De l'Amour,* II, p. 59.

paroles a beaucoup plus d'importance en musique que les paroles elles-mêmes [145]. »

Ailleurs :

« La variété des inflexions, c'est-à-dire l'impossibilité pour la voix, d'être sans *passion,* l'emporte de beaucoup à mes yeux sur l'avantage de prononcer des paroles [146]. »

Prédominance de l'*accent* sur le *langage,* de l'*intonation* sur l'expression : finalement, écrit-il, « les paroles ne sont dans la musique que pour y accomplir des fonctions très secondaires, pour y être, en quelque sorte, les « étiquettes du sentiment [147] ».

Le grand mystère de la musique tient cependant à ce que, si jalouse qu'elle soit de protéger son vague, elle offre à l'auditeur le moins averti, et cela sans le secours d'aucune parole d'accompagnement, une suite de significations évidentes :

« Tel amateur, au contraire, ne connaît rien aux notes ; et cependant la plupart de leurs combinaisons, même les plus simples, représentent à ses yeux, *avec force et clarté,* une nuance de sentiment. Rien n'égale, *pour lui,* l'évidence de ce langage [148]. »

Langage par certains côtés plus probant et plus clair qu'aucun langage parlé : plus subtile et adaptée à des objets plus délicats, la musique semble même destinée à relayer nos langues ordinaires dans l'exploration du fugace ou de l'infiniment petit. « La langue de Pergolèse, par exemple, peut rendre jusqu'aux moindres nuances des mouvements inspirés par les passions, et des nuances bien au-delà de la portée de toute langue écrite [149]. » Et Stendhal souligne la généralité, la grossièreté statistique, l'invincible raideur de nos langues communes :

« Quel homme, en se séparant d'une maîtresse chérie, ne lui répète souvent : Adieu ! Adieu ! C'est le même mot dont il se sert ; mais quel est l'être assez malheureux

145. *Vie de Rossini,* II, p. 169. — 146. *Vie de Rossini,* II, p. 167. — 147. *Vie de Rossini,* II, p. 168. — 148. *Vie de Rossini,* II, p. 96. — 149. *Vies de Haydn, Mozart et Métastase,* p. 352.

pour ne pas se souvenir qu'à chaque fois ce nom est prononcé d'une manière différente ? C'est que, dans ces instants de peine et de bonheur, *la situation du cœur change à chaque seconde.* Il est tout simple que nos langues vulgaires, qui ne sont qu'une suite de signes convenus pour exprimer des choses généralement connues, n'aient point de signe pour exprimer de tels mouvements que vingt personnes peut-être sur mille ont éprouvés. Les âmes sensibles ne pouvaient donc se communiquer leurs impressions et les peindre... Sept ou huit hommes de génie trouvèrent en Italie, il y a près d'un siècle, cette langue qui leur manquait [150]. »

Par souci de définition préalable et d'accord universel nos langues se privent en effet d'exprimer le rare, le changeant ou l'imprévisible, l'extraordinaire volubilité de la vie des sentiments. La rigueur de la grammaire idéologique, qui fait d'elles des machines à fixer le mouvement et à déterminer l'informe, les empêche de traduire une finesse débordante qu'elles sont au contraire chargées de schématiser et de réduire. Puisqu'elles visent à ramener les choses à un catalogue de définitions convenues, comment se plaindraient-elles de laisser échapper ces parties plus vagues ou plus spéciales ? Admirables instrument à classer le connu, elles avouent leurs limites quand il s'agit d'explorer l'inconnu. La musique s'attarde au contraire dans la plus fine dentelle ; sa nature même l'oblige à déplier le sentiment, à souligner le détail de la nuance :

« La musique est incapable de *parler vite* ; elle peut peindre les nuances des passions les plus fugitives, des nuances qui échapperaient à la plume des grands écrivains ; on peut même dire que son empire commence où finit celui de la parole ; mais ce qu'elle peint, elle ne peut pas le montrer *à moitié* [151]. »

Stendhal lui reprocherait pour un peu d'être trop explicite et d'asservir l'imagination.

150. *Vie de Métastase*, p. 357. — 151. *Vie de Rossini*, II, p. 3.

Voici donc un langage essentiellement vague devenu paradoxalement un moyen d'expression plus précis que nos langues les plus exactes. C'est qu'à vrai dire il ne traduit pas le même ordre de réalités. Il peut être à la fois vague et précis parce qu'il se voue à rendre *la nuance,* c'est-à-dire le détail en mouvement. Il nous fait connaître non plus le contour des sentiments, mais la tonalité de leur passage, l'évolution de leurs architectures abstraites. Dans la musique se réconcilient le goût de fusion et le désir de distinction entre lesquels la conscience stendhalienne nous est apparue partagée : car pour glisser d'une note à l'autre, elle ne noie cependant pas chaque sonorité isolée dans le mouvement qui l'unit à la sonorité suivante. En liant les diverses notes de l'existence, elle réalise à son tour cet idéal de *variété continue* vers lequel tendait aussi, dans son domaine propre, l'effort de la peinture. A travers une suite de nuances chaque note résonne distinctement pour la joie de la conscience ; mais pour le plaisir de la sensibilité ces notes se fondent dans le devenir d'une continuité mélodique. Je sens que j'existe ; et ce sentiment de l'existence s'affirme pleinement dans l'ignorance du but vers lequel ma jouissance m'emporte. Lucide et aveugle à la fois, je m'abandonne et me vois m'abandonner :

« ... il semble que les sentiments sont conduits comme par la main par cette belle voix de basse : *on ne sait où l'on va, mais l'on se sent marcher avec volupté.* »

Car la musique, et c'est en ceci qu'elle va plus loin que la peinture, oblige *à marcher.* Un incessant mouvement emporte la mélodie et son auditeur vers un plaisir que la jouissance actuelle prépare et devine, mais qui vient toujours combler l'oreille au-delà de tout pressentiment. Le grand charme de la musique pour Stendhal tient à son caractère irréversible, à ce qu'elle oblige l'auditeur à regarder en avant, non en arrière : « Avantage immense de la musique, qui *passe* comme les actions humaines... » Le voyage pictural comporte toujours un retour, ou une remontée vers la réalité prosaïque des premiers plans. On peut visiter un tableau, le quitter et le reprendre, retoucher ou détailler son impression. Mais au cours de cette promenade, aucune pente intérieure ne vous entraîne. La *perspective* elle-même, qui est une sorte de devenir spatial, on peut la parcourir dans les deux sens, puisqu'elle offre en même temps les moyens de s'enfuir et ceux de se retrouver. Sauf en certaines formes de peinture baroque où le geste figé semble tendu vers son accomplissement, le tableau invite à se satisfaire de la jouissance actuelle ; il n'ouvre pas l'âme à l'appel d'un autre plaisir qui viendrait effacer et achever son plaisir présent. La musique entraîne au contraire vers un but que chaque note nouvelle annonce et vers lequel la jouissance actuelle est tout entière tournée. Et certes, sur ce plan même, il existe entre ces deux arts bien des ressemblances : l'accord final d'une mélodie apporte à l'oreille, par sa force de résolution, la même satisfaction que donne à l'œil, dans un tableau, la découverte du point vers lequel la perspective ou la composition font converger toutes les formes ; par un effet semblable la dissonance et le clair-obscur exaspèrent, en l'égarant ou en la retardant, cette satisfaction. Mais, différence essentielle, le but musical demeure toujours inconnu et l'on ne peut l'atteindre que par des chemins obligés.

On est d'ailleurs bien vite récompensé de cette soumission : car à l'impression de *tendresse* que suscitait le moelleux des liaisons et des nuances se joint une autre impression, celle d'une sorte d'étonnement émerveillé en face de ce jaillissement à la fois prévu et inattendu dans lequel, à chaque moment, on se perd et on se retrouve. Il y a dans la musique un surgissement prospectif, une force d'improvisation, une puissance de liberté qui, sans laisser le temps de détailler, donc peut-être de détruire la délectation, poussent toujours vers d'autres perspectives et obligent l'auditeur à une éternelle jeunesse. Ce rythme prise du *comique,* autre produit instantané, et qui triomphe *d'allegro* que la musique communique à toute la vie, cette *allégresse* essentielle, c'est elle que Stendhal aimait en Cimarosa et dont il voulut créer dans ses romans un équivalent littéraire :

« Je crois que mon amour pour Cimarosa vient de ce qu'il fait naître des sensations pareilles à celles que je désire faire naître un jour. Ce mélange d'allégresse et de tendresse du *Matrimonis* est tout à fait congénial à moi. »

Allégresse où se retrouve le piquant et la force de surprise du comique, autre produit instantané, et qui triomphe donc tout naturellement dans cette musique hybride qu'est l'opéra-bouffe. Mais privée de la nuance de supériorité hautaine qui, dans le comique pur, séparait le spectateur de son spectacle, elle ne s'oppose plus à la puissance sympathique de la tendresse. Dans les « jeux de l'imagination tendre en délire », elle se joint au contraire à elle pour la soulever et la renouveler de ses bouillonnements imprévus. Le sentiment présent vers lequel le charme musical faisait déjà s'infléchir toute la vie passée, le voici maintenant qui se met à foisonner de toute la richesse de l'avenir. Loin de s'opposer à la tendresse, l'allégresse en serait donc le prolongement temporel.

Telle est la leçon que Stendhal retire des beaux-arts : ils lui apprennent à « se laisser conduire par la main » en un monde que temps et espace ordonnent selon une succession continue ; ils lui montrent en même temps que cette « jouissance aveugle » n'empêche pas la sensibilité de se retrouver à chaque moment dans la contemplation du distinct et du discontinu. Car les beaux-arts lient les formes sans les dissoudre, et c'est en cet ordre tout humain qu'ils imposent aux choses que résident proprement leur rôle et leur signification.

« Ne pourrait-on pas dire que, dans le style, il y a deux langages, le langage des mots et le langage de l'Harmonie ? [152] »

152. *Fil. Nov.*, I, p. 66.

Comme le chant, la phrase hésite entre deux façons de communiquer au lecteur le sens qu'elle contient. Ces deux voies opposées, la voie explicite et logique, la voie obscure et harmonieuse, se rejoignent dans l'expression parfaite où les mots coïncident avec leur au-delà. Mais le plus souvent elles divergent, et l'histoire de la littérature semble prouver qu'il faut choisir entre elles. En face d'une rhétorique « sèche » viennent alors se dessiner les grandes lignes d'une rhétorique « tendre » : les notes de Stendhal sur le style rejoignent directement ses réflexions sur les beaux-arts.

C'est chez Helvétius que Stendhal découvre les principes du style sec, de cette langue concise et nerveuse dont tout le XVIIIe siècle lui offre tant d'exemples et au contact de laquelle se forme sa propre voix. « En tous genres, écrit en effet celui-ci, la beauté d'un ouvrage a pour mesure la sensation qu'il fait sur nous. Plus cette sensation est nette et distincte, plus elle est vive. » Stendhal recopie pieusement ce théorème. Il note aussi que « pour plaire au lecteur, il faut exciter en lui des impressions vives... » et qu'en somme « l'art d'écrire est l'art d'éveiller chez le lecteur un grand nombre de sensations ». Sous ce biais, les problèmes du style apparaissent comme des problèmes de balistique. Il faut frapper vite et fort, et sur toute la surface de l'adversaire, du lecteur. On évitera donc ce qui peut endormir l'attention et inciter à la fuite de la rêverie : rythmes berçants, sonorités trop riches, expressions obscures, rien de ce qui permet à la pensée de s'assoupir ou de bifurquer ne sera toléré. Aucune liaison n'unira les phrases successives, dont la puissance tiendra à leur force de choc, à leur éclatement discontinu : « les tours monotones, continue Helvétius, engourdissent l'attention ; l'attention une fois engourdie les idées et les images s'offrent moins nettement à notre esprit, et ne font plus sur nous qu'une impression faible... » ; et encore « le louche du mot s'étend sur l'idée, l'obscurcit, et s'oppose à

l'impression vive qu'elle ferait [153]... » L'acuité du style
garantit l'éclat de la sensation. La littérature semble
n'avoir alors de pire ennemie que la somnolence : ce
siècle est un siècle de dormeurs éveillés. « Le style de
Montesquieu, écrit Stendhal, est le plus saillant de tous,
celui qui réveille le plus, il est plus rapide, celui qui imprime
le plus fortement la pensée dans l'esprit du lecteur [154] »,
donc aussi le plus riche en possibilités *comiques*, puisque le rire naît de la surprise. De même La Bruyère
par son piquant, Voltaire par sa rapidité sont des maîtres
de cette prose sèche, de se style-aiguillon dont les nerfs
usés des contemporains de Sade ou de Laclos semblent
exiger l'excitation artificielle et le perpétuel harcèlement.
En ce monde qui se lance fiévreusement à la recherche
de la surprise, chaque lecteur est une statue de Condillac
à qui la littérature viendrait fournir sa ration quotidienne
d'imprévu. C'est chez les servants de cette sorte de littérature [155] qui n'est pas si éloignée du journalisme moderne,
chez Des Brosses par exemple, que Stendhal découvre sa
propre langue.

Mais il en reconnaît en même temps les limitations.
Car la rhétorique de la surprise mène tout droit à l'obscurité : la dissimulation ou la rupture du lien logique obligent le lecteur à renouer un fil sans cesse brisé. La ponc-
tuation règne ; le paragraphe éclate. Tout style discontinu
côtoie l'énigme. Grande est alors la tentation inverse d'utiliser le discontinu afin de *créer* l'énigme ; Helvétius avait
bien vu ce danger. Car si la littérature se propose d'abord
de surprendre, nul doute qu'elle ne doive, plutôt que le
vrai, le clair ou le banal, rechercher d'abord le rare, le
paradoxal, le bizarre, bref tout ce qui brisera infaillible-
ment l'habitude : « A défaut d'idées, écrivait-il, un bizarre
accouplement de mots peut encore faire illusion au lecteur et produire sur lui une sensation vive. Des expres-

153. *De l'Homme,* Section VIII, ch. 16 et 17.
154. *Mél. de Litt.,* III, p. 100. — 155. *De l'Homme,* Section 8,
ch. 17.

sions fortes, obscures et singulières suppléent, dans une
première lecture, au vide des pensées. Un mot bizarre,
une expression surannée excitent une surprise — et toute
surprise, une impression plus ou moins forte [156]. » Voici
que cette rhétorique de la clarté et de la sécheresse aboutit
en fin de compte à l'exercice d'un art qui tire ses plus
beaux effets de l'obscurité des mots, de la hardiesse des
images, du dépaysement exotique et anachronique, en
somme de tout ce que le romantisme venait de redécou-
vrir, et que Stendhal haïssait. Il semble en effet qu'à
partir d'un certain degré d'acuité, que Sendhal pour sa
part ne dépassa pas, la sécheresse tue la clarté, et devienne
la meilleure arme des adorateurs de l'obscur. Quiconque
étudierait, de Montesquieu au surréalisme et à travers
tous les maîtres de l'humour noir, l'histoire de cette prose
sèche, découvrirait sans doute que c'est au profit de l'ir-
rationnel que sa puissance de rupture fut le plus souvent
employée, et qu'elle demeure encore de nos jours l'un
des éléments essentiels du fantastique moderne.

Qu'une pensée sans liant s'ouvrît difficilement à la compréhension, c'est ce que le demi-échec du *Rouge* fit apercevoir à Stendhal. Les contemporains de Lamartine et
de Chateaubriand eurent du mal à comprendre ce romancier qui écrivait comme Montesquieu ou Laclos. Relisant
son roman en 1831, il s'avoue à lui-même : « Style trop
abrupt, trop heurté... Il manque de ce développement
doux que J. J. a dans les *Confessions*. L'horreur de Dominique pour les longues phrases emphatiques des gens d'esprit de 1830, le jette dans l'abrupt, le heurté, le saccadé,
le dur. » Reconnaissant alors que le contenu d'une phrase
ne se limite pas à sa signification explicite, mais s'achève
aussi bien dans le prolongement que lui donne la rêverie
du lecteur, il aperçoit la nécessité « *d'ajouter des mots
pour aider l'imagination à se figurer* [157]. » Entre l'œuvre
et le lecteur, il se soucie donc maintenant de combler

156. *De l'Homme,* Section 8, ch. 17. — 157. *Marg.,* II, p. 136.

les vides et de jeter des ponts. En 1841 encore, après la *Chartreuse*, il note : « Je trouve beaucoup de mots à changer pour la *douceur* [158] », de ces mots « *qui engagent mieux le cœur* ». Et ailleurs : « Je donne du nombre, de la tranquillité, des détails au style. Je crois que ce style fatigue l'attention comme une traduction française de Tacite. Il faut le rendre facile pour les femmes d'esprit de trente ans et même amusant s'il se peut [160]. » L'écrivain invite donc le lecteur à visiter sa phrase, à la parcourir dans son déroulement, à la vivre dans son rythme et dans sa durée : la littérature se propose d'abord de susciter un charme, de « conduire par la main » un lecteur séduit.

Dans un chapitre qui s'intitule, de manière significative, « De la loi de continuité », Helvétius lui-même avait déjà souligné l'utilité des préparations dans l'art [161]. Sten-

---

158. *Marg.*, III, p. 182. — 159. *Marg.*, II, p. 141. — 160. *Marg.*, III, p. 378. — 161. Cf. Helvétius. *De l'Homme*, livre II, section 8, ch. 16.
Idée, image, sentiment ; il faut, dans un livre, que tout se prépare et s'amène...
Je prends par exemple une succession rapide de tableaux vrais et divers. En général une telle succession est agréable comme excitant en nous des sensations vives. Cependant, pour produire cet effet, il faut qu'elle soit adroitement préparée. J'aime à passer avec Isis ou la vache Io des climats brûlés de la Torride, à ces antres, à ces rochers de glace que le soleil frappe d'un jour oblique. Mais le contraste de ces images ne produirait pas sur moi d'impressions vives si le poète, en annonçant la puissance et la jalousie de Junon, ne m'eût déjà préparé à ce changement subit de tableau...
Passons du sentiment aux idées. Ai-je une idée neuve à présenter au public ? Cette vérité, presque toujours trop *escarpée* pour le commun des hommes, n'est d'abord aperçue que du plus petit nombre d'entre eux. (Comment ne pas songer ici aux *happy few*.) Si je veux qu'elle les affecte généralement, il faut que, d'avance, je prépare les esprits à cette vérité ; que je les y *élève* par degrés, et la leur montre enfin sous un point de vue distinct et précis.

dhal s'empresse de recueillir ces préceptes. La phrase, désormais, n'avancera plus par une série de secousses, mais glissera en un mouvement insensible. Plus encore que surprendre, elle voudra convaincre, établir une communication. Car toute littéraure est une entreprise de séduction ; ce lecteur à qui elle tend ses pièges, elle veut le faire non seulement assister, mais aussi participer au raisonnement ou à l'aventure. Elle exige et doit conquérir sa complicité. C'est alors qu'elle met en jeu la force charmeuse de la poésie ou de l'éloquence, et déploie ce « second sens » de l'harmonie rythmique ou sonore qui, l'élargissant et l'enveloppant, parvient à imposer la signification logique. « Un jour, remarque Stendhal, est souvent une idée. » L'harmonie et le lié des phrases donnent alors au style cette même dimension supplémentaire que le dégradé ou la nuance conféraient à la peinture et à la musique. Les mots, eux aussi, creusent la phrase et invitent au voyage imaginaire.

« Cette chose insaisissable entre toutes qu'il faudrait appeler, avec Ch. du Bos, l'_air_ où baigne un style », on la sent maintenant circuler entre les phrases. Grâce à cet air le récit se met à respirer. Derrière l'extraordinaire rapidité du fait s'esquisse la perspective de tout ce que l'écrivain néglige de dire, mais que l'on sent cependant exister et qui soutient de sa richesse invisible la densité hardie de la ligne. Cet _art d'aérer,_ Stendhal n'a cessé de roman en roman de le perfectionner. Dans _Armance,_ roman de l'étouffement et de la stérilité, la sensibilité se referme sur son impuissance. Tout se passe dans l'air raréfié d'un salon, entre la dureté de deux amours-propres ennemis ; la phrase elle-même se contracte et se torture, toute nouée d'orgueil et de difficulté. Le _Rouge_ halète. C'est le roman d'un coureur qui oublie de reprendre souffle. Julien n'est pas, comme Octave, victime d'un manque d'oxygène, d'une asphyxie par le scrupule ; il s'étouffe et se crispe par ambition, se contracte parce qu'il veut aller trop vite. Mais quelle fraîcheur dans les bols d'air qu'il s'arrête parfois pour inspirer, qui lui gonflent alors la poitrine et lui donnent, en même temps qu'au style, l'aisance et l'harmonie du bonheur ! Pour Lucien Leuwen le bonheur est facile. La notation affleure, mais accroche rarement, comme si phrases et personnages se promenaient avec tant de nonchalance dans ce fond invisible, cet arrière style, que nous n'apercevions plus que les pointes extrêmes de leur prélassement. *Lucien Leuwen* fut sans doute la création stendhalienne la plus facile et la plus heureuse, celle en laquelle ses souvenirs affluèrent avec le plus de naturel. Mais cette aisance même, on ne peut s'empêcher de penser qu'elle nuisit à la densité du roman, qu'elle amollit légèrement la tension de sa main, et relâcha cet effort de l'imagination pour durcir la rêverie sans lequel tout roman reste un beau recueil de souvenirs. Le miracle demeure la *Chartreuse* : surprise d'un récit dont l'écoulement souple est nerveux comme une véhémence, où toutes les notations semblent rester en deçà d'une vérité prodigieusement riche dont elles ne donneraient qu'une discrète indication, où l'on a l'impression que tout est dit, mais aussi que tout reste à dire. La moindre nuance y ouvre un monde d'aperçus, des précipices brusques que le mouvement du récit referme aussitôt. La discontinuité, le « cassant » de ce style, il faut maintenant voir en eux un moyen d'ouvrir des fenêtres dans le mur de la phrase, d'aérer la densité de la pensée, et de projeter à travers l'opacité de l'expression une clarté un peu semblable à celle que les rayons de soleil couchant envoient à travers l'ombre de la forêt du *Chasseur Vert* et qui, perçant « au travers des profondeurs de la verdure », « semblaient animer cette obscurité si touchante des grands bois [162]. » Par un effet analogue le silence anime le style ; permettant des effets de clair-obscur linguistique, il ne sépare plus les phrases mais les fait vivre : il est la forme sonore de l'atmosphère.

162. *Lucien Leuwen*, II, p. 36.

Le style vérifie donc lui aussi les pouvoirs de la loi
de continuité. « Nous croyons, écrit Stendhal, que l'atten-
drissement a besoin d'être amené, préparé... Car il ne
paraît jamais qu'au sein de la profonde sécurité [163]... » Ce
lecteur ballotté par les hasards de l'aventure, c'est à la
continuité du style qu'il appartient de l'apaiser et de le
conduire à bon port. Fénelon, que le jeune Stendhal tenait
pour un grand artiste de la phrase, y parvient en revêtant
tous les angles d'une sorte d'onctueux liquide. La rhétorique habille le vrai. « Fénelon qui aime tant la simplicité dit qu'un homme d'esprit n'aime point l'histoire nue.
Il veut l'habiller, l'orner de broderies, et la *friser*. Chose
à imiter [164]. » Et sans doute le lecteur moderne du *Télé-
maque* juge-t-il parfois Fénelon un peu trop frisé... Mais
aux oreilles de Stendhal quelle douceur « dans cette suite
de phrases simples et parfaitement liées, dans l'honnêteté
de cet auteur qui n'emploie pas certaines ellipses, mises
en usage par les écrivains du XVIIIᵉ siècle, soit qu'elles
ne fussent pas inventées de son temps, soit qu'il aimât
mieux être un peu plus long, et enchanter l'oreille par
la rondeur de sa phrase [165]. » Ainsi parvient-il à rendre
la nature dans sa « variété infinie », équivalent littéraire
de la « variété continue » du Corrège. Jean-Jacques, au
contraire, utilisant en littérature un procédé analogue à
celui du ton général en peinture, « donne à tout une
certaine couleur ». Ses phrases obligent à une sympathie
constamment soutenue : « Le style de Rousseau est pério-
dique, harmonieux, et tend à produire une impression
constamment forte ; il n'a point de moments de repos,
de clair-obscur... Ainsi nous croyons que le style de Jean-
Jacques est éminemment propre à attendrir, parce que,
comme il prend intérêt à tout, notre sympathie est engagée
sans cesse. Si vous échappez à quelques-unes des happes
de la sympathie, il y en a d'autres toutes prêtes pour

163. *Mél. de Litt.*, III, p. 100. — 164. *Mél. de litt.*, III, p. 94.
— 165. *Mél. de litt.*, III, p. 94.

vous saisir [166]. » Le beau style exerce une conviction continue.

Mais il faut se garder ici d'une erreur possible : la force de persuasion d'une belle phrase n'est pas égale, comme le voudrait la loi de décomposition analytique, à la somme des convictions que crée chacun des éléments dont cette phrase est composée. Le sens d'un ensemble dépasse le total des sens des composants de cet ensemble. Et cela est vrai en psychologie comme en rhétorique. Etudiant dans une phrase de Rousseau ces « happes » de sympathie qui obligent à une complicité constante, Stendhal reconnaît que ce charme n'est pas dû, comme chez Fénelon par exemple, à une parfaite liaison des divers éléments de la phrase qui ne laisserait aucun tour pour la distraction ou la récrimination, mais qu'il provient de l'affleurement soutenu d'un élément extérieur à la phrase et qu'il faut bien appeler l'âme de Rousseau, ou l'âme de son style. C'est aussi pourquoi Stendhal, si peu poète cependant, en revient si souvent à se demander ce que signifie et comment signifie la poésie. Car un beau poème présente à son lecteur l'énigme concrète d'un résidu sonore ou imagé qui résiste à toute analyse logique, mais qui constitue cependant son sens et sa puissance. « La forme, ici, fait partie de la chose [167] », avoue Stendhal. C'est même la forme qui donne à la chose sa signification et sa valeur. De façon analogue c'est l'unité dynamique et formelle du sentiment qui ordonne la succession apparemment incohérente des phases par lesquelles ce sentiment passe, ou des attitudes en lesquelles il se trahit. L'amour de Lucien pour Mme de Chasteller, par exemple, n'est pas le simple total des sentiments qu'éprouvent successivement ces deux personnages, mais bien leur unité dialectique. Ce n'est plus alors sur le détail, si significatif soit-il, que l'on pourra juger ou reconnaître un sentiment :

« D'après le trouble qui accompagne les discours des

166. *Mél. de litt.*, III, p. 111. — 167. *Fil. Nov.*, II, p. 58.

amants, il ne serait pas sage de tirer des conséquences trop pressées d'un détail isolé de la conversation. Ils n'accusent juste leurs sentiments que dans les mots imprévus. Alors c'est le cri du cœur. Du reste, *c'est de la physionomie de l'ensemble des choses dites que l'on peut tirer des inductions* [168]. »

Voici que la science des ensembles succède à la science des détails, que l'on découvre le vrai à travers l'étude de la physionomie et de la forme générale, — non plus de la précision singulière et individuelle. A l'un des moments les plus pathétiques de sa vie, face à Métilde qui, le traitant comme il devait lui-même traiter ses héros, scrutait et analysait pour les dénigrer le détail de ses moindres gestes, Stendhal implora lui-même le droit d'être jugé sur l'ensemble de sa conduite :

« Quand un être est dominé par une passion extrême, tout ce qu'il dit ou tout ce qu'il fait dans une circonstance particulière, ne prouve rien à son égard ; c'est l'ensemble de sa vie qui porte témoignage pour lui. Ainsi, Madame, quand je jurerais à vos pieds, toute la journée, que je vous aime ou que je vous hais, cela ne devrait avoir aucune influence sur le degré de croyance que vous pensez pouvoir m'accorder. *C'est l'ensemble de ma vie qui doit parler* [169]. »

Comment mieux déclarer la fausseté de l'analyse qui voulait, elle, faire parler les détails, et en laquelle Stendhal avait pourtant vu l'instrument privilégié à découvrir le vrai ?

La création littéraire peut dès lors apparaître dans cette perspective comme un moyen d'harmoniser et de dépasser en une totalité imaginée les divers moments et épisodes de l'expérience vécue. Cette existence à demi ratée, ou du moins tout entière livrée à l'empire de l'événement, le roman en recueille les nostalgies, en refond et en oriente les souvenirs selon la continuité d'un destin idéal. A la

168. *De l'Amour*, I, p. 110. — 169. *Aux âmes sensibles*, p. 265.

vie absurde et dispersée il redonne une liaison et un sens, confère une justification permanente. Il est une revanche de la vie, bien moins, comme on l'a dit si souvent, pour avoir transfiguré Stendhal en toute une galerie de héros jeunes et beaux, que pour avoir transformé sa vie en une suite d'aventures. Le roman n'est plus alors seulement, selon la formule célèbre, un miroir qui se promène sur une grand'route : il devient cette grand'route elle-même, tout au long de laquelle hommes et paysages offrent au promeneur une succession de reflets et de spectacles qui, tout imprévus et hasardeux qu'ils feignent le plus souvent d'apparaître, ne s'en ordonnent pas moins selon la suite même de son voyage. Si dominé qu'il se veuille par le hasard, le roman stendhalien demeure en effet un roman, c'est-à-dire une composition où quelques héros choisis déroulent une destinée exemplaire. Vue à quelque distance et appréciée dans son ensemble, la ligne de vie de Julien ou de Fabrice se déploie et s'achève selon une courbe parfaite : aucun faux pas, aucune aberration, chacun de leurs gestes semble leur appartenir pleinement et ne pouvoir appartenir qu'à eux, comme si, à chaque moment et sans le moindre effort, ils se trouvaient totalement solidaires d'eux-mêmes. Judith Gautier le savait bien, qui confiait au génie stendhalien le soin de relier les uns aux autres les fragments épars de sa propre improvisation : « Moi, j'écris par bonds, et lorsqu'il faut harmoniser toutes ces sautilleries, je ne fais que des phraseries du dernier mauvais... », lui écrivait-elle. Harmoniser ses propres sautilleries sans faire de phrases, transformer une gerbe de moments en « *l'ensemble d'une vie* », telle fut bien en effet la grande réussite stendhalienne.

Réel et imaginaire, explicite et implicite, déterminé et indéterminé, parole et silence, entre ces pôles opposés la psychologie stendhalienne nous a paru tout entière parcourue d'un mouvement de va-et-vient dont seuls les beaux-arts, musique, peinture ou littérature peuvent réduire l'amplitude, dont ils parviennent même parfois à arrêter le balancement. Ces équilibres résultent cependant toujours d'un compromis : pour s'y mélanger et s'y accommoder l'un à l'autre, les éléments ennemis y doivent sacrifier chacun quelque chose d'eux-mêmes. Combien il serait plus exaltant de trouver un moyen non pas d'équilibrer les deux forces rivales, mais de les satisfaire l'une par l'autre dans l'unité d'un seul mouvement triomphant ! Stendhal croit que *l'amour* peut réaliser ce miracle.

Et d'abord parce que l'amour, selon le mot d'un de ses auteurs préférés, est une *manie*. A partir d'un objet réel, et en une série de démarches qui rappellent d'assez près les obsessions de la folie, il édifie un monde de fantômes. « Du moment qu'il aime, l'homme le plus sage ne voit plus aucun objet tel qu'il est... Il n'attribue plus rien au hasard ; il perd le sentiment de la probabilité. Une chose imaginée est une chose existante pour l'effet sur son bonheur [170]. » L'imaginaire seul existe, et la réalité ne garde encore un poids quelconque que dans la mesure où elle accepte de contribuer aux constructions de l'imagination. Stendhal suit ici très fidèlement ses maîtres idéo-

170. *De l'Amour*, II, p. 242.

logiques. Il explique cette aliénation par « une cause physique, un commencement de folie, une affluence du sang au cerveau, un désordre dans les nerfs et le centre cérébral [171]. » Avant lui, Cabanis avait rendu compte d'un phénomène analogue par la déviation « propre au tempérament mélancolique », chez qui les déterminations sont « pleines d'hésitation et de réserve, les volontés ne semblent aller à leur but que par des détours... » Le désir ne cherche plus dès lors à s'accomplir, mais il se replie sur soi pour se nourrir des illusions qu'il aura lui-même formées :

« Ainsi les appétits ou les désirs du mélancolique prendront plutôt le caractère de la passion que celui du besoin, souvent même le but véritable semblera totalement perdu de vue... Chez le mélancolique... c'est l'humeur séminale elle seule qui communique une âme nouvelle aux impressions, aux déterminations, aux mouvements ; c'est elle qui crée dans le sein de l'organe cérébral ces formes étonnantes, trop souvent employées *à poursuivre des fantômes, à systématiser des visions* [172]. »

Ces fantômes, Maine de Biran explique leur pouvoir sur l'esprit et leur progressif détachement du réel par la force que leur a donnée l'habitude. La sensibilité a bientôt besoin d'eux comme d'un excitant nécessaire auquel elle ne se soucie plus de faire correspondre aucune réalité extérieure :

« Concentré dans la sphère des mêmes moyens d'excitation l'individu s'y attache tous les jours avec plus de force et d'opiniâtreté, les appelle sans cesse, et ne peut ni ne veut plus s'en distraire. Ces fantômes, inhérents à la pensée dont ils deviennent les idoles (idola mentis) semblent être pour son organe ce que les irritants artificiels accoutumés sont pour les organes des sensations ; même nécessité, même inquiétude, même besoin d'exagé-

---

171. *De l'Amour*, I, p. 65. — 172. *Traité du Physique et du Moral de l'Homme*, Ed. Reisse, p. 287.

rer des impressions auxquelles l'habitude a exclusivement
lié un sentiment de l'existence qui tend incessamment à
se raviver [173]. »

Et chez Stendhal aussi l'imagination plonge l'amant
« dans un monde de réalités *qui se modèlent sur ses
désirs* » [174]. Elle l'engage dans « les rêveries enchanteresses
de la cristallisation ». Mais à cette perte dans l'imaginaire
il faut un point de départ réel ; ce « modelage » s'exerce
sur une pâte concrète. Les cristaux, dit Stendhal, recouvrent si bien le rameau de Salzbourg que :

« Dès que les cristallisations ont opéré, les yeux indifférents ne reconnaissent plus la branche d'arbre.

Car 1. Elle est ornée de perfections ou de diamants
qu'ils ne voient pas ;

2. Elle est ornée des perfections qui n'en sont pas
pour eux [175]. »

Mais sous le camouflage du cristal la branche elle-même
demeure. C'est elle qui donne à la grappe de diamants
son armature et sa solidité. Plus personne certes ne
peut la reconnaître, mais elle continue, fidèle en dépit
de l'oubli, à soutenir tout l'édifice de cristal. Au cœur
de l'amour c'est donc le réel, non le vide que l'on retrouve.
Ces « idoles » ou ces fantômes ne naissent pas de la
seule exaltation d'une pensée dont ils viendraient combler
les vains désirs : l'amour chez Stendhal est une idolâtrie
du vrai. Il est germination d'imaginaire sur du réel et
à partir de la réalité, passage d'un monde à l'autre, ou
mieux création d'un monde par l'autre.

Stendhal lui-même a pris soin de souligner toute la
distance qui sépare cette imagination concrète, toute collée
à une vérité qu'elle transfigure sans la trahir, d'une autre
imagination, celle qui pourchasse la chimère et se soucie
d'abord de fuir un monde dans lequel elle voit son pire
ennemi. C'est à cette dernière forme d'imagination qu'ap-

173. *Infl. de l'habitude*, p. 149. — 174. *De l'Amour*, **II**, p. 156.
— 175. *De l'Amour*, **II**, p. 39.

partiennent, dans la première partie de la *Chartreuse,* les
rêveries de Fabrice. « Il était trop jeune encore, écrit
Stendhal ; dans ses moments de loisirs, son âme s'occu-
pait avec ravissement à goûter les sensations produites
par des circonstances romanesques que son imagination
était toujours prête à lui fournir [176]. » « Ce réel qui lui
semblait encore plat et fangeux », il charge en somme
sa rêverie de l'orner, d'en dissimuler la laideur ; il demande
à son imagination de susciter pour lui des sensations charmantes qui recouvriront la triste banalité de sa vie. Il
succombe en cela à la tentation du faux romanesque, à
la facilité d'une rêverie illusoire qui, au lieu d'élever le
réel jusqu'à elle, plane bien au-dessus d'un monde qu'elle
méprise. La véritable imagination, telle que Fabrice
apprendra plus tard à la connaître et à la pratiquer,
ne va pas au contraire sans une acceptation préalable
des choses. C'est sur cette « platitude », cette « fange »
qu'elle édifie ses plus beaux palais. Et c'est lorsque Fabrice
a compris que la vie réelle et quotidienne offre à la rêverie
de bien plus riches et plus nombreuses occasions que
n'importe quelle existence romanesque, c'est alors, mais
seulement alors, que Stendhal fait de lui un héros de
roman.

Mais si l'amour est montée du réel vers l'imaginaire,
transfiguration du monde, n'est-il pas vrai inversement que
la passion puisse devenir source de connaissance, et qu'à
travers elle les choses puissent réapparaître, plus pures,
plus exactes qu'elles n'apparaissaient à la vision commune
ou logique ? Des hauteurs de l'amour, ne peut-on redescendre vers la terre ?
De nombreux textes stendhaliens semblent nier la possibilité d'une telle redescente. Ils affirment que dans

176. *La Chartreuse de Parme,* I, p. 274.

l'amour, comme en une mélodie, « on se livre en aveugle » [177], « on ne sait pas où l'on va [178] ». L'amour marche les yeux bandés, ou, si par hasard il peut voir, ses regards se braquent vers le seul but que le désir de l'amant lui assigne :

« L'amour, plein de lui-même, en ces moments rapides, Ne voit rien, n'entend rien, que l'espoir qui le guide [179]... »
Aveuglement, surdité, obsession maniaque : il semble bien que cette réalité, à partir de laquelle elle a construit son édifice et sur laquelle elle ne cesse de se reposer, la passion soit incapable de l'apercevoir clairement.

Et cependant, si l'on réexamine la métaphore du rameau de Salzbourg, l'on réfléchira qu'à travers la transparence des cristaux le bois demeure visible, que peut-être même les cristaux jouent le rôle d'une sorte de loupe naturelle qui permettrait d'en apercevoir plus nettement les détails grossis. De la même façon, à certains moments privilégiés, il semble que l'amour ôte soudain son bandeau, et qu'à son dérisoire aveuglement succède une sorte de lucidité supérieure qui éclaire d'un seul coup les recoins jusque-là les plus obscurs de nous-mêmes et d'autrui. Ces révélations soudaines ne sauraient se produire dans l'entraînement ni le bouillonnement de la passion, dans ces « instants rapides » dont parlait tout à l'heure Stendhal, où l'on se « livre », et où l' « on ne sait où l'on va ». C'est au contraire au moment où le fleuve passionnel ralentit son cours, où son eau bouleversée se décante en souvenir ou en regret, dans l'une de ces nappes mortes, de ces points d'orgue que le rythme inégal de la vie sentimentale creuse entre deux périodes de fièvre ou d'exaltation, qu'en gerbe éparpillée remontent lentement du fond de l'âme tous les détails de la passion vécue :

« Les points d'orgue et autres ornements qu'invente l'âme émue du chanteur peignent admirablement (ou pour

177. *Vie de Rossini*, II, p. 35. — 178. *De l'Amour*, I, p. 162. — 179. *Fil. Nov.*, I, p. 59.

dire vrai, *reproduisent dans votre âme), ces* petits moments de repos délicieux que l'on rencontre dans les vraies passions. Pendant ces courts instants l'âme de l'être passionné *se détaille les plaisirs ou les peines* que vient de lui montrer le pas en avant fait par son esprit [180]. »

La marche discontinue de la passion permet à l'amant de profiter des « petits moments de repos », pour se retourner et apprécier le chemin parcouru. Semblable à une route de montagne dont chaque virage invite le promeneur à plonger ses regards vers un paysage que sa progression ne cesse de modifier, l'amour multiplie les points de vue d'où l'œil s'enfonce rétrospectivement vers les moments déjà vécus. Mais ne croyons pas que la réflexion ni l'analyse logique profitent de ces répits pour se réintroduire furtivement dans les sentiments. « *L'imagination* des femmes détaille à loisir des instants si délicieux [181]... » C'est elle, et non « la froide raison », qui se charge maintenant de reconnaître le vrai. Et c'est pourquoi les beaux-arts, non l'analyse, nous permettront, après coup et par le jeu de leurs équivalences, de mieux *comprendre* ce que nous avons *senti :*

« Lorsque, songeant à quelque souvenir de notre propre vie, et agités encore en quelque sorte par le sentiment d'autrefois, nous venons à reconnaître tout à coup le portrait de ce sentiment dans quelque cantilène de notre connaissance, nous pouvons assurer qu'elle est belle. Il me semble qu'il arrive alors une sorte de vérification de la ressemblance entre ce que le chant exprime et ce que nous avons senti, *qui nous fait voir et goûter plus en détail les nuances à nous-mêmes inconnues* jusqu'à ce moment. C'est par ce mécanisme, si je ne me trompe, que la musique entretient et nourrit les rêveries de l'amour malheureux [182]. »

Voici maintenant que l'émotion éclaire, parce qu'elle

180. *Promenades dans Rome*, I, p. 72. — 181. *De l'Amour*, I, p. 48. — 182. *Vie de Rossini*, I, p. 87.

aperçoit enfin les choses telles qu'elles sont, ou ont été, de l'intérieur, à la fois dans leur vie et dans leur exactitude. « Ce degré de passion qui fait découvrir et sentir les détails [183] », il est difficile certes de s'y établir fixement ; comme il est difficile d'à la fois *découvrir*, c'est-à-dire distinguer, et *sentir*, c'est-à-dire se perdre dans la sensation. Mais l'attitude de Stendhal est ici toute instinctive : et pour croire à la possibilité d'une réussite aussi paradoxale, il n'a qu'à se souvenir de sa propre expérience vécue.

Mais il ne nous est pas interdit d'éclairer ce mouvement victorieux par les réflexions que le jeune Stendhal faisait à vingt ans en lisant l'œuvre de Biran, et que ses carnets nous ont transmises. A Maine de Biran, on sait qu'il emprunte la distinction essentielle, et à laquelle il se réfère chaque fois qu'il s'agit d'expliquer l'impossibilité de rappeler ou de décrire le bonheur, entre la *sensation*, ou impression, qui est passivité pure, et la *perception* qui suppose une certaine activité, ou du moins une certaine orientation des organes.

« Biran, note-t-il, nomme *sensation* ce que l'on aperçoit lorsqu'on est passif dans l'impression. Lorsqu'on est actif, c'est-à-dire que l'on remarque ce que l'on sent, et cela au moyen de la disposition donnée à l'organe, il l'appelle *perception*. »

et encore :

« Faculté passive est sentir l'odeur de la rose. Faculté motrice est celle qui nous fait ouvrir les narines (concentrer l'attention de l'organe pour mieux sentir la rose) [184]. » Ce sont surtout les effets de l'habitude qui permettent de faire le départ entre sensation et perception : car si la première s'épuise et s'alanguit par la répétition, la seconde au contraire y gagne en facilité, en aisance et en précision. Cette distinction frappa vivement Stendhal

---

183. *Promenades dans Rome*, I, p. 93. — 184. *Fil. Nov.*, II, p. 365.

et c'est sur elle qu'il s'arrêta. (« Verbiage, écrit-il, jusqu'à la distinction des effets de l'habitude. »)

Et l'on devine facilement les raisons de cet intérêt : c'est à cette deuxième catégorie d'habitudes qu'appartient la cristallisation stendhalienne elle-même. Elle aussi enferme l'esprit en une hantise que chaque jour creuse et précise. Grâce à sa force créatrice l'univers stendhalien est perception, non sensation, activité, non passivité. Le désir se tourne ici vers un objet qu'il ne se contente pas d'appeler de ses vœux, mais que son mouvement finit par porter à l'être. Il n'attend pas d'être assouvi, mais cherche à s'accomplir :

« Réflexion, écrit-il, c'est l'action de chercher des jugements (regarder une chose pour y apercevoir des circonstances). Les obstacles font naître la réflexion [185]. »

Stendhal songe ici, après Cabanis, Tracy, le premier Biran, après tous les idéologues qui font naître la conscience d'une résistance des objets extérieurs au mouvement du sujet, à la vision exacte mais triste que prennent du monde les cœurs désenchantés. Et nul doute en effet qu'à maintes reprises le roman stendhalien n'amène ses héros à la conscience d'eux-mêmes en les lançant, au besoin en les faisant se briser contre un obstacle. C'est par l'échec que l'énergie se réveille en conscience. Mais refusant de croire que l'enchantement de la passion interdise nécessairement la connaissance, Stendhal ajoute : « Une passion quelconque peut aussi faire naître la réflexion sans besoin d'obstacle. *Un désir quelconque (la force qui pousse) peut nous conduire à réfléchir* [186]. » L'amour stendhalien n'est-il pas justement cette force qui pousse, ce mouvement pour à la fois découvrir et accomplir son objet ? S'il demeure vrai dès lors qu'on ne puisse à la fois connaître et éprouver, il devient en revanche possible, puisque l'amour est fait davantage de mouvement que d'impression, d'élan que d'attente, de connaître et

185. *Fil. Nov.,* II, p. 365. — 186. *Fil. Nov.,* II, p. 365.

d'aimer. Le naturel stendhalien n'est rien d'autre que la facilité et la spontanéité avec lesquelles l'émotion trouve à se traduire en intelligence ; mais la rapidité de cette traduction apparaîtrait inconcevable si l'émotion n'avait été, à son origine même, toute pénétrée de curiosité et d'intelligence, portée et tendue vers la révélation intellectuelle de son objet. Elle soulève l'être, l'oriente et le dirige vers l'extérieur, suscite en lui une fermentation joyeuse, une sorte d'impatience et saine fébrilité, une attente assez semblable à l'allégresse musicale, et qui, en même temps qu'elle accélère la vie du cœur, semble multiplier les pouvoirs de l'esprit. Telle est la liberté stendhalienne. « Lorsqu'il n'avait pas d'émotion, écrit Stendhal d'un de ses personnages, il était sans esprit [187]. » Il n'est ainsi de véritable et de vivante intelligence que portée par tout un remuement d'émotions. Comme « les larmes sont l'extrême sourire », la connaissance serait donc l'extrême tendresse ; elle fleurirait au bout de l'enthousiasme ou de la passion :

« Une tête éclairée par une passion découvre dans les choses que cette passion lui a ordonné de considérer bien des choses qui n'ont été connues que par les têtes obéissant à des passions aussi fortes [188]. »

C'est à la franc-maçonnerie des âmes passionnées, et non au collège des parfaits idéologues, qu'il appartient finalement de se retrouver dans une possession profonde des choses. A elles seules il est accordé de jouir et de connaître, de rêver sans trahir, de retrouver le réel au bout de l'imaginaire, et, comme le dit Stendhal en une magnifique formule, d' « entrer dans le monde par le ciel [189] ».

---

187. *Mélanges de littérature*, I, p. 85. — 188. *Fil. Nov.*, II, p. 122. — 189. *Fil. Nov.*, I, p. 16.

Nous voici, semble-t-il, parvenus au terme du voyage. Mais avant d'abandonner Stendhal à son perpétuel dialogue, il nous faut prévenir un possible malentendu, et bien souligner qu'en ce terme nul n'a le droit de voir une conclusion, bien préciser aussi que ni dialectiquement ni chronologiquement ces notes n'ont prétendu retracer un *itinéraire*. L'expérience stendhalienne n'est aujourd'hui encore si riche de sens et de nouveauté que grâce au refus obstiné qu'elle a toujours opposé à la reconstruction logique, et même, comme cet essai a tenté de le montrer, à la simple définition.

Ne croyons donc pas que, parti d'une vision sèche des choses, Stendhal ait abouti à une certaine tendresse intérieure, puis qu'il se soit efforcé d'atteindre à certains équilibres entre ces deux forces et de les réaliser l'une à partir de l'autre : la tendresse n'est pas venue mûrir en lui sur la sécheresse épuisée comme le fruit sur les pétales fanés de la fleur. A mesure certes qu'il vieillit et que devant lui l'avenir peu à peu se limite, son inspiration, de plus en plus livrée à la nostalgie du souvenir, semble, d'œuvre en œuvre et d'année en année, s'attendrir toujours davantage. Mais songeons qu'après la *Chartreuse,* admirable symphonie d'amour et de tendresse, Stendhal met sur le chantier *Lamiel* où, se proposant expressément d'appliquer toutes les recettes comiques que le jeune homme de vingt ans avait cru découvrir, l'homme de cinquante ans s'amuse à dessiner toutes les grimaces du ridicule et toutes les contorsions d'une énergie contre nature. Plus dure que le *Rouge,* plus crispée qu'*Armance,* cette grande œuvre interrompue, qui marque un retour à la sécheresse la plus violente et la plus volontaire, arrête la destinée littéraire de Stendhal sur un inachèvement plus troublant encore. La courbe harmonieuse se termine sur un crochet brutal, et cette fin nous interdit d'essayer même de deviner quels auraient pu en être les lendemains.

Logiquement, les deux mouvements ne s'enchaînent pas davantage. Disons plutôt qu'ils s'éclairent l'un par l'autre, coexistent en se faisant exister l'un l'autre, comme la lumière crée l'ombre et l'ombre la lumière. L'ordre dans lequel ces notes ont été présentées, il faut donc reconnaître qu'il a été profondément arbitraire, et que la nature même de cette étude empêchait qu'il en fût autrement. Il s'agissait en effet de dessiner une coupe horizontale à travers certaines régions intérieures où pouvaient se déceler les traces de certains partis pris fondamentaux. L'exploration eût pu avec autant de vraisemblance s'entreprendre en sens contraire. L'essentiel était de retrouver à chaque moment la présence des quelques structures abstraites qui nous ont paru gouverner cette expérience vivante. Il importait donc bien davantage de mettre en évidence les termes abstraits en lesquels se posèrent pour lui certains problèmes d'expérience immédiate, que de partir à la recherche de solutions impossibles ou de conciliations fort improbables. On peut dire aussi, pour parler un autre langage et voir les choses de l'extérieur, que se trouvant aux prises avec deux maladies, qui sont d'ailleurs par certains côtés des maladies d'époque, Stendhal voulut combattre l'une par l'autre, moins d'ailleurs pour annihiler que pour exaspérer chacune d'entre elles, se proposant par exemple de « dérousseauiser son jugement en lisant Tracy », mais offrant d'autre part à ses héroïnes sèches, telle Mathilde de la Mole, la toute puissante et attendrissante ressource de la folie musicale ou de l'amour romanesque. La santé stendhalienne est faite de ce combat de maladies, et la vérité stendhalienne, loin de se situer en un quelconque et sage entre-deux, doit toujours être recherchée dans l'association passionnée des extrêmes et des contradictoires.

Une dernière remarque : l'homme Stendhal dépasse de très loin tout ce qui a pu être dit ou suggéré de lui dans les pages qui précèdent. Son *étendue,* pour parler son langage, déborde toute analyse : à plus forte raison déborde-t-elle les analyses qui, comme celle-ci, se limitent volontairement à explorer certaines démarches fort spéciales. Parler de Stendhal, c'est chaque fois se condamner à l'impression que l'on n'a rien dit, qu'il vous a échappé et que tout reste à dire. Il faut alors se résigner et le rendre à son imprévisible et merveilleux jaillissement.

La création de la forme
chez Flaubert

« Oh ! comme je serais heureux si j'avais ces membres forts, puissants, ces robustes existences sous leurs cuirs inattaquables !... » Dans la bouche du cochon : *Tentation de Saint Antoine*, 1849, p. 409.

1

On mange beaucoup dans les romans de Flaubert ; peu
de tableau plus familier chez lui que celui de la table
garnie sur laquelle s'amoncellent les nourritures, autour
de laquelle s'aiguisent les appétits. Enormes tablées normandes de *Madame Bovary,* ripailles carthaginoises ou
judaïques de *Salammbô* ou d'*Hérodias,* repas ridicule de
Bouvard et Pécuchet, dîners mondains de l'*Education sentimentale,* la cérémonie alimentaire change de climat selon
la situation et l'atmosphère propre de chaque roman, mais
elle demeure toujours cérémonie, et toujours la table se
dresse entre les hommes comme un lieu de rencontre,
presque de communion. Parfois même le repas apparaît
comme un rite religieux : pour Emma, par exemple, invitée
au château de la Vaubyessard, l'initiation au grand monde
commence par la salle à manger ; et la description de
Flaubert caresse, avec la même gourmandise que le regard
de son héroïne, les merveilles de la table servie :

« Les pattes rouges des homards dépassaient les plats ;
de gros fruits dans des corbeilles à jour s'étageaient sur
la mousse ; les cailles avaient leurs plumes, des fumées
montaient ; et, en bas de soie, et culotte courte, en cra-
vate blanche, en jabot, grave comme un juge, le maître
d'hôtel faisait d'un coup de sa cuiller sauter pour vous
le morceau qu'on choisissait [1]. »

Rien ne manque à ce culte, qui a le maître d'hôtel
pour desservant. La réussite tient ici à la délicatesse avec

1. *Madame Bovary,* Ed. Conard, p. 67.

laquelle l'offre des nourritures vient combler le désir de l'héroïne. Ailleurs il s'agira seulement de satisfaire une gloutonnerie inépuisable : et devant Aulus Vitellius s'amoncellent les aliments les plus extraordinaires, rognons de taureau, loirs, rossignols, hachis de feuilles de pampre, que Flaubert éprouve une évidente délectation à énumérer et à décrire. Car il rêve à la nourriture : nul doute que l'obsession alimentaire ne tienne dans son imagination la même place privilégiée qu'occupe le rêve du bal ou de la soirée théâtrale dans la mythologie romanesque de Balzac.

Insistance révélatrice : dans l'étalage de toutes ces mangeailles il faut trouver l'expression détournée d'un besoin essentiel de se repaître. Corps énorme, cousin de ces héros rabelaisiens qu'il aimait tant, Flaubert est devant les choses comme un géant attablé. Et ce n'est point là simple métaphore ; très concrètement le spectacle de la nature lui donne faim :

« En rentrant, j'ai senti un grand besoin de manger d'un pâté de venaison et de boire du vin blanc ; mes lèvres en frémissaient et mon gosier séchait. Oui j'en étais malade, c'est une chose étrange comme le spectacle de la nature, loin d'élever mon âme vers le Créateur, excite mon estomac... En aurai-je eu des envies, moi ! et des piètres ! [2]. »

Ces piètres envies sont la transposition charnelle d'une envie plus authentique, d'un « frémissement » de l'être tout entier en face des choses qui se proposent à son avidité. Ce tremblement préalable, c'est ce que Flaubert nomme la *verve*. Etre en verve c'est avoir envie de se mettre à table, sans céder tout de suite à cette envie. La verve est une sorte de danse préalable, un emportement léger qui fait tourner, sans les toucher, autour des idées et choses, les présentant à l'imagination dans la multiplicité de leurs jouissances futures. Elle retarde la concu-

2. *Corr.*, IV, p. 114.

piscence pour la rendre plus aiguë, comme Emma, dans les rues de Rouen, recule le moment où elle doit retrouver Léon et le plaisir. Elle appartient donc au corps. « Une verve du corps nous emportait malgré nous, écrit Flaubert dans une œuvre de jeunesse, et nous éprouvions dans les muscles des espèces de tressaillements d'une volupté robuste et singulière [3]... » Tressaillement musculaire qu'il faut se garder de confondre avec une *exaltation* : la verve ne soulève pas l'être vers un au-delà de l'objet ou de l'idée, elle est un simple jeu préalable à la satisfaction. Et l'on comprend mieux dès lors pourquoi des esprits voués à la dégustation plutôt qu'à l'engloutissement, comme Sainte-Beuve, ou des esprits tout de réticence et de pudeur, comme Du Bos, furent rebutés par ce que l'alacrité de Flaubert conserve de grossier et même de fondamentalement vulgaire. C'est son « côté commis-voyageur » dont parlent les Goncourt, et qu'ils relient à « son goût des exercices violents [4] », son goût du débraillé, du « déboutonné » dans le costume et dans l'idée, sous lequel se déguiseront toutes les pudeurs ultérieures. Mais la verve est essentiellement impudique ; elle est un désir qui prend son temps : de toute façon on est bien sûr que l'objet n'échappera pas.

Après la verve vient la satisfaction. Nouveau Moloch, Flaubert se précipite sur les nourritures, nourritures du cœur, de l'esprit ou des sens, afin de les engloutir toutes vives. « Elles ont quelque chose de si cru que cela donne à l'esprit des appétits de cannibale. Il se précipite dessus pour les dévorer, se les assimiler [5] ». Du même ton qu'il savoure à l'avance avec Ernest Chevalier les repas qu'ils feront ensemble — « on s'en donnera une bosse » —, il se promet en avril 1846 de « s'en donner une soulée avec la Grèce et la Sicile ». Les poètes latins, il « s'en bourre ». Les couleurs « il veut s'en donner une ven-

3. *Par les Champs et par les Grèves*, p. 131. — 4. *Journal*, III, p. 52. — 5. *Corr.*, III, p. 269.

trée ». Sans cesse il s'emplit d'images, d'anecdotes, se
garnit de savoir ; les fiches montent, les dossiers se rem-
plissent, les heures de bibliothèque s'allongent : Taine lui-
même — et pourtant... — s'en inquiète. Mais toujours
la même boulimie pousse Flaubert. C'était bien là abattre
une forêt, disait Gautier, pour construire une boîte d'allumettes. Mais Flaubert se moque, au fond, des allumettes :
il abat par besoin d'abattre, pour assouvir sa faim, une
faim très semblable à celle qui pousse le cochon de Saint
Antoine dans ses équipées les plus frénétiques :

« Je courrai, je galoperai, j'avalerai en passant les cou-
leuvres qui dorment, les petits oiseaux tombés de leur
nid, les lièvres tapis ; j'épouvanterai les villes, sur les
portes je dévorerai les enfants... je fouillerai les tombeaux
pour manger dans leurs cercueils les monarques en pour-
riture et leur chair liquide me coulera sur les babines [6]... »

L'appétit se fait ici hystérique, déchaîné. Mais dans
le monde de l'esprit, Flaubert, le jour où il créa Bouvard
et Pécuchet, ne retrouva-t-il pas une forme d'hystérie tout
analogue ? Comme le cochon est la caricature des appétits
d'idéal de Saint Antoine, Bouvard et Pécuchet représentent
la parodie de cette faim de l'esprit qui possédait leur
créateur : s'instruire, pour eux, c'est avaler le savoir.
D'une façon analogue, Emma aime comme on dévore.
« Elle se ruait sur la joie avec un appétit d'affamé »...
Et le pauvre M. Léon se fait quelquefois l'effet d'être
le festin nuptial d'une sorte de mante religieuse jamais
rassasiée : « A peine si leur âme et tous leurs sens
étaient capables de suffire à l'avidité qui les tenait de
leur personne entière [7]... » Tout comme les idées et les
choses, autrui peut faire l'objet d'un appel affamé :
l'amour peut apparaître comme un engloutissement de
l'autre.

Percevoir, penser, aimer, c'est donc d'une certaine

6. *La Tentation de Saint Antoine*, 1849, p. 226. — 7. *Madame
Bovary*, Ed. Pommier, p. 534.

façon dévorer. L'objet se tient là, devant nous, dans sa distance et son étrangeté : pour le rendre nôtre il faudra le faire entrer en nous, nous pénétrer de lui, ou, comme dit encore Flaubert, l'*absorber*. « Absorbons l'objectif, et qu'il circule en nous... » Le moi se fait spongieux pour aspirer les choses. « Est-ce que l'âme d'un Véronèse, je suppose, ne s'imbibait pas de couleurs continuellement, comme un morceau d'étoffe sans cesse plongé dans la cuve bouillante d'un teinturier [8] ? » — L'artiste pompe la nature ; il s'ouvre à elle de toutes ses forces pour la laisser s'introduire en lui plus totalement que ne le fait le commun des hommes. Introduction forcenée qui ne va pas sans déchirures : le créateur risque la distension intérieure, il est menacé d'éclatement :

« Le génie, après tout, n'est peut-être qu'un raffinement de la douleur, c'est-à-dire *une plus complète et plus intense pénétration* de l'objectif à travers notre âme. La tristesse de Molière, sans doute, venait de toute la bêtise de l'humanité qu'il sentait comprise en lui. Il souffrait des Diafoirus et des Tartuffe *qui lui entraient par les yeux dans la cervelle* [9]. »

L'être subit alors l'invasion, le viol des choses : à cette extrémité la voracité se confond avec une certaine forme du sacrifice de soi.

Reste à « assimiler ».

« Je vis comme une plante, je me pénètre de soleil, de lumières, de couleurs et de grand air, je mange ; voilà tout. *Restera ensuite à digérer.* C'est là l'important [10]. »

Et ailleurs, parlant de l'artiste :

« Il lui a fallu que la vie entrât en lui sans qu'il entrât en elle, et qu'il pût la *ruminer à loisir,* pour dire les saveurs qui la composent [11]. »

Digestion, rumination, ces métaphores alimentaires évoquent un processus de transformation intérieure par lequel

---

8. *Corr.*, III, p. 359. — 9. *Corr.*, III, p. 359. — 10. *Corr.*, III, p. 147. — 11. *Première Education sentimentale,* p. 304.

la sensation devient non plus seulement mienne, mais moi. Il ne suffit pas en effet d'engloutir l'objet : il faut encore que la sensation perde son étrangeté première et l'indiscrétion qui la rend suprêmement occupante. Elle devra pour cela vieillir, s'accorder aux autres sensations déjà vécues et venir s'insérer dans une trame continue de l'être. A cette condition seule je me sentirai enrichi par elle, et je verrai s'opérer en moi cette « chimie merveilleuse » par la vertu de laquelle « l'objectif circule en nous », et se « reproduit au dehors », « sans qu'on puisse rien comprendre [12] » à ce mystère.

Or il se trouve que les conditions mêmes dans lesquelles s'est établi le rapport avec l'objet rendent cette assimilation impossible. Recherchée avec trop d'avidité, la sensation refuse de s'accorder à ses voisines. L'intervalle s'est raccourci trop brusquement pour qu'ait pu s'opérer le lent travail d'appropriation familière grâce auquel les choses et les êtres, succombant peu à peu à notre séduction, se rapprochent si insensiblement de nous qu'ils semblent, au moment où nous les touchons enfin, nous appartenir déjà depuis toujours. Tout se trouve ici gâché par l'immédiateté du contact ; et c'est bien l'un des aspects de la maladie bovaryste que ce manque fondamental de *retenue :*

« Elle rejetait comme inutile tout ce qui ne contribuait pas à la *consommation immédiate de son cœur,* — étant de tempérament plus sentimentale qu'artiste, cherchant des émotions et non des paysages [13]. »

L'artiste se détache du paysage : il le tient à bout de bras ou de pinceau pour le laisser s'établir devant lui dans la vérité de son équilibre. Mais Emma se jette goulûment sur toutes les proies : et voulant tout immédiatement consommer, elle ne peut rien retenir. Tout l'abandonne, et ses expériences l'appauvrissent au lieu de l'enrichir. — De façon analogue le cochon de Saint Antoine, qui

---

12. *Corr.,* III, p. 383. — 13. *Madame Bovary,* p. 50.

« sent dans son ventre grouiller les choses », doit subir les cruelles conséquences de sa gloutonnerie : inassimilées, ses sensations poursuivent en lui une vie indépendante et très vite intolérable. Il faut alors, et à tout prix, les rejeter. « La vie n'est-elle pas une indigestion continuelle [14] ?... » Aulus Vitellius, alternativement occupé à manger et à vomir, chacune de ces deux actions préparant l'accomplissement de l'autre, nous est donc une image, dégoûtante mais juste, de ce que peut produire un trop violent désir.

La voracité flaubertienne se montre alors dans son vrai jour, qui est tragique. Car l'échec de la digestion n'empêche pas sa faim de le pousser vers de nouveaux objets : celle-ci s'exaspère au contraire de l'impossibilité qu'elle éprouve à se satisfaire. Toujours elle va hors d'elle-même chercher de nouveaux rassasiements. Demain lui paraît toujours plus beau que cet aujourd'hui qui l'étouffe ; ainsi Flaubert en voyage se partage entre l'ennui d'avoir trop vu et le désir de regarder davantage ; seule l'étape suivante lui apportera, croit-il, la vraie satisfaction. Dégoûté, il continue d'avoir faim, ou plutôt de désirer avoir faim :

« J'ai faim ! J'ai soif ! hurle la Gourmandise, mes boyaux crient, mes boyaux jutent, je voudrais boire en mangeant, manger en buvant, pour sentir à la fois sous mon palais la viande qui se mâche et le long de ma gorge le vin qui coule. Il me *faudrait ensemble la digestion et l'appétit,* car je me désole d'être repue, et je suis continuellement dévorée par le besoin de me repaître. Me voilà gorgée jusqu'au larynx, la peau du ventre me crève, *et pourtant j'ai faim* [15] ! »

Tragi-comédie de la gourmandise impossible. Plus il sent et désire sentir, et moins il peut jouir de ce qu'il a senti ; la dialectique de l'appétit aboutit donc à un aveu d'impuissance : ce n'est pas en mangeant le monde que Flaubert pourra le posséder.

14. *Corr.,* II, p. 47. — 15. *La Tentation de Saint Antoine,* 1849, p. 324.

« On est faible, la chair est molle, et le cœur, comme un rameau de pluie tremble aux secousses du sol [16]... » On reconnaît mal ici le langage d'un Moloch dévorateur : c'est que Flaubert avait trop présumé de ses forces. A d'autres les joies du rapt, de la possession conquérante ; Hugo, Balzac, Rabelais manient à pleines mains la pâte humaine ; mais à côté d'eux Flaubert n'est qu'un faux géant. Massif certes, et tonitruant. Mais l'intérieur est tout pourri de faiblesse, et depuis le début il le savait :

« C'est étrange comme je suis né avec peu de foi au bonheur. J'ai eu tout jeune un pressentiment complet de la vie. C'était comme une odeur de cuisine nauséabonde qui s'échappe par un soupirail. On n'a pas besoin d'en avoir mangé pour savoir qu'elle est à faire vomir [17]. »

Avant même l'appétit et la verve, et dès le premier moment de conscience, Flaubert a découvert en lui un mouvement de nausée : dégoût fondamental qu'il essaiera plus tard d'oublier ou de dominer en se jetant sur les choses, — comme un voyageur écœuré se penche vers les paysages pour se distraire de son malaise, — mais qu'il ne surmontera jamais vraiment. Plus encore qu'à retenir un désir vrai, la verve lui sert ainsi à susciter un appétit défaillant ; elle s'efforce de soulever artificiellement une apathie profonde. A travers son excitation Flaubert, commis-voyageur se faisant à lui-même l'article, s'efforce d'être gai ou d'avoir du plaisir. Sa verve le jette en somme vers l'idée ou l'objet pour le divertir du sentiment de sa faiblesse.

Car la pente naturelle de sa sensualité ne le conduisait pas à conquérir : bien plutôt à se laisser gagner par les choses, ou à glisser vers elles, à suivre cette « déclivité », dont parle un philosophe, « qu'il y a de nous aux choses et que mes états de conscience empruntent

16. *Corr.,* III, p. 307. — 17. *Corr.,* I, p. 201.

volontiers, entraînés par leur pesanteur propre, et par cette curiosité d'esprit qui est en nous aussi instinctive que la confiance [18] ». Mais peut-on vraiment nommer *curiosité* un si mol abandon à la nature ? Un semblable rapport avec l'objet supprime du moins toute difficulté d'assimilation : car ce mouvement dépasse les surfaces, pénètre les substances les plus intimes. Flaubert, dit Brunetière, ne voit que la surface des objets. Etonnante erreur : il a au contraire le sens de leur épaisseur et de leur endessous beaucoup plus que celui de leur écorce. Et c'est pourquoi la perception n'apparaît jamais chez lui comme un viol des apparences : la surface lui semble béante comme un appel ; quand il la regarde longtemps et de très près, elle finit même par s'évanouir et les objets deviennent porosité pure :

« Je sais voir et voir comme voient les myopes, jusque dans les pores des choses, parce qu'ils se fourrent le nez dessus .[19] »

Ce qu'on nomme surface ou limite n'est donc en réalité pour lui que l'effleurement d'une certaine texture matérielle vers une texture différente et immédiatement voisine. Passant d'un objet à un autre, il éprouve un changement de grain, de consistance, de structure intérieure, mais non un dépaysement véritable. Point de saut vers l'hétérogène, comme dans l'appétit engloutissant, et c'est bien pourquoi il préfère ce mode de pénétration qui n'exige de lui que souplesse. Quand le monde vous est apparu une fois comme plein, la sensualité ne distingue plus en lui que divers degrés de plénitude ; elle circule librement à travers les objets comme en un milieu homogène. L'hétérogénéité est au contraire le propre d'une vision à distance. Flaubert, dit Maupassant, n'était capable de juger que de loin ; il souffrait d'une maladie du contact. Voir de trop près lui donnait le vertige, l'intervalle se troublait, il ne

18. W. Jankelevitch, *La Mauvaise Conscience*, p. 21. — 19. *Corr.*, II, p. 343.

distinguait plus rien : mais à travers ce trouble c'est la pénétration de l'objet, sa possession en profondeur qui lui était en même temps accordée.

Cette fusion a pour contre-partie une diminution, peut-être un anéantissement de l'intégrité personnelle. La fusion matérielle s'accompagne toujours chez Flaubert d'une dissolution intérieure. « Etre la matière ! », le célèbre cri qui clôt la *Tentation* de 1875 est préparé par un long travail de désagrégation spirituelle au cours duquel le défilé des diverses formes religieuses, dans leur tournoiement et leur contradiction même, finit par ébranler toutes les certitudes du saint et par le rendre intérieurement aussi mou que le protoplasme en lequel il va finalement se perdre. Car la matière s'aborde sans crispation ni préjugés. Pour mieux pénétrer la substance d'une nature pâteuse, l'être doit s'amollir et se faire liquide. Bientôt il se sent échapper à lui-même comme en une hémorragie :

« Il est vrai, souvent j'ai senti que quelque chose de plus large que moi se mêlait à mon être ; *petit à petit je m'en allais* dans la verdure des prés et dans le courant des fleuves que je regardais passer ; et je ne savais plus où se trouvait mon âme, tant elle était diffuse, universelle, épandue [20]... »

Fusion signifie diffusion, éparpillement successif dans les choses. Et cette perte, qui paraît ici agréable, sera ressentie comme douloureuse quand on mettra l'accent non plus sur l'objet attirant mais sur la conscience perdue : car la suppression de l'intervalle aboutit à la fois à l'inconscience et à l'extase.

Pis encore : à partir d'un certain degré de pénétration c'est l'objet lui-même qui imposera par contagion la dissolution de l'être. Car on le verra se dissocier lui aussi, cesser d'être tel objet particulier pour devenir seulement un fragment de matière. Cela se produit lorsque, trop

20. *La Tentation de Saint Antoine,* 1949, p. 417.

attentif à éprouver les choses de l'intérieur selon leurs seules différences de texture ou de densité, on néglige les aspérités de leur surface, tout ce qui les situe et les caractérise, leurs *particularités*. Totalement absorbante, la sensation finit alors par perdre tout contenu objectif et par demeurer dans la conscience comme opacité pure :

« Peu à peu, à force de regarder, tu ne voyais plus ; écoutant tu n'entendais rien, et ton esprit même finissait par perdre le sentiment de cette particularité qui le tenait en éveil [21]. »

C'est alors une « harmonie immense » qui s'engouffre dans l'âme, une « indicible compréhension de l'ensemble irrévélé ». Mais la compréhension des parties de cet ensemble s'avère du même coup impossible. Le détail, qui accrochait à chaque objet une attention chaque fois différente, n'apparaît plus que comme le grain superficiel d'une seule substance homogène. Ce qui s'étend devant moi, ou plutôt ce qui me submerge, ce n'est plus le monde des objets, mais l'océan de la matière. Les formes individuelles ont disparu. Les barrières qui séparaient les règnes et les espèces se sont également évanouies. Sous le regard de Saint Antoine défilent les animaux les plus bizarres : mais voici que ce regard, par la seule puissance de sa pénétration, suscite dans l'objet une désagrégation plus radicale encore. Les formes ne craquent plus, ne se combinent plus de façon étrange selon les règles d'un fantastique inspiré de Bosch ou de Brueghel : mais tout glisse d'un règne à l'autre, se fond d'apparence en apparence en une suite de télescopages insensibles et merveilleux. Toutes les enveloppes, minérales, végétales, animales, y perdent de plus en plus de leur solidité ; et de disparition en disparition le saint se retrouve finalement devant une substance totalement indifférenciée. Le sujet inconscient se perd alors dans la matière amorphe. Communion dans l'informe.

21. *La Tentation de Saint Antoine*, 1849, p. 417.

« Tout sentiment est une extension [22].
Quand j'aime, mon sentiment est une inondation qui
s'épanche tout à l'entour [23]... »

Aussi ruisselante que la perception apparaît chez Flaubert l'expérience de l'*autre*. Comme la sensation le désir
« met en mollesse », il fait s'écouler vers le dehors. Des
deux côtés même faiblesse liquéfiante : il est curieux de
noter à quel point, dans leur mouvement et presque dans
leur expression, ces deux expériences se ressemblent.

Voici par exemple ce qu'écrit très gauchement encore
Flaubert dans un brouillon de Madame Bovary, où il
essaie de peindre le désir que Léon éprouve pour Emma :

« Maintenant sa pensée (à lui) se mêlait à l'image d'elle.
Il se fondait dans l'objectif sans qu'il s'en aperçut [24]. »

Une deuxième version corrige :

« Sa conscience même s'effaçait tant elle se dilatait,
portée tout entière au dehors. »

Troisième état :

« Sa propre conscience à lui-même semblait l'abandonner tant elle se *penchait en dehors,* sur cette contemplation [25]. »

L'état psychologique, l'attitude, le vocabulaire même,
par exemple le mot *objectif,* tout évoque le voyageur pen-
ché par sa fenêtre ou le saint incliné vers son spectacle.
Même déclivité de l'intervalle, même extase consécutive.
D'Emma amoureuse de Rodolphe, Flaubert écrit encore
que « son âme s'enfonçait dans cette ivresse et s'y noyait,
ratatinée comme le duc de Clarence dans son tonneau
de Malvoisie [26]... » Noyade, enfoncement, ivresse, le

22. *Corr.,* III, p. 159. — 23. *Corr.,* I, p. 252. — 24. *Madame
Bovary,* Ed. Pommier, p. 275. — 25. *Madame Bovary, Ebauches
et Fragments Inédits,* I, p. 374. — 26. *Madame Bovary,* p. 266.

contact avec l'objet réalisait déjà toutes ces formes d'aliénation.

L'aliénation amoureuse transporte cependant l'être dans
un climat psychologique fort différent, et cela parce que
l'objet aimé est en même temps objet vivant : aussi spongieux, mais plus insidieusement attirant qu'un objet inerte.
Cette vie se manifeste par l'émanation d'une sorte de
fluide qui enveloppe, pénètre, et qui, avant même que
le désir ait commencé de se montrer, réussit à fondre
dans l'être toute barrière intérieure. On « tombe amoureux » :

« Son cœur délicat se prenait de mollesse à ces élé-
gances de la jeune fille. Son désir nouveau s'y dorlotait
dessus, les yeux clos ; elles l'imbibaient, son désir, d'éma-
nations plus profondes à la manière de sachets de cam-
phre dans les vêtements qu'on porte [27]. »

Suite d'images hardies que Flaubert supprimera de la
version définitive de *Madame Bovary*, mais qui aident
à comprendre en quoi la mollesse provoquée par le désir
diffère de la dissolution éparpillante causée par l'ivresse
perceptive. L'être y est également liquéfié, mais il peut
ici jouir de sa liquéfaction, s'y « dorloter » avant qu'elle
ne soit écoulée vers l'autre. Sous le parfum de la bien-
aimée, le héros de *Novembre* « se sent le cœur plus mou
et faible qu'une pêche qui fond sous la langue [28]» : comme
la langue jouit de la pulpe fondante, il se délecte de son
propre amollissement, il se savoure en train de disparaître ; l'amour est une noyade à demi consciente et délicieusement progressive.

Avant de s'y liquéfier, l'amoureux en effet s'y empâte.
Il y garde un reste de consistance, et juste assez de lucidité pour goûter la montée de son inconscience. « Je
ne t'ai jamais tant aimée, j'avais dans l'âme des océans
de crème [29] », écrit Flaubert à Louise. La crème conserve

27. *Madame Bovary*, Ed. Pommier, p. 158. — 28. *Novembre*, p. 199. — 29. *Corr.*, II, p. 430.

une épaisseur, une cohésion interne. De la même façon
la pommade, pommade de la moustache chez l'homme,
du fard ou de la crème de beauté chez la femme, est la
substance qui chez Flaubert incarne et symbolise le mieux
la montée du désir : elle représente un état sucré de
l'être, où la liquéfaction s'engourdit, s'arrête dans sa propre jouissance, tout en gardant assez de solidité pour
irradier vers autrui. La luxure, se « fondant de désir »,
va se verser tout entière vers l'objet désiré et « coule
dessus comme une pommade liquide [30] ». A la surface
de l'être empâté le désir perle alors comme une liquéfaction de la pâte elle-même, une transpiration :

« Est-ce que mon cœur peut les contenir, ces effusions
amollissantes qui ne me sont jamais venues que comme
des sueurs subites [31] ? »

Plus explicitement encore :

« Celui-là n'avait donc jamais posé sa tête sur le sein
d'une fille d'Eve ? Il ne s'était pas senti dans l'amour
d'elle *dissoudre avec lenteur,* comme une petite plante
qui *se pourrit sous la pluie chaude* de l'orage ? Il n'avait
pas éprouvé dans sa main *cette main qui sue la mollesse*
ni tressailli d'épouvante à ce regard qui fond les enthou-
siasmes et asphyxie la pensée [32] ? »

L'amour est lui aussi une nausée ; l'être s'y pourrit
lentement, en même temps que sa sudation invite au pourrissement de l'autre. L'amoureux perd son ossature, il
devient pure plasticité : Léon, attendant Emma, « a dans
les mains des moiteurs lascives [33] » ; et quand ces mains
toucheront celles de la femme désirée, sentiront leur moi-
teur, on verra leurs deux mains s'engluer dans une même
pâte, infiniment flexible, merveilleusement ductile :

« Il la sentit donc, entre ses doigts, cette main. Elle
parut à Léon être *flexible, suante, molle, désossée.* Une

30. *La Tentation de Saint Antoine,* 1849, p. 327. — 31. *Corr.,*
II, p. 4. — 32. *La Tentation de Saint Antoine,* 1849, p. 273. —
33. *Madame Bovary,* Ed. Pommier, p. 491.

trajection subtile lui monta le long du bras jusqu'au cœur, tandis que la partie la plus intime de lui-même se fondait dans cette paume molle, comme de la pâte qu'elle y aurait maniée lentement [34]. »

Phrase merveilleuse où l'on aperçoit, et dans la forme même, comment le double mouvement d'accueil et de don qui constitue l'amour, — mouvement originellement rapide comme un éclair, — s'enlise peu à peu dans la mollesse du contact. Il n'y a plus alors d'Emma ni de Léon, mais une seule pâte où ils se sont intimement épousés et perdus, mais où ils continuent encore, par le mouvement instinctif de la volupté, à se « manier » et se connaître l'un l'autre. D'une façon analogue mais moins complète, Frédéric serrant la main de Marie Arnoux éprouve « comme une pénétration à tous les atomes de sa peau ». L'amour est une interpénétration charnelle où les individus cessent d'exister comme tels, mais où se poursuit cependant le battement d'une vie commune. Il les plonge moins l'un dans l'autre que tous les deux, également, dans l'anonymat de la chair.

Autrui est donc d'abord porteur, offre de chair. Et il cherche très rarement à esquiver ce rôle, à se dégager de cet anonymat sans lequel il retomberait dans sa particularité, mais aussi dans son insignifiance. Qu'est-ce en effet que Léon, sinon la finesse de ses mains, le velours de ses joues, la grâce physique de sa personne ? Et qu'est-ce que Rodolphe sinon une certaine souplesse et hardiesse musculaires, un parfum de moustaches, et ces deux cuisses qu'il moule dans une culotte de cheval, en homme averti de ses vrais avantages ? Emma les considère l'un et l'autre comme des masses charnelles à travers lesquelles rejoindre son propre désir ; ils ne lui apparaissent jamais comme des personnes distinctes, ni même comme les porteurs ou les symboles de l'autre sexe ; en eux aucun élément d'inconnu : rien de cette apparence mystérieuse que

34. *Madame Bovary*, Ed. Pommier, p. 316.

peuvent conférer aux êtres l'idée que l'on se fait de leur altérité, ou bien le sentiment qu'ils obéissent aux injonctions d'une sexualité différente. Ils lui sont seulement un moyen de s'atteindre elle-même. « A la voir ainsi toujours occupée à des passions qu'il ne partageait pas, écrit Flaubert à propos de Rodolphe, il se faisait à lui-même l'effet d'être pour elle une excitation, et rien de plus [35] ». Excitation : le désir traverse l'autre sans se laisser modifier par lui. Salammbô va plus loin encore, pour qui la masculinité circule dans les souffles de l'air, les vapeurs du soir, la caresse de la lune, la présence entière du monde, mais dans aucun être particulier : Mathô incarne seulement un court moment cette virilité diffuse. Mais le mouvement profond de sa sensualité entraîne toujours Flaubert à se noyer dans l'indistinct. Le vertige que Hugo ressent devant le vide de la Bouche d'Ombre, Flaubert et ses héros l'éprouvent devant la plénitude anonyme de la matière ou de la chair.

L'irritation première du désir, c'est pourtant quelque détail troublant, quelque bizarrerie de corps ou de langage qui l'avaient d'abord provoquée. C'est par l'absence ou la présence de la particularité que Flaubert distinguait, selon les Goncourt, la *beauté* de *l'excitation* : « Flaubert, la face enflammée, proclame de sa grosse voix que les belles femmes ne sont pas fabriquées à l'effet d'être aimées matériellement, qu'elles ne sont bonnes qu'à dicter des statues, qu'au fond l'amour est fait de cet inconnu qui produit l'excitation, et que très rarement produit la beauté [36]. » La beauté triomphe dans l'équilibre, l'absence de caractère, le passage du type. Mais si l'on désire les femmes plutôt que les statues, c'est justement parce qu'on trouve en elles un élément de déséquilibre, une particularité qui vous éveille :

« Si l'absence de caractère (d'après Winckelmann) est

35 *Madame Bovary*, Ed. Pommier, p. 416. — 36. Goncourt, *Journal*, II, p. 197.

ce qui constitue le sublime, la présence d'un caractère, la particularité est peut-être la seule cause de la passion, de l'excitation (excitement). Un grain de beauté sur la joue d'une femme est quelque chose de spécial, d'intime, qui fait d'elle un être à part au milieu de tous les autres ; de là l'irritation que produisent certaines toilettes, certaines attitudes, certains sons de voix, certains yeux canailles : « On n'a jamais vu ça. » C'est une découverte, et comme un sexe nouveau par-dessus l'autre [37]. »

Ce « sexe nouveau par-dessus l'autre », — et Flaubert a rarement trouvé expression plus profonde —, brise comme une faille l'équilibre lisse de la beauté. Le mouvement premier du désir amorce une curiosité pour l'inconnu. Il voit dans ce « quelque chose d'intime » le signe d'un secret, l'annonce que quelque chose se cache derrière : une âme peut-être. Aussi la faille par excellence lui sera-t-elle le regard, fente ouverte dans un masque, fenêtre percée dans une façade obscure :

« Le rayon lumineux s'en échappant le soir (de la maison d'Emma) par la fente du volet, lui causait même quelque chose de cette irritation que vous envoie silencieusement une prunelle, *par la découpure* d'un masque noir [38]. »

La sexualité n'est plus ici une poussée aveugle vers l'interpénétration, mais la réponse à une provocation mystérieuse, un mouvement de découverte et de dévoilement.

L'effusion reprend cependant bien vite le dessus. Dans l'attente engourdissante du désir, comme dans l'attention perceptive, l'esprit perd bientôt la notion de la particularité qui le tenait en éveil et l'avait tout d'abord excité. Les yeux fixés sur les épaules d'Emma, Léon oublie bien vite qu'il est lui et qu'elle est elle :

« A ces mollesses du souvenir, de la sensation et du rêve, la pensée du jeune homme se dissolvait avec dou-

---

37. *Carnets*, *Notes de Voyage*, II, p. 361. — 38. *Madame Bovary*, Ed. Pommier, p. 275.

ceur. Et Emma quelquefois *lui semblait presque dispa-raître* dans le rayonnement même qui sortait d'elle [39]. »

Se confondant avec toutes les autres femmes qu'il a désirées ou rêvées, Emma devient *la* femme elle-même. Le grain de beauté s'est ici noyé dans l'impersonnalité de la chair.

Il importait pourtant de remarquer dès maintenant qu'au départ même du mouvement du désir ou de la perception existait un élément de curiosité inquiète sur lequel Flaubert pourra plus tard s'appuyer lorsqu'il voudra résister à la pente de la nature ou de la chair. Il lui suffira de conserver ce mouvement premier, en le coupant de la satisfaction qui le suit, de se détacher de l'objet ou de l'autre tout en entretenant pour eux la même passion. Autrui inaccessible, mais cultivé dans l'irritation de sa distance et dans une « curiosité douloureuse qui n'avait pas de limites », deviendra Madame Arnoux de l'*Education sentimentale*. Et l'objet interdit, durci, tenu à bout de bras, parcouru dans toute la richesse de son détail, deviendra l'objet d'art tel que veut le recréer l'auteur de *Madame Bovary*. Education sentimentale et éducation artistique sauveront également Flaubert de l'engloutissement par l'informe. Mais il nous faut le suivre encore quelque temps dans l'univers liquide où il est en train de nager.

Spontanément, Flaubert n'est pas un homme à compartiments ; tout chez lui communique, et c'est même un des aspects les plus attachants de son génie que l'extrême cohérence qui unit toujours en lui l'expérience intérieure, l'expérience concrète et l'expression métaphorique. Une étude statistique des images comme celle qu'a menée M. Demorest [40] constate en effet que l'amour, et surtout

---

39. *Madame Bovary*, Ed. Pommier, p. 279. — 40 *L'expression figurée et symbolique dans l'œuvre de Gustave Flaubert.*

dans les œuvres les plus spontanées et dans les brouillons des grands romans, se traduit le plus souvent par des métaphores de fluidité et de liquidité. Et M. Demorest conclut avec raison que cette préférence indique une certaine inquiétude, une conscience de l'instabilité causée par la passion, presque une condamnation de l'amour. Bien davantage nous semble-t-elle traduire cette réalité essentielle que dans sa nature et sa structure l'amour est une dissolution de l'être. Une étude psychanalytique produirait sans doute des résultats plus probants encore.

Mieux : dans la vie quotidienne de Flaubert, à la racine de ses goûts les plus ordinaires et dans les scènes de ses romans les plus familières, peut se retrouver la même hantise de l'eau comme puissance d'absorption et de dissolution. Cette atmosphère de *bain turc,* par exemple, dont parle Du Bos dans son merveilleux article sur Flaubert, et qui envelopperait aussi bien la personne et la vie d'Ingres que celle de l'auteur de l'*Education sentimentale,* cessons de la tenir pour seulement métaphorique. Flaubert aime les bains d'eau tiède et de vapeur :

« L'autre jour j'ai pris un bain. J'étais seul au fond de l'étuve... L'eau chaude coulait partout ; étendu comme un veau, je pensais à des tas de choses ; tous mes pores tranquillement se dilataient. C'est très voluptueux et d'une mélancolie douce, que de prendre ainsi un bain sans personne, perdu dans ces salles obscures où le moindre bruit retentit comme un coup de canon tandis que les Kellaks nus s'appellent entre eux et qu'ils vous manient, et vous retournent comme des embaumeurs qui vous disposeraient pour le tombeau [41]. »

Le corps se dilate et s'engourdit. La conscience s'égare dans la pénombre. L'être se laisse aller à une passivité bienheureuse ; à demi dépossédé de lui-même, il devient sa propre momie.

Ailleurs la joie se fait plus active, et l'eau ressemble

41. *Corr.,* II, p. 140.

à un édredon de chair où l'être se vautre jusqu'à pénétration réciproque :

« J'ai pris un bain de mer dans la mer Rouge. Ça a
été un des plaisirs les plus voluptueux de ma vie ; je
me suis roulé dans les flots comme sur mille tétons liquides qui m'auraient parcouru tout le corps [42]. »

Si la femme attire comme une eau, la mer caresse donc
comme une femme. Flaubert éprouve dans le bain le plaisir d'une fusion incomplète, où surnagent la conscience
qu'il a de rester lui et le sentiment de dominer le liquide
par le jeu conquérant des muscles : le nageur fend cette
eau à laquelle il se prête et à la surface de laquelle il
doit demeurer. Le bain n'est qu'un prélude à l'amour.

Plus détachée encore la jouissance du *bateau,* dans
lequel toute une épaisseur de coque sépare et protège
de l'absorption liquide. Le navire nargue et viole la mer,
même s'il se laisse dériver en elle ; la promenade en barque — par exemple à la fin de Madame Bovary —
convient donc aux moments où l'amour se recueille plutôt
qu'à ceux où il déborde ; perdus dans le vide heureux
de leur sensation, les deux amants s'efforcent davantage
à vivre la minute dans un mouvement commun qu'à s'absorber l'un dans l'autre. L'écoulement de la rivière donne
une direction à l'effusion amoureuse ; elle oriente leur
langueur. L'eau les fait vivre l'un *avec* l'autre : grâce à
elle, et dans le flux de toutes choses, ils savent qu'ils
sont, qu'ils vont ensemble.

Les personnages plus violemment sensuels se livrent à
des rêveries moins communes. La coque du bateau les
gêne, et même, dans le bain, l'obligation de n'effleurer
l'eau que par sa surface. Ils rêvent d'une fusion plus
profonde, sous-marine : par exemple Louise Roche, dans
l'*Education Sentimentale* murmure qu'elle envie l'*existence
des poissons :*

« Ça doit être si doux de se rouler là-dedans à son

42. *Corr.*, p. 209.

aise, de se sentir caressé partout. Et elle frémissait avec des mouvements d'une câlinerie sensuelle [43]. »

Le poisson s'insère, se coule dans la nappe liquide. Il adhère à elle de toute sa rondeur. Il est flexible. On le rêve même perméable, frère du serpent dont le corps mime l'ondulation de la vague et symbolise si souvent chez Flaubert la sinuosité molle du désir. Une page célèbre de *Madame Bovary* décrit ainsi la descente d'un rayon de lune dans l'eau d'une rivière : « et cette lueur d'argent, écrit Flaubert, semblait s'y tordre jusqu'au fond à la manière d'un serpent sans tête couvert d'écailles [44] ». Serpent, rivière dans la rivière. Le serpent de Salammbô rappelle plus directement encore la divinité lunaire : dans un même climat laiteux reptilité, flexibilité, viscosité se rejoignent pour une promesse d'adhérence totale à la caresse liquide. Dans la *Tentation de Saint Antoine* la luxure roule et se tord lentement.

Flaubert rêve peu sur les eaux courantes : elles déchirent l'être avant de l'absorber, et c'est à la *perméabilité,* au lent passage d'un élément dans l'autre qu'il est d'abord sensible. Dans l'eau, vers l'eau, tout est enrobement, continuité : et la continuité la plus insensible, la plus mystérieuse demeure encore celle qui préside à la naissance même de l'eau, à son apparition à la surface d'un objet dur. Car certains solides la transpirent. Et ce n'est point hasard si Madame Bovary, ce roman des « moiteurs lascives », des « pauvres âmes obscures, humides de mélancolie renfermée comme ces arrière-cours de province dont les murs ont de la mousse [45] », où Flaubert a voulu, selon son propre aveu, « rendre un ton, cette couleur de moisissure de l'existence des cloportes [46] », se déroule dans un univers saturé où tout, sensations, sentiments, maisons et paysages obéit à la grande loi de suintement. Charles Bovary, par exemple, suinte concrètement l'ennui

43. *L'Education sentimentale*, p. 361. — 44. *Madame Bovary*, p. 274. — 45. *Corr.*, II, p. 17. — 46. Goncourt, *Journal*, I, p. 283.

et la grisaille : « les longs poils fins qui veloutaient ses joues comme une moisissure blonde... estompaient d'un duvet incolore sa figure tranquille [47] ». Merveilleuse image que celle d'une bêtise visible comme un champignon. Mais le plus souvent cette moisissure ne se coagule pas en mousse ni en duvet ; l'on voit alors à la surface des choses se gonfler peu à peu, s'alourdir puis se détacher soudain et s'écraser au sol une *goutte* liquide. Opération obscure et riche d'échos intérieurs, sur laquelle Flaubert n'a pas fini de rêver.

La goutte est mystérieuse en effet, et d'abord par son origine : elle naît de rien, ou plutôt elle perle sur les éléments qui lui sont le plus radicalement étrangers. L'énigme de la source peut se résoudre dans l'idée d'affleurement, dans la notion d'une continuité liquide invisible, mais imaginable. Au lieu qu'on imagine mal la formation de cette goutte qui sourd sur la surface plane d'un mur ou d'un rocher. Toute cette façade compacte semblerait décourager son éclosion : et pourtant elle est là, vivante, venue d'ailleurs, signe qu'il faut aller au-delà de la muraille, ou bien en elle, pour retrouver la puissance diffuse qui lui a permis de naître. Guérin déjà, au fond de la grotte où le Centaure reçoit la vie, avait violemment ressenti la gratuité de cette venue et vu en elle une sorte de transpiration d'être, un don des Dieux. Chez Flaubert le mouvement est inverse : le moi transpire vers les choses, et la goutte se forme non à la source, mais au comble de la vie. Elle naît d'une détente intérieure, elle perle à la surface d'un affaissement d'être ; elle apaise momentanément la mollesse en la résumant et la rejetant à l'extérieur. Elle est un aveu de faiblesse ou le trop-plein d'une saturation qui ne peut plus se contenir : « J'ai au cœur, dit Flaubert, quelque chose du suintement vert des cathédrales normandes [48] ». Aussi

---

47. *Madame Bovary*, Ed. Pommier, p. 134. — 48. *Corr.*, III, p. 398.

la voit-on couler dans toutes les scènes de désir, d'ennui, de mort, à tous les moments où l'être à moitié défait a besoin de se rassembler en une unité ultime, fût-elle liquide et éphémère, avant de s'abandonner au néant. Saturation, gonflement, suspension d'avant l'abandon au désir, la goutte évoque admirablement tous ces états d'être, comme elle exprime, à l'arrivée au sol, toute la lourdeur étalée du plaisir.

Charles amoureux d'Emma voit ainsi les gouttes d'un dégel printanier s'écraser sur l'ombrelle de la jeune fille :

« Une fois, par un temps de dégel, l'écorce des arbres *suintait* dans la cour, la neige sur les couvertures des bâtiments se *fondait*... Elle était sur le seuil ; elle alla chercher son ombrelle... Elle souriait là-dessous à la chaleur tiède ; et *on entendait les gouttes d'eau, une à une, tomber sur la moire tendue* [49]. »

Ailleurs, en une scène de volupté heureuse, Emma regarde la lumière de la lune, semblable à un « monstrueux candélabre d'où ruisselaient tout du long des gouttes de diamant en fusion... » Ruissellement de maturité satisfaite, qui fait écho à l'effusion de sa tendresse et à la chute, dans la nuit, d' « une pêche mûre qui tombait toute seule de l'espalier [50] ». Fruit gonflé de maturité, goutte de neige fondue, le mouvement, saturation et détachement, est bien le même : au cours de la promenade qui précède la chute d'Emma, les chevaux d'Emma et de Rodolphe « poussaient devant eux des pommes de pin tombées ». Lorsque Emma court vers Rodolphe, vers la fin du roman, pour lui emprunter de l'argent « un vent tiède lui soufflait au visage ; la neige, se fondant, tombait goutte à goutte des bourgeons sur l'arbre [51]... » Et, ajoutait le brouillon, « une odeur amollissante sortait des troncs humides, et elle se sentait malade d'étourdissement, de désir et d'appréhension [52] ». Franchissons un

49. *Madame Bovary*, p. 22. — 50. *Madame Bovary*, p. 274. — 51. *Madame Bovary*, p. 426. — 52. *Madame Bovary*, Ed. Pommier, p. 592.

degré de plus : la maturation devient pourrissement, l'être coule hors de soi comme un fruit blet ; il dégoutte et se perd dans les choses. Emma morte ne disparaît pas tout entière : il semblait à Charles « qu'elle s'épandait vaguement et comme en dehors d'elle-même dans l'entourage des choses, dans le silence, dans la nuit... et dans les gouttes limpides ruisselant sur les murailles [53]... » Dans le même suintement vie et mort se rejoignent.

Mais le symbolisme de la goutte ne s'arrête pas là : elle peut mimer non plus seulement le mouvement, mais la conscience même du désir. L'imagination la vit alors non plus dans sa formation et dans sa mort, mais dans son renouvellement, sa répétition. Car la goutte coule goutte à goutte ; elle est un élément dans une série, et vit de cette successivité même. Dans l'engourdissement du désir, dans la continuité de son ruissellement elle apporte un élément de brisure régulière qui suscite une demi-conscience. Coulant goutte à goutte, l'être se sent s'assouvir ; il n'est pas vraiment décollé de sa satisfaction, mais le petit espace libre que lui accorde chaque fois la formation de la goutte suivante, de son prochain désir, lui permet de reprendre haleine et conscience. Emma et Léon, figés, engourdis dans leur contemplation mutuelle écoutent ainsi couler l'eau d'une fontaine :

« L'eau qui coulait dans la cour, s'échappant du bec de la pompe, et qui tombait goutte à goutte dans l'abreuvoir, *marquait la mesure et en faisait comme la palpitation* [54]. »

La régularité du *goutte à goutte* fait vivre à demi le sentiment engourdi ; elle établit l'être dans la conscience d'une palpitation intérieure. Une sorte de durée obscure naît alors, qui rythme le battement du désir, — gonflement, assouvissement —, et crée dans la continuité de l'expansion amoureuse ces petits chocs de conscience sem-

53. *Madame Bovary*, Ed. Pommier, p. 621. — 54. *Madame Bovary*, Ed. Pommier, p. 485.

blables aux secousses légères qu'imprime à une barque, sur un fleuve, le mouvement des rames :

« La lourde barque avançait lentement par secousses successives... Les avirons carrés sonnaient entre les tolets de fer, et, le batelier soufflant, cela marquait dans le silence comme une *mesure égale* [55]. »

L'effusion a trouvé son rythme profond, sa « mesure ». L'eau n'est pas seulement le milieu du glissement et de l'absorption, elle peut servir à suggérer un équilibre vivant de l'être. Après s'être abandonnée à Rodolphe, Emma sentait « son cœur dont les battements recommençaient, et le sang circuler dans sa chair comme un fleuve de lait ». Le battement heureux de l'organisme coïncide alors avec la circulation des eaux libres et nourricières.

Eaux délicieuses, eaux dangereuses : tout bain présente un risque de noyade. L'eau endort comme un opium. Tout le roman de Salammbô baigne, comme l'a bien montré M. Demorest, dans un symbolisme aquatique : Tanit, déesse femelle, dominatrice des mers et des choses humides, s'y oppose à Moloch, dieu mâle du sang et de la guerre ; dans le paysage, qui gouverne la stratégie, donc l'intrigue, la terre se marie de tous côtés à l'eau et aux contours de la presqu'île. Et le salut, avec Hamilcar, vient de la mer. Le plus surprenant épisode du roman, celui où se traduit avec la richesse la plus précise le « complexe aquatique » de Flaubert, demeure pourtant le récit de l'entrée par effraction de Mathô et de Spendius dans Carthage assiégée. On sait qu'ils se glissent dans l'étroit aqueduc qui alimente la ville et jusqu'au bout duquel ils doivent nager : ce couloir rempli d'une eau rapide, étouffante, — l'eau « coule immédiatement sous la dalle supérieure » —, figure admirablement l'image du tombeau liquide que redoutait l'angoisse de Flaubert. Etouffement, écrasement, entraînement, chute dans un trou noir,

---

55. *Madame Bovary*, Ed. Pommier, p. 515.

toutes les souffrances de la mort par l'eau se trouvent ici décrites l'une après l'autre :

« ... Puis le courant les entraîna. Un air plus lourd qu'un sépulcre leur écrasait la poitrine, et la tête sous les bras, les genoux l'un contre l'autre, allongés tant qu'ils pouvaient, ils passaient comme des flèches dans l'obscurité, étouffant, râlant, presque morts. Soudain, tout fut noir devant eux et la vélocité des eaux redoublait. Ils tombèrent. »

Alors c'est le laisser-aller du corps, le tournoiement de l'être abandonné. Et la mort se prolonge : c'est un étouffement toujours recommencé, une alternance épouvantablement monotone de plongeons et de remontées :

« ... ils tombaient dans les vasques profondes. Ils avaient à remonter, puis ils retombaient encore ; et ils sentaient une épouvantable fatigue, *comme si leurs membres, en nageant, se fussent dissous dans l'eau. Leurs yeux se fermèrent : ils agonisaient* [56]. »

Jusqu'au moment où ils sentent sous leurs pieds quelque chose de dur qui leur permet de reprendre possession d'eux-mêmes : « Enfin quelque chose résista sous leurs talons. C'était le pavé de la galerie qui longeait les citernes. »

Cette demi-noyade dans le noir rappelle l'épisode également halluciné des *Misérables* où Jean Valjean se sent peu à peu glisser dans la boue d'un égoût de Paris. G. Poulet a bien montré [57] comment Hugo connut lui aussi la peur de l'enlisement, la hantise d'un soutien défaillant :

« Les plénitudes sont pareilles à des vides
Où donc est le soutien... »

Mais tandis que ce vertige intervient chez Hugo à la suite d'un débordement de matière, d'un trop-plein d'être qui, faute de s'immobiliser en un équilibre solide, s'engloutit lourdement dans l'abîme, il répond chez Flaubert

---

56. *Salammbô*, p. 87, 88. — 57. *La Distance Intérieure*, p. 221.

à une angoisse plus permanente. Hugo le dépasse par la jouissance du plein et le vol dans le vide. C'est au contraire dès le début et jusqu'à la fin que la plénitude a été pour Flaubert semblable à une mer montante. Quand Emma, abandonnée par Rodolphe, veut se jeter de la fenêtre de son grenier, elle se sent physiquement attirée par le vide ; un vertige liquide la possède : « il lui semblait que le sol de la place oscillant s'élevait le long des murs... » Elle se tenait « au bord, presque suspendue, entourée d'un grand espace... Elle n'avait qu'à céder, qu'à se laisser prendre » [58]. La mort n'est qu'un acquiescement à cette marée liquide qui, tout du long, a soutenu à la fois et absorbé la vie.

« Quelle satisfaction pour elle de s'appuyer enfin sur quelque chose de solide, de plus solide que l'amour... »

Tout comme Spendius et Mathô, Emma cherche désespérément sous elle le pavé sauveur qui arrêtera sa noyade. « Elle s'efforçait naïvement de s'appuyer à quelque chose, à l'amour de sa petite fille, aux soins de son ménage [59] ». Mais ces efforts sont vains, et elle le sait bien : comment espérer trouver un appui hors de soi, si l'on ne peut d'abord s'appuyer sur soi-même ? Or en elle Emma n'aperçoit que masses dérivantes, et comme le va-et-vient d'un flot trouble, mais rien de solide ni de pur. Elle ne peut se reposer sur aucune certitude sentimentale : car les sentiments n'existent pas en eux-mêmes, substantiellement ; ils représentent simplement les différentes tonalités affectives que traverse le glissement de l'être. Dans ce glissement, impossible même de détacher aucune partie, d'opérer aucune analyse. Le sentiment ne peut pas se dénouer ; il coule dans une cohérence trouble où le regard ne distingue rien.

Si l'on demande cependant à Flaubert d'expliquer comment un sentiment naît, vit et meurt, quelle est la loi

58. *Madame Bovary*, p. 285. — 59. *Madame Bovary*, Ed. Pommier, p. 399.

de son cheminement, il invoquera les mouvements d'une sorte de brassage liquide par la vertu duquel se réalisent des ensembles psychologiques nouveaux :

« Réminiscences de lecture, velléités mystiques, tendresses en poudre, tout ainsi se confondait dans la largeur de cette passion. Un tas de choses petites et graves, communes ou rares, insipides ou savoureuses, *s'y résumaient* en la diversifiant — et c'étaient comme ces salades d'Espagne où l'on voit flotter dans l'huile blonde, des fruits et des légumes, des quartiers de boucs et des tranches de cédrat [60]. »

Phrase supprimée, en raison sans doute de la crudité de ses images, dans l'édition définitive, et qu'il faut compléter par l'indication d'une note préalable : « *Tout se mêlait ainsi dans le mouvement*... Cela débordait et l'enivrait. » C'est donc l'écoulement de la durée intérieure qui réunit les éléments de provenances les plus diverses et les assemble en une masse hétéroclite. Le sentiment n'a ici aucun pouvoir synthétique ; il résulte d'un amas de tendances qui continuent à vivre en lui, côte à côte, sans s'assimiler les unes aux autres, et qui reprendront leur vie détachée quand son flot se sera tari. Ailleurs, lorsque manque le mouvement d'entraînement d'une passion active, le changement psychologique s'opérera par une sorte de fermentation due à l'excessive stagnation de chaque sentiment dans son être : « Tout se mêlait, tous ces inassouvissements, toute cette fermentation se tournaient en aigreur [61]... » « L'amour *se tournait* en mélancolie [62] ». Virage chimique, passage à un autre état liquide, simple changement de consistance dans le flot qui ne cesse de s'écouler à l'intérieur du moi.

Je vis alors au fil de l'eau, à la dérive. « Je m'en vais de pensées en pensées, comme une herbe desséchée sur un fleuve, et qui descend le fleuve flot à flot [63]... » Eau

60. *Madame Bovary*, Ed. Pommier, p. 383. — 61. *Madame Bovary*, Ed. Pommier, p. 298. — 62. *Madame Bovary*, Ed. Pommier, p. 396. — 63. *Corr.*, II, p. 281.

lente et lourde, qui n'est guère qu'un ennui remué. L'être s'y écoule selon la pente d'une imagination sans vigueur, et qui succombe trop facilement au mécanisme des associations les moins authentiques. L'imagination d'Emma feuillette des albums de Keepsakes. Aucun lien profond d'image à image ; aucun enrichissement du présent par l'imagination du futur. L'avenir y est accepté comme irréalisable ; et au sein même du rêve le plus riant l'être se laisse aller à une sorte de veulerie, dont il a d'ailleurs conscience, et qui lui gâche jusqu'au plaisir d'imaginer.

A certains moments cependant, et surtout quand elle se fait rétrospective, la force brassante de la rêverie réalise d'authentiques combinaisons d'être. Les instants et les lieux se rejoignent alors. Au fil de l'eau ; au fil du temps et de l'espace. Je ne sais plus où, quand, ni même qui je suis : l'engourdissement qui me gagne affaiblit peu à peu en moi toute notion de ma situation concrète. Je tombe dans une demi léthargie où les lieux et les temps se recouvrent. Parfois c'est avant le sommeil lui-même que s'opère ce décrochage. Emma à moitié endormie rêve par exemple qu'elle s'endort ailleurs, dans une maison luxueuse, dont elle ressent bientôt autour d'elle la présence réelle :

« Car par une *perception double et simultanée,* ce qu'elle pensait avec ce qui l'environnait se confondant, ses rideaux de damas de laine étaient en damas de soie, les flambeaux de la cheminée des candélabres de vermeil, etc... [64]. »

Le mélange des lieux et des décors réalise un court instant son illusion. Mais le plus souvent c'est un glissement extérieur qui provoque la somnolence, par exemple le balancement d'une diligence qui emporte un voyageur : Charles Bovary dans le cabriolet qui le conduit au petit matin vers la ferme du père Roche, Emma dans la voiture qui la ramène du bal de la Vaubyessard ou dans

64. *Madame Bovary,* Ed. Pommier, p. 288.

la diligence d'Yonville après les journées d'amour avec Léon, Frédéric dans la diligence de Nogent à Paris, tous se laissent dériver dans les confusions du demi-sommeil. « Ses espérances, ses souvenirs, Nogent, la rue de Choiseul, Madame Arnoux, sa mère, tout se confondait [65] ». Chez Charles Bovary ce sont des sensations plus précises encore qui viennent inextricablement se mêler :

« Il retombait dans une tiède somnolence où la sensation la plus récente revenait, et il se voyait *dans le même temps* à la fois marié et étudiant, couché dans son lit, près de sa femme comme il l'était tout à l'heure, et marchant affairé dans une salle d'opérés. Il avait *à la fois* la sensation d'une table d'amphithéâtre sous son coude et celle de son oreiller. *Il sentait l'odeur des cataplasmes et celle des cheveux de sa femme...* Et le tout se mêlant, ne faisant qu'un, au fond cherchant quelque chose d'un désir inquiet, qui ne pouvait ouvrir ses ailes surmontées de plomb, tandis que le souvenir confus tournait sur place, en dessous [66]. »

De ce texte admirable, et qui est lui-même comme un effort pathétique pour chercher à rendre, à travers la maladresse et la lourdeur des mots, ce « quelque chose de confus » qui tournoie au-dessous d'eux, peuvent se dégager deux indications principales. La première intéresse la solidarité concrète du vécu et du revécu. Sensation et souvenir sont ressentis simultanément, ne font qu'*un :* « ils oscillent d'accord, flottent l'un dans l'autre », précise une correction, comme deux liquides intimement mélangés l'un à l'autre. Mais l'on a peine à croire qu'un si parfait mélange soit le résultat d'un hasard : entre cette sensation actuelle et ce souvenir passé doit exister une certaine analogie essentielle qui, à travers la confusion du demi-sommeil, aura provoqué leur réunion. Cette odeur de cataplasme qui *est* en même temps le parfum d'une chevelure situe la sensation-souvenir dans un climat où

65. *L'Education sentimentale.* — 66. *Madame Bovary,* Ed. Pommier, p. 152.

la sensibilité ne se distingue plus de l'écœurement ; la même réaction dégoûtée enveloppe les deux sensations, chacune s'enrichissant de la nuance spéciale de nausée, ici médicale, là sexuelle, que lui apporte l'autre. Souvenons-nous que la pommade est comme la pâte même du désir, et nous retrouverons sans peine dans le cataplasme un parfum de pommade aigrie : Charles ne désire plus sa première femme, qui est au demeurant toujours gémissante et malade. Ailleurs, dans un état plus éveillé de l'être, ce sera la métaphore qui se chargera d'indiquer ces rapports profonds : on se trouve ici avant même la métaphore, au stade de l'identité substantielle.

Plus importante encore la notation finale du désir inquiet, du souvenir confus qui « tournoie par en-dessous », « désir alourdi », précisent des corrections, « ne faisant qu'un avec quelque chose de persistant et d'obtus », « qui se débattait vainement au fond de la conscience », « pour remonter à la surface, voir le jour », dans un effort pareil, et voici la métaphore éclairante, à celui des « lourdes paupières de ses yeux qui retombaient d'elles-mêmes [67] ». Tragédie d'un être à demi étouffé, qui voudrait se dresser vers l'air et la lumière, mais que sa propre apathie fait toujours retomber sur lui-même. Le souvenir enveloppé d'inquiétude, — « Charles tentait de se rappeler les fractures qu'il avait vues, et comment s'y prendre » —, tente de percer l'opacité de l'esprit ; il lutte contre la double tendance à l'osmose et à l'affaissement qui caractérise toute vie liquide. La conscience voudrait l'attirer à elle, l'amener à sa surface, à l'expression ; mais sa pesanteur propre la rejette dans son sommeil inquiet, dans cette profondeur où le langage ne pénètre pas. Effort d'arrachement à soi un peu semblable à celui d'un enlisé qui se dépêtre, ou d'un acrobate dont les membres seraient bardés de plomb : « Je suis en écrivant ce livre comme un homme qui jouerait du piano avec des balles de plomb

67. *Madame Bovary, Ebauches et Fragments*, I, p. 53-54.

sur chaque phalange [68] ». C'est de la même façon qu'au
sortir d'un bain le corps semble peser trois fois plus lourd.
Tout poussait Flaubert vers la facilité fluide ; mais il choisit justement d'écrire les livres « pour lesquels il a le
moins de moyens » : l'écriture lui est un émergement
de la conscience, un éveil de l'esprit.

Et c'est en décrivant son propre sommeil, en se prenant
lui-même pour objet et spectacle qu'il parviendra le mieux
à s'éveiller. La plupart des personnages flaubertiens sont
engourdis par une puissante hébétude. Ils « chancellent
comme des gens épuisés [69] », possédés par une « invincible torpeur comme ceux qui ont pris autrefois quelque
breuvage dont ils doivent mourir [70] ». « Ensorcelés qui
ont une manière de brouillard dans la tête », et que
« ni le curé ni le médecin ne peuvent guérir [71] ». Le
catoblépas domine bien la création flaubertienne : car
tous ces engourdis en arrivent par paresse à se dévorer
eux-mêmes. C'est dans leur propre mort qu'on les voit
finalement s'affaisser. Emma, par exemple, ne succombe
pas, comme les victimes balzaciennes, à la fatalité mécanique de l'argent : elle se perd par faiblesse et laisser-
aller, et surtout par mensonge, ce mensonge « qui est
comme un sable mouvant : l'on y a à peine posé les
pieds que cela vous gagne jusqu'au cœur [72] »... Et sa mort
est très précisément, et pathologiquement, un enlisement
dans ces sables : « les marches de l'escalier (de la maison
de Rodolphe) lui semblent s'enfoncer sous ses pas » ;
les sillons d'un champ lui paraissent « d'énormes vagues
qui déferlaient autour d'elle. La terre sous ses pieds était
plus molle qu'une onde et elle s'étonnait de ne pas y
entrer... » Et en même temps, et il faudrait ici se référer
à la lettre de Flaubert à Taine où il décrit les symptômes
de ses attaques de nerfs, « son âme l'abandonnait, tout
ce qu'il y avait en elle de réminiscences, d'images, de

68. *Corr.*, III, p. 3. — 69. *Corr.*, III, p. 49. — 70. *Salammbô*,
p. 38. — 71. *Madame Bovary*, p. 152. — 72. *Madame Bovary*,
Ed. Pommier, p. 547.

combinaisons s'échappait à la fois, d'un seul coup, comme les mille pièces d'un feu d'artifice ». « Elle sentait son âme lui échapper [73] ». La mort est cette dissolution complète que le sommeil, la sensation et l'amour n'avaient fait qu'annoncer. On se dit adieu ; on se désapproprie. « On s'en va dans la rosée, dans la brise, dans les étoiles » rêvent Bouvard et Pécuchet. Rien en un sens de plus familier, ni même de plus rassurant, puisque depuis sa naissance l'être flaubertien n'a jamais cessé de mourir ; il a vécu par évanouissements successifs. La mort, elle, est un « évanouissement continu [74] ».

« Je suis dévoré maintenant par un besoin de métamorphoses... Les choses que j'ai le mieux senties s'offrent à moi transposées dans d'autres pays et éprouvées par d'autres personnes. Je change aussi les maisons, les costumes, le ciel... [75]. »

Se métamorphoser, c'est suivre la vague : absorbante, l'eau n'en demeure pas moins vivante, agitée de courants profonds, de tourbillons où s'ébauchent sans cesse et se défont mille formes nouvelles. Elle noie, mais emporte. Mourir en elle revient à accepter de renaître, puis de mourir à nouveau, éternellement, selon le rythme de ses créations et de ses évanescences. Par l'extase, panthéiste ou amoureuse, l'être flaubertien ne se fond donc pas dans l'immobile : il recherche au contraire un mode d'existence où les conditions et l'essence même de sa vie deviennent mobiles et sujettes à des renouvellements périodiques. Il se perd dans l'informe pour se libérer de sa forme, mais davantage encore pour avoir reconnu en lui la possibilité de toutes les formes. Ce protoplasme indifférencié, par exemple, devant lequel Saint Antoine s'hallu-

73. *Madame Bovary*, Ed. Pommier, p. 597. — 74. *Bouvard et Pécuchet*, p. 294. — 75. *Corr.*, III, p. 320.

cine, il en saisit d'abord les promesses de gonflement, de
vibration, de développement, bref tout ce qui annonce
en lui un pouvoir infini de transformation et la puissance
d'une vie qui n'a pas encore commencé à vivre. Il veut
« circuler dans la matière », « entrer dans chaque atome »,
se « modeler sous toutes les formes ». Nostalgie de la
boue originelle où la liberté de toutes les formes se trouvait contenue en puissance, avant que le pouce du créateur
ait commencé à façonner les êtres : je me fais pâte, alors,
pour retrouver cet état d'indistinction riche de toutes les
distinctions ultérieures, et poussé par l'espoir que le pouvoir liquéfiant de la matière me permettra de devenir et
redevenir sans cesse autre que je ne suis.

La faiblesse, la mollesse de l'être flaubertien, tout ce
qui le faisait si facilement s'affaisser en soi-même ou s'évanouir vers le monde, toutes ces qualités négatives et si
douloureusement déplacées dans un univers de pierre, où
les objets et les êtres gardent leur immobilité et leur
distance, deviennent au contraire des vertus essentielles
dès qu'il se livre à l'univers de la métamorphose : il
pourra devenir n'importe quoi puisqu'il sent bien qu'il
n'est plus rien, et qu'il n'a jamais rien été. Son inconsistance apparaîtra comme souplesse à se plier au changement ; son manque d'assurance et de fixité comme élasticité merveilleuse. « Aller vivre toute cette vie pour revêtir toutes ses formes, devenir comme elles, et, se variant
toujours, pousser au soleil de l'éternité ses métamorphoses [76]... » tel est le vrai bovarysme : le mouvement d'un
être qui, incapable de se découvrir une assiette, choisit
de vivre dans un déséquilibre prolongé.

Car le bovarysme est bien, selon la formule de Jules
de Gaultier, faculté de se concevoir autre que l'on est ;
mais il réside bien davantage encore dans l'impuissance
de concevoir que l'on soit quoi que ce soit. C'est ce que
Flaubert nomme sa « netteté métaphysique », l'impos-

---

76. *Par les Champs et par les Grèves*, p. 131.

sibilité de se « donner sa mesure à lui-même [77] », d'avoir « une opinion arrêtée qui le réglera dans l'emploi de ses forces ». Le mal de n'être personne :

« Je ne crois pas même à moi, je ne sais pas si je suis bête ou spirituel, bon ou mauvais, avare ou prodigue. Comme tout le monde *je flotte entre tout cela*. Mon mérite est peut-être de m'en apercevoir et mon défaut d'avoir la franchise de le dire. D'ailleurs est-on si sûr de soi ? Est-on sûr de ce qu'on pense, de ce qu'on sent ? [78]. »

Comment croire à un moi si flottant, si enclin à toujours se faire autre ? Il faudrait sans doute l'arrêter en lui-même, devenir sa propre statue ; mais Flaubert repousse les facilités de la pétrification : « D'âge en âge, j'ai toujours reculé à me poser vis-à-vis de moi-même, et je crèverai à soixante ans avant d'avoir une opinion sur mon compte, ni peut-être fait une œuvre qui ait donné ma mesure [79] ».

Crise d'adolescence indéfiniment prolongée, pendant toute la durée de laquelle Flaubert reste tourmenté par un grand désir de stabilité, ou, comme il le dit mieux lui-même, d'établissement : « J'éprouve par rapport à mon état littéraire intérieur, ce que tout le monde, à notre âge, éprouve un peu par rapport à la vie sociale : je me sens le besoin de m'établir [80] ». Mais dès qu'une possibilité d'établissement se propose, il la fuit avec horreur ; car il se sent toujours menacé d'être lié, séparé de son être véritable, qui réside justement dans la vélléité pure. Qu'on lise par exemple l'expression de son désespoir lorsque Louise Colet lui annonce qu'il va être père, et de sa joie lorsqu'elle a démenti cette nouvelle :

« Je viens donc de passer cette fatale année de la trentaine qui *classe un homme*. C'est l'âge où l'on se *dessine* pour l'avenir, où l'on *se range*... Or cette paternité me faisait rentrer dans les conditions ordinaires de la vie ; ma virginité par rapport au monde se trouvait anéan-

77. *Corr.*, II, p. 254. — 78. *Corr.*, I, p. 287. — 79. *Corr.*, II, p. 146. — 80. *Corr.*, p. 254.

tie, et cela m'enfonçait dans le gouffre des misères communes [81]. »

Virginité totale, disponibilité comme dira Gide. Flaubert est le premier grand écrivain français à cultiver délibérément en lui le pouvoir qu'a la jeunesse de sauvegarder tous les possibles, et à considérer la vie comme une adolescence continuée :

« Et comme je n'ai jamais dit : il faut que jeunesse se passe, jeunesse ne se passera pas. Je suis encore tout plein de fraîcheur, comme un printemps. J'ai en moi *un grand fleuve qui coule,* quelque chose qui bouillonne sans cesse et qui ne tarit point. Style et muscles, *tout est souple encore,* et si les cheveux me tombent du front, je crois que mes plumes n'ont encore rien perdu de leur crinière [82]... »

Ivresse de la souplesse originelle. Flaubert s'éprouve et veut se conserver comme plasticité pure.

Mais il connaît en même temps, et de plus en plus à mesure qu'il vieillit, l'angoisse de son vide intérieur et le vertige du rien que ce désir de virginité fait tournoyer au cœur de chaque expérience. Tout le malentendu entre Flaubert et Sartre, qui aurait dû cependant aimer en lui un praticien de la nausée, un ancêtre de son Roquentin, tient sans doute au refus flaubertien de s'engager et de se choisir soi-même à l'intérieur des limites concrètes d'une situation. Et s'il est en effet un choix originel de Flaubert, c'est le choix de ne pas choisir, ou, plus négativement encore, le refus de la vie dans la mesure où elle oblige à se choisir. Mais ce refus engage Flaubert dans une très authentique expérience de la liberté ; l'être y vit l'impossibilité de jamais adhérer à lui-même. Pouvant être tout, il n'est rien. « Pas plus là-dessus que sur la question principale je n'ai d'opinion à moi », écrit-il lorsqu'on lui propose de publier des extraits de Saint Antoine. « Je ne sais que penser, je suis comme l'âne

de Buridan... Voilà que, dans la question la plus importante peut-être d'une vie d'artiste..., *je m'annule, je me
fonds,* et sans efforts hélas ! car je fais tout ce que je
peux pour avoir un avis quelconque — et j'en suis dénué
autant que possible... Je me déciderais à pile ou face et
je n'aurais pas de regret du choix quel qu'il fût [83] ».
Flaubert essaie alors de confier à autrui le soin de prendre
ces décisions impossibles. Il cherche des soutiens ou des
juges. Le Poitevin, Du Camp, Bouilhet, toute sa vie il
lui fallut un *alter ego,* sorte de moi extériorisé auquel
son amitié lui permît de croire, censeur dont il suivait
aveuglément tous les avis, faute de pouvoir porter lui-
même sur lui-même aucun jugement qui le satisfît vraiment. Tous lui échappent d'ailleurs les uns après les autres,
par le mariage, par la réussite ou par la mort : et il se
retrouve au dernier jour seul et vide comme à la ving-
tième année, ayant évité le durcissement mais aussi la
maturité, brusquement passé de la jeunesse à la vieillesse,
devenu, comme il le dit lui-même de Musset, « vieux
jeune homme ».

Mais il faut voir aussi tout ce que pareille attitude lui
rapporte : « Le talent d'imitation l'enchantait, écrit
Maxime Du Camp dans ses *Souvenirs Littéraires.* Pendant
des semaines, il ne parlait plus qu'avec la voix de Mme
Dorval. Du reste il eut toujours cette manie de contre-
faire les gens. Acteurs ou souverains, peu lui importait ;
c'était un des côtés puérils de son caractère [84]. » Si occupé
à devenir lui-même, c'est-à-dire *quelqu'un,* Du Camp ne
pouvait évidemment pas comprendre le désir qu'avait
Flaubert de devenir tous les autres. Flaubert lui-même
déclare quelque part qu'il y avait en lui l'étoffe d'un
grand comédien, c'est-à-dire un grand pouvoir de *plasticité.* « Quel gars que cet Alexandre ! » s'écrie-t-il par
exemple, « quelle plastique dans sa vie ! Il semble que
ce soit un acteur magnifique improvisant continuellement

83. *Corr.,* II, p. 320. — 84. *Souvenirs littéraires,* I, p. 166.

la pièce qu'il joue [85] ». Flaubert admire ici le beau relief d'une destinée théâtrale, mais qui n'est plastique que parce qu'on sent qu'elle aurait pu suivre de tout autres chemins. Alexandre, parfait comédien, vit à la fois dans la réussite formelle d'une existence de grand empereur et dans le détachement de cette réussite. Pas de plasticité en effet sans la suggestion, sous la surface dure de la statue ou de la destinée, d'une glaise encore humide et toute prête à se mouler selon d'autres desseins. Derrière l'achèvement du réalisé s'aperçoit, pouce du sculpteur trop marqué dans l'argile, conquérant trop vraisemblable pour être vrai, la possibilité de tous les réalisables. Le plaisir de la comédie consiste ainsi à retrouver le même acteur sous tant de défroques différentes, à deviner derrière le rôle qu'il mime la présence d'un corps pliable à tous les rôles. Mauvais acteur par conséquent, comme les statues les plus plastiques seront les mauvaises statues, celles dont la beauté formelle renverra à la suggestion d'une beauté substantielle. Car la métamorphose aime à faire se succéder les formes : mais l'on doit sentir derrière chacune d'entre elles la présence de la pâte informe qui est à l'origine et à la fin de toutes les créations, et qui les commande toutes également.

Comédien, sculpteur : romancier tout aussi bien. L'étoffe de tous ses personnages, c'est en lui qu'il la taille, et il ne les épouse de l'intérieur, ne ressent avec tant d'acuité leurs sentiments et leurs sensations, ce goût d'arsenic par exemple dans la bouche d'Emma Bovary, que parce que chacun d'eux représente au début une certaine métamorphose de lui-même. Il glisse de l'un à l'autre, comme le comédien de rôle en rôle, et c'est pourquoi dans le premier jet de sa création tous ses personnages semblent un peu modelés dans la même pâte, mal différenciés, et qu'ils se déplacent dans la lumière d'une sympathie égale. Tout le travail de correction ira par la

85. *Corr.*, I, p. 189.

suite dans le sens de la spécification et du durcissement
de chaque caractère, vers un détachement du personnage
par rapport au romancier qui garantira l'objectivité de
l'œuvre. Charles deviendra plus stupide, Emma plus fri-
vole, Léon plus veule : pour les écarter de lui, Flaubert
semblera s'appliquer à les haïr et à les accabler, à leur
enlever toute excuse : encore y parviendra-t-il assez mal.
Mais cette séparation de la sympathie sensible et de la
sympathie morale, qu'a fort justement notée Albert Thi-
baudet, et qui amène Flaubert à ressentir et à revivre
en profondeur les sentiments même qu'il voudrait condamner, nous savons maintenant, depuis la publication des
brouillons, qu'elle est acquise, non spontanée. Tout son
effort le conduit à éprouver sans approuver : mais au
début il vivait tout entier dans chaque personnage, collé,
livré à lui. L'objectivité flaubertienne naît d'un arrachement à soi, et c'est pourquoi elle diffère si profondément
de l'objectivité de Balzac, par exemple, dans le mouvement créateur de qui chaque personnage se dresse dès le
début comme être indépendant, tout en conservant dans
son être la marque du romancier. Aucune mystique de
la paternité, aucun sens de la transmission substantielle
ne viennent éclairer chez Flaubert ce mystère de la création qui fait qu'un être puisse être autre tout en demeurant moi. De Vautrin à Lucien au contraire, comme de
Balzac à Vautrin lui-même, le rapport du créateur à la
créature implique une continuation d'être, mais non une
continuité de substance : un pouvoir se transmet de l'un
à l'autre qui ne compromet l'intégrité d'aucun des deux.
Au lieu qu'Emma ne tient sa fille que pour un prolongement, une sorte de pseudopode un peu dégoûtant d'elle-
même ; cette naissance est un événement qui lui arrive,
non l'arrivée d'un autre être. De la même façon Flaubert
doit s'identifier substantiellement à ses personnages pour
les sentir comme siens : et s'il s'en détache, c'est pour
les condamner. Il ne peut pas les posséder à distance :
le besoin de métamorphose se lie profondément chez lui

à cette faiblesse du sens d'autrui et à cette maladie de l'intervalle que les pages précédentes ont tenté de décrire.

Vivre, ce sera dès lors passer de métamorphose en métamorphose, traverser une suite monotone d'expériences dont chacune se refermera sur elle-même sans communiquer, sinon par sa partie la plus négative, son fondement informe, avec toutes ses voisines. S'ennuyer, s'éprendre, jouir, se dépendre, s'ennuyer à nouveau, tel est le rythme profond qui commande l'évolution des grandes œuvres de Flaubert, *Madame Bovary* et *Bouvard et Pécuchet* comme la *Tentation de Saint Antoine*. Seule l'*Education Sentimentale* échappe à ce rythme, par la découverte d'un centre de l'être auquel se rapporteront tous les mouvements du cœur. Mais ailleurs le mouvement est linéaire, et le héros flaubertien semble voué, comme le dieu Vichnou de la *Tentation,* à un cycle indéfini de réincarnations. Dans une nuit vide et qu'a même désertée la confiance en Dieu, Saint Antoine attend par exemple la venue des apparitions : une à une, elles lui fondent dessus sans crier gare, l'occupent, le tourmentent, l'abandonnent ; à chacune il prête un court instant tout son être, avant de l'exorciser et de s'ouvrir à l'apparition suivante. Le livre se compose ainsi d'une suite de tableaux juxtaposés, chaque dieu, hérésie, ou péché capital venant successivement parader dans ce théâtre dont la conscience du saint figure la scène. Tout s'ajoute sans se lier, comme dans le tableau de Brueghel dont Flaubert s'inspira, avec la seule différence que la juxtaposition spatiale devient ici successivité temporelle, mais sans autre lien entre chaque scène que la présence vide de la nuit et l'attente passive du saint. Tout arrive au hasard, s'en va de même, on piétine ; et la moralité de l'œuvre est bien en effet qu'il n'y a pas d'avancée possible et que tout se répète jusqu'à l'écœurement. Bouilhet et Du Camp eurent donc à la fois raison et tort de reprocher à Flaubert le caractère immobile de la *Première Tentation* : ils diagnostiquèrent la maladie, mais ne virent pas que ce mal atteignait des zones intérieures bien plus larges que celles de la seule création artistique, et que l'être flaubertien le plus profond vivait, lui aussi, selon le rythme de l'éternel recommencement.

De ce rythme fondamental, *Bouvard et Pécuche*t apparaissent presque comme la caricature. On les voit sauter d'engouement en engouement, se passionner, essayer, échouer avec une monotonie d'insectes sans mémoire. Entre chacune de leurs expériences s'étendent de grands lacs d'ennui, une inaction pesante aussi vide que la nuit de l'attente dans la *Tentation de Saint Antoine* : « Ils s'ennuyèrent..., leur esprit avait besoin d'un travail, leur existence d'un but [86]... » Saint Antoine aussi avait besoin de ses apparitions : tous ont horreur de ce néant immobile qui est une retombée d'être, et où se découvre le vide intérieur. Il faut alors à tout prix occuper, soulever la vie. Et les deux autodidactes se jettent sur le savoir le plus proche, celui que leur proposera le premier prétexte venu. Une visite au médecin : et c'est la passion de l'anatomie. La découverte d'un vieux coffre : et c'est la passion archéologique. Le hasard, ici encore, préside seul à la naissance des engouements ; Flaubert ne se soucie même plus d'établir, d'une expérience à l'autre, le plus petit semblant de transition. L'on croit feuilleter les pages d'une encyclopédie, où tous les articles seraient jetés en vrac, dans un chaos dérisoire et qui ravale chacun d'entre eux au niveau d'une bêtise commune. L'autodidacte de la *Nausée* suit au moins l'ordre alphabétique. Mais on se déplace ici dans le désordre le plus pur, et non sans intention de la part de Flaubert. : « Le sous-titre, écrit-il, pourrait être Du défaut de méthode dans les sciences. » Mais *Madame Bovary,* c'est aussi bien, « Du défaut de méthode dans la vie des sentiments », et la *Tentation :* « Du défaut de méthode dans l'entretien de la foi religieuse. » Seul le titre de l'*Education Sentimentale* sug-

---

86. *Bouvard et Pécuchet*, p. 390.

gère la découverte d'un ordre. Partout ailleurs le héros
flaubertien vieillit dans la discontinuité désordonnée de
ses métamorphoses.

Et Flaubert, de ce point de vue, apparaît bien lui-
même comme le premier de ses héros : que penser en
effet de sa destinée littéraire, et du chemin zigzagant qui
le fait débuter par un roman réaliste, continuer par une
œuvre violemment exotique, puis se rejeter vers la description la plus prosaïque de son époque, repartir vers
le lyrisme fantastique et aboutir à une œuvre mystérieuse,
qui reste inachevée, et dont les critiques en sont encore
à discuter le sens ? Ses romans représentent cependant
pour lui les formes successives auxquelles a abouti son
besoin de « s'établir » : un roman achevé lui donne sur
lui-même une assurance, lui propose de lui une image
provisoirement définitive. En écrivant, il se prouve son
existence : « faire un chef-d'œuvre, réussir une œuvre d'art,
c'est parvenir à être fixé sur soi [87] ». Il découvre, comme
il le dit, son « niveau [88] », il échappe à l'horrible incertitude de la subjectivité et se met à exister objectivement,
à travers l'esprit de tous ses lecteurs : « Un livre, cela
vous crée une famille éternelle dans l'humanité. »

Mais si chaque livre lui crée une *nouvelle* famille, s'in-
génie à détruire ce qu'ont édifé les livres précédents ?...
Si la suite de ses romans obéit non plus même à la loi
de contraste, qui serait encore une loi, mais à la liberté
la plus pure ?... « C'est ennuyeux de jouer toujours le
même rôle, et le public nous en tient si peu compte [89]... »
Avec lui aucune certitude que l'œuvre suivante ressem-
blera à l'œuvre précédente. A chaque roman nouveau la
critique avoue son désarroi, et, une fois qu'elle tient Flaubert mort devant elle, on la voit s'indigner de ce désordre,
d'une telle négligence dans l'arrangement de sa destinée,

    87. *Corr.*, I, p. 146. — 88. *Corr.*, I, p. 178. — 89. *Corr.*, II,
p. 288.

et surtout d'une telle indifférence pour les efforts qu'elle va avoir elle-même à fournir afin de transformer en courbe harmonieuse les sursauts d'une ligne incessamment brisée. Elle se prend alors à rêver à ce qui aurait dû être, et dans l'étonnante rêverie *post-mortem* de Brunetière on peut entendre comme un écho des conseils d'ambition que le jeune Du Camp prodiguait *ante vitam* au jeune Flaubert : « Renversez la chronologie des œuvres... Supposez que Flaubert eût commencé par la *Tentation de Saint Antoine,* et continué par *Salammbô*... » Il se délivrait à travers ces deux ouvrages de tout ce que son lyrisme contenait d'adolescent et d'excessif. Dans l'*Education* demeurent « bien des défauts encore : il restait à faire un dernier effort, M. Flaubert n'hésita pas et le fit, il ne craignit pas de s'exiler en province, il fut du comice agricole. Oui c'est ainsi qu'il semble — à distance — que les romans de Flaubert eussent dû se succéder, dans un bel ordre ; chaque effort nouveau marquant un nouveau progrès de l'auteur vers la perfection de son genre, et chaque œuvre nouvelle offrant à la critique une occasion nouvelle de jouer, de motiver ses éloges, d'ajouter un éloge nouveau [90] ». Magnifique rêverie d'un homme d'ordre, à qui tout écart fait horreur et qui voit les destinées littéraires comme des chemins montants vers le chef-d'œuvre, l'apothéose, la mort, et le début des commentaires. On peut en rire : mais Flaubert lui-même, au sein de son désordre, n'éprouvait-il pas un besoin d'ordre assez analogue losqu'il rêvait de publier à 50 ans ses *Œuvres Complètes,* puis de se taire ? C'eût été jeter à la postérité une image globale de ce qu'il avait été, en s'interdisant à lui-même toute retouche, tout démenti ultérieur. Mais on ne meurt pas sur commande, et s'il est des auteurs qui se sentent posthumes avant même d'avoir commencé à écrire, — et Du Camp pourrait être leur chef de file —, Flaubert appartient au contraire à la famille de ceux que

90. *Le Roman Naturaliste,* p. 28.

la vie ne cesse de travailler et qu'elle pousse toujours vers d'imprévisibles lendemains.

Croire que ces lendemains seront une perpétuelle remise en question de nos aujourd'hui, concevoir le travail souterrain de la vie comme un travail de Sisyphe, voué à toujours recommencer sans jamais aboutir, telle fut la nuance originale que le pessimisme de Flaubert apporta à une théorie des réincarnations qui, en elle-même, et chez ceux où Flaubert la découvrit : Apulée, Spinoza, Michelet, n'impliquait nullement un nécessaire piétinement de l'être. Alfred Le Poittevin, par exemple, ami et aîné de Flaubert, dont on sait toute l'influence sur sa formation littéraire et philosophique, et qui fut, comme lui et sans doute avant lui, hanté de métamorphoses, croit que les êtres doivent traverser plusieurs enveloppes successives afin de réaliser pleinement et progressivement une essence dont ils portaient en eux dès le début le germe et la promesse. Son conte philosophique, *Une Promenade de Bélial,* tourne tout entier autour du thème des réincarnations par lesquelles passent deux couples d'amants, dont chaque existence historique, — chaque « hypostase » dit Le Poittevin —, est déterminée par une existence antérieure et dirigée vers une existence ultérieure. Les individus s'élèvent donc le long d'une échelle des êtres en haut de laquelle les attend la réalisation parfaite. « Il conçoit l'âme, écrit M. René Descharmes, à la manière d'une cire molle qui se pétrit, s'épure à chaque coup de pouce du sculpteur, de sorte qu'au fur et à mesure on distingue davantage les contours de la statue qui, dès le début, y était enfermée [91] ». Chez Flaubert cette cire retombe au contraire, après chaque métamorphose, et sans rien conserver en elle de la forme qu'elle vient de revêtir, dans l'anonyme magma d'où le hasard suscitera bientôt d'autres formes : monde d'ébauches éphémères, « de vagues courants qui tourbillonnent, et vous poussent, des

91. Le Poittevin. *Œuvres,* Ed. Descharmes, intr., p. LXXV.

formes incessantes, infinies, qui montent, qui descendent, qui se perdent [92] », où la conscience recherche bien vainement les signes d'un progrès, ou même d'une orientation. L'échec par engloutissement est donc la loi de toutes les entreprises flaubertiennes.

A cet engloutissement survit cependant en moi l'idée que quelque chose a été englouti : je puis garder le souvenir de mes métamorphoses. Mais cette mémoire, loin de me rattacher à ce que j'ai été, semble au contraire ne conserver une image de mes passés qu'à seule fin de me montrer tout l'espace qui m'en sépare. Elle m'isole dans la forme actuelle en me présentant mes formes passées dans une lumière anonyme, comme les épisodes d'une vie qui aurait été vécue par un autre. Ainsi Emma, avant de s'endormir, le soir de son arrivée à Yonville, voit défiler devant ses yeux tous ses vieux souvenirs :

« Et paraissant, disparaissant, revenant, ces images se suivaient, entraînées avec un mouvement continu de cylindre qui tourne. Elles lui semblaient se tenir au même plan, à des éloignements pareils de l'heure présente : et sans joie, sans tristesse, elle les contemplait de toute sa mémoire comme si elle eût regardé, avec ses yeux, des tableaux peints sur la muraille [93]. »

Rien qui l'attache profondément à ce spectacle : entre ce qu'elle est et ce qu'elle a été s'étend un intervalle neutre où ne peut circuler que la curiosité de son regard. Le contact est maintenu, mais l'intimité abolie. Et comme toutes ces images dansent à égale distance de son présent, aucun sentiment de leur plus ou moins grande proximité, aucun échelonnement ne peut creuser le début de perspective intérieure qui lui permettrait de descendre, de l'une à l'autre, comme par les marches d'un escalier, vers les profondeurs d'un passé reconstruit. Equidistantes et anonymes, elles refusent toute architecture et réduisent

92. *La Tentation de Saint Antoine*, 1949, p. 585. — 93. *Madame Bovary*, Ed. Pommier, p. 259.

l'opération de la mémoire à s'effectuer dans le seul espace qui sépare mon présent de l'horizon plat de tous mes passés. Intervalle qui apparaît dès lors comme tout négatif, un peu semblable à cette vitre du salon de la Vaubyessard à travers laquelle Emma regarde, dans la nuit, les faces des villageois qui lui rappellent son enfance. « Aux fulgurations de l'heure présente, sa vie passée, si nette jusqu'alors, s'évanouissait tout entière, et elle doutait presque de l'avoir vécue. Elle était là, puis autour d'elle, il n'y avait plus que de l'ombre étalée sur tout le reste [94]. » Intervalle gelé, la vitre ne se laisse pénétrer par aucun rayonnement de chaleur humaine ; permettant à mon seul regard de passer à travers, sa transparence m'interdit d'*éprouver* tout ce qui se trouve au delà. Obstacle essentiel, derrière lequel l'étalement de l'ombre peut alors ravaler toutes les faces et tous les souvenirs au niveau d'une même impersonnalité. Un premier état de ce même texte contenait, pour suggérer ce sentiment de distance, une métaphore différente et tout aussi curieuse : « Sa vie passée lui sembla, se rétrécissant en elle-même, comme une lorgnette, tenir peu de place, et, distincte d'elle, n'avoir rien de commun avec le présent [95] ». La mémoire écartèle l'être : elle parvient seulement à lui présenter l'image d'un passé dont il se sent irrémédiablement coupé. « Elle était là », écrit Flaubert. Toujours là, son héros tente toujours de se saisir ailleurs. Et sans doute on a vu que l'osmose liquide de la somnolence, les états de confusion de la rêverie permettaient à ces *ailleurs* de devenir des *ici*, en faisant coïncider une sensation passée avec une sensation présente : mais on peut difficilement nommer phénomène de mémoire cette invasion molle par laquelle le passé revient inonder le présent. Il y est annulé, non possédé. La suppression de l'intervalle détruit seulement l'autre terme, et me laisse à ma solitude. Ici encore Flaubert res-

94. *Madame Bovary*, p. 72. Ed. Pommier. — 95. *Madame Bovary*, Ed. Pommier, p. 213.

sent cruellement que la fusion n'est pas une forme de relation : dans ses rapports avec lui-même, pas plus que dans ses rapports avec autrui ou avec ses personnages, il ne parvient à posséder, ou à se posséder à distance.

Puisque rien en lui ne lui permet de relier les unes aux autres les diverses phases que traverse la métamorphose, c'est en dehors de lui qu'il va falloir rechercher le moyen de combler ces hiatus et de rendre sa destinée cohérente. Georges Poulet, qui dans son chapitre sur le Temps Flaubertien a décrit admirablement les diverses formes qu'a revêtues cette maladie de l'intervalle, en montre aussi le dénouement : Flaubert adopte une méthode déterministe ; au sein de son désordre, il choisit de croire à un enchaînement de ses états intérieurs. Option en faveur de l'ordre. « Ordre qui ne se perçoit d'ailleurs, nuance G. Poulet, et qui n'existe peut-être qu'à partir du moment où il est ordre accompli. Car il ne se découvre que dans les choses accomplies et dans le postulat qu'elles se sont accomplies en raison d'autres choses qui les ont fait s'accomplir : « La pensée qui te survient maintenant, elle a été amenée jusqu'à toi... par des successions, des gradations, des transformations et des renaissances »... Il est une construction *a posteriori* que l'esprit impose à l'univers pour le faire tenir ensemble. Ainsi selon cette formule, il n'y a plus de trous, plus d'intervalles entre les choses, ni d'abîme entre le présent et le passé. Nous sommes dans le royaume de l'immanence... rien de réservé ni d'inexprimable. Ce que l'imagination ne peut revivre, l'esprit peut se le représenter [96].

Analyse qui met admirablement en valeur le caractère désespéré et limité du déterminisme flaubertien, tout ce que celui-ci comporte d'étranger aux données premières de sa sensibilité, et qui suggère en même temps l'inefficacité finale de cette option pour l'ordre. Car cet être lié, réuni par force à lui-même, n'échappe ni au rythme

96. *Etudes sur le Temps Humain*, p. 331.

de sa métamorphose ni à la fluidité qui le pousse toujours vers d'autres écoulements. La loi de causalité endiguera son ruissellement sans réussir à le freiner : la successivité y deviendra enchaînement, non point cohérence ni consistance. Codifiée, elle s'en trouvera peut-être même plus redoutable encore, car l'insistance ne se trouvera plus mise alors sur le fond liquide de l'être, qui, malgré tous ses flottements, possédait pourtant une manière d'unité, mais bien sur la suite de ces flottements eux-mêmes. Se réduisant à une vie purement phénoménale, l'être ne sera rien d'autre, selon le vœu de Taine, que la succession de ses états ; les personnages deviendront selon le mot de Bourget, « des associations d'idées en marche » : rien ne battra plus dans les profondeurs de leur plasticité.

Flaubert fut d'ailleurs le premier à apercevoir les insuffisances de cette solution, et combien elle répondait mal à son exigence : car cet ordre auquel il aspire, comment pourrait-il affecter un être auquel il serait seulement imposé ? Tout comme le « corset » qu'il veut mettre à Madame Bovary, ou le « moule cicéronien » dans lequel il parle quelquefois de couler ses phrases, l'option déterministe est un aspect de la tentation que subit à certains moments Flaubert de réduire l'informe en lui imposant du dehors une discipline arbitraire. Mais cette solution de force ne résout aucun problème intérieur : tout continue en dessous à circuler, à se mélanger, et cela d'autant plus dangereusement que la surface offre une apparence solide. Car l'ordre imposé, s'il contient un moment le désordre de la fluidité profonde, ne lui permet nullement de créer en elle-même les conditions d'un ordre véritable. « Antoine, il faut en convenir, existe peu... » écrit Paul Valéry [97]; et il n'existerait pas davantage si ses apparitions s'enchaînaient logiquement les unes aux autres. Sa passivité s'en trouverait même probablement accrue, et de toute façon sa vie ne lui appartiendrait pas.

97. *Variété*, V, p. 204.

Cette liaison que le déterminisme introduit entre les divers moments de l'existence, il suffira donc, pour en démontrer la vanité, de remarquer qu'elle est à la fois objective et ultérieure. Vue de l'esprit sur un objet ou sur un être autre que moi et que je veux sauver du désordre, jugement de l'esprit sur mon passé étendu mort derrière moi et devenu objet pour moi, elle apparaîtra sans valeur dès que ma conscience essaiera de comprendre ce qui, pour moi et dans l'instant présent, me réunit à ce que j'ai été et va me faire devenir ce que je serai tout à l'heure. « Il n'y a que des faits et des ensembles dans l'univers [98] » écrit Flaubert. Celui qui opte pour cette espèce d'ordre doit en effet regarder chaque fait de près, séparément de tous les autres ou regarder en revanche leur totalité de très haut, comme un ensemble organisé d'où n'émerge aucun fait particulier. Mais le « fait », qui est mon état actuel, je veux savoir comment il va s'intégrer dans l'ensemble de ma destinée, comment il sort de l'état précédent et mène à l'état suivant. Cette « idée de cause », que Flaubert veut « mettre de côté dans les sciences », qu'il estime « antiphilosophique, antiscientifique[99] », il la retrouve donc, opaque et gênante, au cœur même de sa subjectivité. Car s'il se regarde en train de vivre, tout lui semble possible ; l'avenir est ouvert ; et même si son passé le détermine, comment savoir s'il le déterminera à ceci plutôt qu'à cela ? Comment expliquer qu'un même tronc donne deux rameaux différents ? Difficulté que le romancier ressent mieux que tout autre, puisque le roman n'existe que par l'écoulement du temps et qu'il est même, d'une certaine façon, une mise en forme du temps :

« Il faudrait, pour l'*Education,* récrire, ou du moins recoller l'ensemble, refaire deux ou trois chapitres, et, ce qui me paraît le plus difficile de tout, écrire un chapitre qui manque où l'on montrerait comment fatalement le

98. *Corr.,* IV, p. 357. — 99. *Corr.,* V, p. 148.

même tronc a dû bifurquer, c'est-à-dire pourquoi telle action a amené ce résultat dans ce personnage plutôt que telle autre. *Les causes sont montrées, les résultats aussi ; mais l'enchaînement de la cause à l'effet ne l'est point.* Voilà le vice du livre et comment il ment à son titre [100]. »

Il n'y a en effet *Education* que si l'on ressent le passage de la cause à l'effet comme un progrès d'être. De la cause à l'effet il devra y avoir transmission, compénétrabilité d'existence, un mouvement comparable au « doux mouvement des vagues qui se poussent », des « flots se déroulant lentement, se déployant les uns sur les autres [101] ». Osmose orientée dans laquelle chaque mouvement conserve l'acquis des mouvements antérieurs, tout en allant cependant un peu plus loin : lente sédimentation de l'être.

Mais il serait vain de rechercher un ordre que ne fonderait pas le sentiment préalable d'une existence solide et continue. La causalité, loin de créer l'être, le suppose comme antérieur à elle. Lorsque Flaubert parle quelque part de remonter, de formes en formes, les causes « comme les marches d'un escalier », il faut penser à la pierre dure dans laquelle ces marches ont été taillées, et sans laquelle il n'y aurait ni escalier, ni remontées possibles. Arranger tant bien que mal le désordre de la surface, ce n'est donc pas guérir la maladie profonde. « Comment faire, que faire ? J'ai beau rêver, gémit Vichnou, dieu de la métamorphose, *multiplier les formes par elles-mêmes, ce n'est pas produire l'être* [102]... » Mot essentiel, s'il est vrai que depuis le début c'est l'être, non l'ordre, que Flaubert a voulu produire. Et l'être ne naîtra pas d'une harmonisation des surfaces, mais de la concentration et du recueillement, de tout un long travail que l'informe devra laisser s'accomplir en lui pour se donner une structure et une perspective, pour devenir forme. Mais l'ordre n'est qu'un faux semblant d'être : ou plutôt il est le signe de l'être, et il

100. *Corr.*, II, p. 344. — 101. *Novembre*, p. 195. — 102. *Tentation de Saint Antoine*, 1849, p. 449.

apparaîtra à la surface des choses et dans la conscience des hommes lorsque, à l'intérieur, l'être se sera déjà réalisé.

On comprendra mieux sans doute désormais les raisons qui rendirent cette destinée à la fois misérable et exemplaire, et pourquoi l'attachement que suscite Flaubert se mêle toujours d'une certaine forme de malaise ou de regret : lui-même se sent exister avec malaise et regrette d'être ce qu'il est ; il offre dans tous ses écrits intimes le spectacle d'un homme partagé, insatisfait de soi, et constamment tendu vers la poursuite d'un idéal de dureté que sa propre faiblesse l'empêche précisément d'atteindre. « Produire l'être... » Le cri du dieu Vichnou trahit la cause profonde d'une inquiétude qui tint moins à la conscience d'un trouble physiologique ou d'une faiblesse psychologique qu'au sentiment d'une insuffisance plus essentielle encore, à un certain *manque d'être*. Car ce n'est point être que fluctuer et se dissoudre dans cet univers de fusion affective, d'osmose intérieure, de métamorphose universelle que les pages précédentes ont tenté de décrire : tout comme Spendius et Mathô dans l'acqueduc de Carthage, Flaubert éprouve un besoin éperdu de poser le pied sur un sol solide et de se ressaisir comme individu stable et séparé. Il va donc lui falloir se retourner vers lui, et contre lui, pour se fabriquer un nouvel être.

Et c'est ici que naissent les malentendus : car on ne sait plus dès lors ce qu'il convient d'admirer davantage, de l'effort dirigé contre soi pour s'assurer une plus solide prise sur soi-même ou de la richesse humaine et esthétique de l'être spontané que cet effort vise précisément à dominer. L'on admire selon les cas la rigidité de la volonté créatrice ou la souplesse du moi originel : et dans l'un ou l'autre cas l'admiration ne va pas sans réserves, les uns blâmant, avec Brunetière et toute la critique traditionnelle, les restes d'anarchie individuelle que l'effort d'ordre ne parviendra pas à réprimer, les autres déplorant, avec par exemple Albert Béguin et les critiques modernes, que Flaubert ait cru devoir étouffer des dons spontanés qui, s'il les avait laissés librement fleurir en lui, auraient fait de lui l'un des explorateurs d'âmes et d'êtres les plus pénétrants de notre littérature. Mal maté ou mutilé... Avec Flaubert le lecteur se prend toujours à rêver à ce qui aurait *pu* et *dû* être : fidèle en cela à l'esprit de Flaubert lui-même qui, n'ayant jamais voulu se choisir absolument, vécut dans l'insatisfaction et dans la nostalgie.

Ce malaise disparaîtra cependant quand on aura montré, — et c'est ce à quoi la suite de cette étude voudrait s'employer —, à quel point cet effort pour « produire l'être » diffère d'une mutilation ou d'un reniement de cet autre être également valable et dont Flaubert ressent en lui la présence immédiate. C'est au contraire à partir de cet être premier que l'être véritable devra se développer, sur lui qu'il devra s'appuyer et se fonder. Toute solution de continuité entre ces deux états de l'être frapperait de gratuité l'effort de construction de la personne. « L'instinct de mon cœur, écrit Flaubert, n'est pas l'instinct de ma plume. » Mais il fallait bien cependant qu'il eût dans le cœur un instinct qui l'ait poussé à prendre la plume, fût-ce pour combattre et renier l'instinct de son cœur. L'être ne sera donc pas produit de l'extérieur, par l'imposition d'une discipline morale ou, comme le suggère Béguin, par la soumission à un idéal d'art que Flaubert se contenterait d'épouser, mais par un lent travail de réforme intérieure dont le moi spontané sera à la fois le siège et l'origine, et dont les pages qui suivent s'emploieront à retracer les divers mouvements, les échecs et les réussites. Tels est le sens que Flaubert donne au mot *éducation :* une opération de soi sur soi à travers laquelle l'être tente de s'accomplir et de se posséder tout en sauvant l'incontrôlable. L'art et l'amour platonique lui permettront de réaliser cet accomplissement : mais ils ne

représentent pas les seules expériences à travers lesquelles
Flaubert ait tenté de se fabriquer un être ; si l'on examine
dans cette perspective quelques-unes de ses attitudes les
plus familières, on s'apercevra qu'elles s'éclairent toutes
par ce même désir de réaliser l'être. Mais à l'égalité du
dessein répond l'inégalité de la réussite, et la plupart d'entre elles peuvent apparaître comme des éducations manquées.

2

« Exécutez la tâche du corps ! faites-la, faites-la bien,
et l'âme libérée ne sera plus contrainte à recommencer la
vie.
Pour qu'elle demeure oisive au sein de Prounicos, il faut
qu'elle *ait accompli dans la chair tout ce que la chair
comporte* [103]... »
Telle est la solution des Carpocratiens, que Flaubert
est tenté de reprendre à son propre compte, et qui apparaît comme une solution de désespoir. Car si l'être se sent
peu à peu glisser dans la matière ou dans la chair, si
sa faiblesse l'empêche de résister à ce glissement, à plus
forte raison d'opérer le décollement et la rétractation qui
lui permettraient de se reprendre, il lui reste l'ultime ressource de renoncer soudain à toute résistance, et de transformer son abandon en un mouvement violent et positif
de plongée dans les choses. Changement brutal d'orientation qui va lancer le héros flaubertien dans une exploration désordonnée, mais qu'il veut exhaustive, de toutes
les formes d'existence que l'univers contient ou a pu contenir. La métamorphose alors s'affole, devient vertigineuse :
quitte à me perdre, je veux me perdre totalement et après

103. *La Tentation de Saint Antoine,* 1849, p. 271.

avoir tout parcouru. Et puisqu'il m'est refusé de devenir
moi-même un homme, c'est le destin de l'humanité tout
entière, des animaux, végétaux, minéraux, de tout ce qui
existe, que je choisis d'épouser. Je me lance donc en aveugle dans une quête dont je refuse d'envisager l'issue :
« l'esprit éperdu vagabonde dans la matière, il n'en sortira
qu'après en avoir parcouru tous les détours, et avant d'en
sortir, il faut qu'il en parcoure tous les chemins, qu'il se
soit heurté à tous les angles et roulé dans les abîmes [104] ».
Par la bouche des Carpocratiens s'exprime avec une belle
puissance la tentation frénétique de Flaubert.

Bien des aspects de sa nature le poussaient à s'y abandonner : ce qu'il y avait en lui d'anarchique et d'un peu
déréglé aimait les vagabondages violents où l'on se cogne
aux choses, et où, d'idée en idée, d'image en image, on se
trouve bientôt rejeté dans les ténèbres du chaos intérieur.
Et sa voracité devait le rendre sensible à la puissance dévo-
rante du mouvement frénétique. Nul doute que son héros
le plus frénétique ne soit le cochon de Saint Antoine, qui
ne s'estimerait satisfait, — encore n'en sommes-nous pas
très sûrs —, que s'il avait englouti le monde entier. Manger *quelque* chose, pense-t-il, c'est ne rien manger du tout.
« Tu ne connaîtras rien si tu n'as pas tout connu », disait
déjà le grand maître de la frénésie ; et à sa suite une tradition littéraire fort vivace enseignait au jeune Flaubert
les prestiges de la violence et de l'expérience totale. La
plupart de ses œuvres de jeunesse et certains de ses
grands romans, ceux surtout qui se situent dans un climat
exotique, relèvent ainsi de cette inspiration frénétique ; on
y sent la tension, le soulèvement vibratoire de l'être et le
désir de dépasser toujours l'expression acquise pour atteindre à une expression encore plus pleine et plus violente.
Et comme ce désir ne peut jamais se satisfaire tout à
fait, la phrase se gonfle, s'étire, s'emplit à éclater d'un

104. *La Tentation de Saint Antoine*, 1849, p. 271.

tohu-bohu de mots et d'images : le besoin d'absolu y prend la forme d'un appétit de totalité.

Cette frénésie cependant, et c'est en cela que consiste l'originalité de Flaubert par rapport aux autres petits romantiques, ne se satisfait pas de son propre mouvement. Il ne lui suffit pas d'accomplir la totalité du possible ; elle veut bien réaliser dans la chair tout ce que la chair comporte, mais c'est afin, précisent les Carpocratiens, de « libérer l'âme ». Celle-ci n' « en sortira », disent-ils, qu'après en avoir parcouru tous les détours : ces détours représentent donc les différentes phases d'une ascèse au terme de laquelle on prévoit et recherche une espèce de renaissance. En d'autres termes ma course hagarde à travers la totalité des choses a pour but de me faire aller au delà d'elles; toutes les formes une fois dépassées et épuisées, j'émergerai dans un vide où je pourrai me reconnaître et me reprendre. Au bout de la nuit luit une aurore. Faute de pouvoir me retirer en *deçà* de la matière, je choisis de passer à travers et de me retrouver *au delà*. Rêve des antipodes, de l'ultime presqu'île à laquelle parvient Smarrh lorsqu'il a parcouru toutes les terres : après le tout, il y a le rien, c'est-à-dire le lieu de la conscience. Je ne dois accomplir la totalité que pour le nier et rejoindre ce qu'elle dissimule.

L'on comprend mieux désormais certains aspects de la quête frénétique, et pourquoi par exemple elle se situe le plus souvent dans un climat de destruction, de cruauté. Cette plongée dans la plénitude ne s'accomplit nullement dans un esprit de bienveillance, ni même dans une intention de jouissance : ou bien, si je veux jouir, c'est pour anéantir l'objet de ma jouissance, et parce que je ne puis détruire sans d'abord posséder. Mais il ne s'agit nullement de s'endormir dans la possession ou de se laisser aller à sa mollesse. Le héros frénétique passe à travers les formes comme un clown qui crèverait des écrans successifs ; il veut toujours chercher à voir ce qu'il y a derrière, et rien ne l'emplit d'une plus grande joie que de voir se creuser une faille au sein du monde plein, de sentir à travers la fatigue et les vacillements de l'expérience le rayonnement d'un certain au delà :

« J'entrevois par *les fissures du plaisir* comme par la *fente d'une porte* des perspectives prolongées dont les rayonnements m'éblouissent, rayons, d'un soleil vague dont la chaleur m'enflamme [105]... »

Mais pour ouvrir ces perspectives il faut faire éclater le plaisir, l'exaspérer et le distendre, le rendre si intense que son équilibre intérieur en soit bouleversé. La seule chance de passer à travers les formes sera d'épouser leur mouvement tout en l'accélérant et l'affolant, d'exagérer son adhésion pour faire craquer de l'intérieur leur enveloppe et leur structure. Rendre la jouissance démesurée afin de detruire la mesure des choses. Etre *excessif*. « L'excès, note Flaubert, est preuve d'idéalité : aller au delà du besoin [106] ».

C'est vers un au-delà qu'est dirigée la quête frénétique, et c'est pourquoi il faut la considérer comme un mouvement de transcendance. Et la recherche de cet au-delà étant un trait essentiel de la nature humaine, peut-être même le trait primordial puisqu'il s'agit d'établir sa prééminence sur les choses, il s'ensuit que la « cruauté par sensualité » est, comme dit Flaubert, « un besoin de l'homme dans la plénitude de ses facultés ». L'homme a besoin d'excès, si ces excès doivent donner sa mesure. L'art, ajoute-t-il, peut exploiter cette forme de cruauté, tandis que la « cruauté d'idées » lui répugne ; elle ne détruit en effet les objets et les hommes que pour les soumettre à ce nouvel objet : principe ou foi positive. Au lieu que la première s'ouvre sur un vide vertigineux :

« On n'idéalisera jamais Robespierre.
De Marat, la chose serait plus aisée, parce qu'il semble y

105. *La Tentation de Saint Antoine*, 1849, p. 326. — 106. *Carnets, Notes de Voyage*, II, p. 356.

avoir eu chez lui plus d'emportement, d'instinct, de *pathos*. Néron a été poétique de tout temps [107]. »

Emportement poétique, parce qu'il ne s'arrête jamais dans la contemplation de ses résultats et qu'il lui faut sans cesse de nouvelles victimes. Derrière Rome incendiée, Néron apercevait sans doute une nouvelle Rome, qu'il lui faudrait brûler à son tour pour en bâtir, puis en détruire une troisième, et cela indéfiniment. Il est poétique pour voir à travers les choses et deviner, au-delà de ce qu'il aime ou de ce qu'il sent, la perspective fuyante de ce qu'il est. Héros excessif, que sa cruauté sensuelle soustrait à la sensualité pour le vouer à l'« idéalité ».

La frénésie peut dès lors apparaître comme une plasticité à ce point emportée dans son mouvement élastique qu'elle ne parvient plus à s'arrêter en aucune forme stable. Tout est détruit avant même d'avoir existé : la pâte est brassée avec une telle violence qu'on espère avoir raison de sa viscosité et qu'elle finira par se déchirer entre les mains. Ou bien, en un mouvement inverse, le héros frénétique se colle à elle, patauge en elle pour l'empêcher de se « prendre » et de devenir forme. Dans la *Tentation de Saint Antoine,* la luxure s'étale, se vautre : j'épouse l'autre en l'écrasant, c'est-à-dire en l'empêchant d'exister ; mon affaissement sur lui l'oblige à s'affaisser lui-même, je transforme son corps en une masse obscène. « On ne détruit pas la pâte » dit Bachelard : mais c'est suffisamment la détruire que de l'obliger à rester pâte. Coulé sur l'informe, je le force à rester lui-même. C'est Bachelard lui-même qui souligne la liaison psychanalytique d'une certaine imagination de la pâte et d'un goût de l'insulte et des gros mots [108] : le gros mot roule dans la bouche, avant d'aller s'écraser sur l'autre comme un paquet de boue. Il est un vautrement à distance : ainsi le cochon insulte, piétine, patauge ; il voudrait que le monde soit réduit à la boue

107. *Carnets, Notes de Voyages,* II, p. 367. — 108. *La Terre et les Rêveries de la Volonté,* p. 111.

de sa bauge. Car l'existence boueuse est plus près de la destruction que l'existence solide ; et si le plaisir a choisi de se vautrer sur l'objet désiré, ce n'est pas pour le faire mieux exister par sa caresse : « c'est pour mieux te manger, mon enfant ».

Se prêtant trop complaisamment à la nature, ou plutôt lui prêtant une fausse complaisance, on aboutit donc à en détruire les formes et à en fausser les lois : telle est la grande idée que Flaubert retire de l'œuvre de Sade, qu'il lit et relit, « qui le hante », disent les Goncourt « et auquel il revient comme à un mystère et une turpitude qui l'affriolent ». Nul doute en effet qu'il y ait du mystère en Néron, mystère précisément d'un être trop naturel et qui détruit la nature pour l'avoir trop bien accomplie. Flaubert aperçoit bien le naturalisme et l'optimisme de Sade, mais il lui semble comique que cette exaltation de la nature aboutisse à rendre comme il le dit, la nature « impossible », à la « faire disparaître » :

« Comme personnages vicieux, je ne connais que ceux du Marquis de Sade qui fassent rire (et ce n'était pas l'intention de l'auteur, bien au contraire). Mais ici le crime arrive à être un ridicule. Car la nature est tellement exaltée, poussée à outrance qu'elle devient impossible et disparaît. On n'a plus qu'une conception fantastique, donnée pour humaine, et en opposition avec l'humanité [109]. »

On ne saurait mieux dire que pour Flaubert tout passage à l'extrémité aboutit à une rupture de l'humain. C'est déjà un tel pouvoir de rupture que Flaubert avait recherché dans le fantastique : « l'âme, dit-il, y fait craquer les parois de la nature ». « On se rue alors dans l'effréné, dans le monstrueux [110]... » L'artiste s'y trouvait mis en possession d'un moyen de nier la nature en multipliant des formes sans réalité : l'impossible le libérait du réel, et l'on s'explique ainsi le goût qu'eut toujours Flaubert

109. *Carnets, Notes de Voyage,* II, p. 368. — 110. *Première Education sentimentale,* p. 265.

pour les charlatans, prestidigitateurs, montreurs de monstres, et la comédie du mouton à cinq pattes qu'il amena
un jour dans le salon de Maxime ébahi. Le monstre, qui
naît chez Hugo d'une excessive générosité de matière, lui
sert au contraire à ridiculiser la forme normale. Dans
« ces manifestations irrégulières de la vie » il reconnaît
« les expressions multiples et graduées de cet art inconnu
qui gît dans son immobilité mystérieuse au fond des
océans, dans les profondeurs du globe, dans les foyers
de la lumière, y variant les créations successives et perpé-
tuant l'Etre ». Signe de l'infinie plasticité du possible, le
monstre attaque la fixité du réel. Par sa seule existence
le mouton à cinq pattes nie la nécessaire réalité de tous
les moutons à quatre pattes. « Idéal », tout comme Néron,
il est déjà ce que les surréalistes nommeront un objet
destructeur.

Chez Sade, cependant, les moutons n'ont que quatre
pattes, et c'est ce qui les rend infiniment plus inquiétants :
rien d'anti ni de surnaturel ; la nature règne ici, avec la
révélation de toutes ses possibilités ignorées et d'un seul
coup permises. Mais trop de possible débouche dans
l'impossible, et l'on assiste bientôt au ridicule spectacle
d'une nature qui ne peut s'exalter et se satisfaire que par
sa perpétuelle destruction. Et retournant les données du
problème, Flaubert songe que, pour la détruire, il suffi-
rait peut-être de l'exalter. C'est en ce sens qu'il peut dire
aux Goncourt que Sade « représente pour lui le dernier
mot du catholicisme ». « Je m'explique : C'est l'esprit
de l'inquisition, l'esprit de torture, l'esprit de l'Eglise du
Moyen Age, *l'horreur de la nature*. Remarquez-vous qu'il
n'y a pas un animal, pas un arbre dans de Sade [111]?... »
Il n'y a pas ici contresens sur l'attitude sadiste, ni contradiction avec le texte qui précède : simplement, la jouissance et l'horreur de la nature lui paraissent si intimement
liées que l'une entraîne fatalement l'autre. Et l'on com-

111. Goncourt, *Journal*, I, p. 239.

prend alors comment le sadisme servit à Flaubert à faire
éclater les choses *de l'intérieur* : il voudra, du dedans,
exagérer la qualité, la réaliser dans une telle pureté qu'elle
en devienne presque intolérable et débouche finalement
dans la qualité exactement opposée. Ce marbre est blanc,
trop blanc, s'écrie Flaubert enthousiasmé, il est « noir
comme de l'ébène [112] ».

Cette « fascination » qu'il éprouva devant Sade, il est
permis d'en retrouver dans toute son œuvre, sinon dans sa
vie elle-même, des traces évidentes. *Salammbô,* par exemple, baigne, il nous le dit lui-même, dans une lueur pour-
pre, lumière de carnage et d'exaspération. « J'éventre des
hommes avec prodigalité, je verse du sang, je fais du style
cannibale [113] »... Et ce grand livre méconnu, où Flaubert se
fabrique son propre jardin des supplices, évoque curieusement, de par la monotonie de ses recommencements,
l'ingéniosité et l'horreur renouvelées avec lesquelles la mort
est infligée, distillée, mise en scène, l'atmosphère maniaque
des 120 *Journées de Sodome.* « Bordels d'hommes et
matelotes de serpents »... Il s'agit si évidemment de transmuer le possible en impossible que, lorsque Sainte-Beuve
s'émut et parla de sadisme, Flaubert se sentit touché à vif.
Et pourtant, quinze ans plus tard, la *Légende de Saint
Julien l'Hospitalier* retrouvait avec plus d'évidence encore
cette veine sadique : dans ce chasseur qui s'avance au
milieu des cadavres amoncelés, le lecteur reconnaîtra un
possédé dont l'image lui est désormais familière. Car si
Saint Julien parvient à la sainteté après avoir, symbole
suprême, vaincu les eaux et transporté les voyageurs par-
dessus la rivière et la boue d'un marais, c'est dans la destruction des êtres qu'il avait d'abord cherché son accomplissement. Il veut traverser l'animalité pour se délivrer
d'elle. Dans une plaine grise et interminable, couverte de
monticules de sable et d'ossements de morts, qu'on croirait peinte par Tanguy, on le voit lourdement s'acheminer,

112. Goncourt, *Journal,* II, p. 167. — 113. *Corr.,* IV, p. 337.

comme tous les héros frénétiques de Flaubert, vers un horizon inexistant, vers le bout du monde.

Mais il n'y a pas de bout du monde : Julien doit finalement rentrer dans son château, où il tue par erreur son père et sa mère. Dénouement qui marque l'échec de la tentative sadique : avant d'avoir pu parvenir à ce terme des choses où il ne reste plus rien à détruire, le héros sadique en est venu à se détruire lui-même.

Conséquence aisément prévisible, et qui tient au caractère contagieux de la violence : cette frénésie que je dirige contre les choses, je ne peux plus, à partir d'un certain niveau d'exaspération, l'empêcher de s'exercer aussi contre moi-même. Les psychologues ont remarqué que le sadisme se mêle le plus souvent de masochisme, et l'on s'expliquerait mal sans cette liaison la vocation de la souffrance et de l'échec qui semble posséder la plupart des héros de Flaubert. Bouvard et Pécuchet, par exemple, sont voués à un manque de réussite si total et si constant qu'il en apparaît presque invraisemblable, et que l'on est tenté de voir en eux les victimes non plus de leur bêtise ou de leur manque de méthode, mais d'un créateur qui semble ne les avoir amenés à l'existence que pour leur faire sentir à chaque minute leur néant. Flaubert s'acharne en effet à les punir : mais en même temps, et dans la mesure où il s'identifie à eux, il s'acharne à se punir lui-même. Comme il parvient mal à se détacher de ses personnages et à dresser en face de lui la notion d'un *autrui* indépendant, rien d'étonnant à ce qu'il voie se retourner vers lui les coups qu'il croit porter aux objets et aux êtres. Sa fureur destructrice, c'est pour lui surtout qu'elle va dès lors paraître dangereuse. Hercule se sent ainsi menacé d'éclatement :

« Plus s'accumulaient les ans, plus s'augmentait ma force ; je tuais mes amis en jouant avec eux, je rompais les sièges en m'asseyant dessus, je démolissais les temples en passant sous leurs portiques... J'avais en moi une *fureur continuelle,* qui, bruissant à gros bouillons comme le vin d'automne qui fait sauter la bonde des cuves, débordait de ma vertu et m'élançait en avant...

Ma force m'étouffe, c'est le sang qui me gêne, je suis trop gros ! [114] »

Ce qui attend le héros frénétique au terme de sa quête, ce n'est pas la naissance au vide merveilleux qui s'étale derrière les opacités rompues : c'est plus simplement, et banalement, l'attaque d'apoplexie. Et devant le danger on le voit bien vite abdiquer, chercher la guérison dans la détente, se laisser aller à la mollesse et à toutes les facilités d'un univers liquide que la frénésie avait cependant prétendu dépasser : « J'ai besoin de bains tièdes, et qu'on me donne à boire de l'eau glacée, je veux m'asseoir enfin sur des coussins, dormir le jour, et voir danser les femmes »... Hercule aux pieds d'Omphale : premier achèvement possible d'une dialectique de la frénésie.

Il y a pire : voici que cette somnolence, à laquelle Hercule ne succombait qu'au terme de ses travaux, va maintenant surprendre le héros frénétique dans l'exercice même de sa frénésie. Car toute cruauté se laisse finalement endormir par l'automatisme de son geste : dans la mesure où tous les objets lui sont indifférents, ne sont pour elle que des objets *à détruire,* elle se détache d'eux et s'absorbe de plus en plus dans le geste même de sa destruction. L'être se replie alors en lui-même ; il sent se rompre tous les liens charnels que la vie avait tissés autour de lui pour le rejoindre à un paysage, un moment ou une atmosphère, pour le situer dans le monde. L'exécuteur poursuit sa tâche en une abstraction grandissante, en dehors du temps et de l'espace, dans un univers sans visage :

« Mais Julien ne se fatiguait pas de tuer, tour à tour

114. *La Tentation de Saint Antoine,* 1849, p. 466.

bandant son arbalète, dégaînant l'épée, pointant du coutelas, et ne pensait à rien, n'avait de souvenir de quoi que ce fût. Il était en chasse, *dans un pays quelconque, depuis un temps indéterminé,* par le fait seul de sa propre existence, tout s'accomplissant avec la facilité qu'on éprouve dans les rêves [115]. »

L'horreur a égalisé le paysage ; elle a fini par détruire l'idée même de tout paysage ; la cruauté devient son propre cauchemar, et le héros cruel ne se distingue plus du somnambule.

Quand le criminel se réveille, il regarde alors son carnage avec stupéfaction, comme si un autre en avait été l'auteur : « Saint Julien s'adossa contre un arbre : il contemplait d'un œil béant l'énormité du massacre, ne comprenant pas comment il avait pu le faire. » Car son carnage est devant, non pas derrière lui. S'il s'éveillait à une nouvelle lumière, sans doute pourrait-il oublier cette horreur, ou du moins la considérer comme un épisode nécessaire et dépassé de son accomplissement. Mais il revient à celui qu'il n'a jamais cessé d'être, à son point de départ, et son massacre lui apparaît alors comme absurde et inutile. Il voit la frénésie pour ce qu'elle a toujours été : un piège que les choses tendent à l'esprit afin de mieux se le soumettre. Car les choses n'ont pas de fin ; la matière est une mer infinie. Mais l'illusion de son au-delà engage justement l'esprit à se plonger en elle. Toutes les forces qui permettraient de résister à la pente du désir, la frénésie les exploite donc pour inciter à se livrer à lui. Elle n'est qu'un dangereux mirage.

Que la frénésie se bloque sur elle-même, et renonce à son mouvement vers l'au-delà, tout en conservant sa force intérieure d'écartèlement, et l'on arrive à ce que Flau-

115. *Trois contes*, p. 9.

bert nomme la *crânerie*. Quelque chose de « crâne », d' « enlevé » : il ne connaissait pas plus bel éloge. Etre crâne, c'est être à la fois violent et immobile, exister dans la tension d'un éréthisme qui se refuse à tout soulagement, toute retombée vers le liquide comme toute crevée vers l'au-delà : la crânerie est une frénésie privée de transcendance. A elle se rattache le goût qu'eut toujours Flaubert pour la forme brutalement accusée, l'attitude haute en couleurs, et tous les aspects possibles de ce priapisme littéraire dont Hugo et Rabelais avaient été avant lui les plus célèbres desservants. Il s'agit alors d'entretenir dans la pâte une constante ébullition qui l'empêche de s'affaisser en elle-même et la gonfle vers l'extérieur, de susciter dans l'informe un pouvoir permanent d'indignation : « C'est l'indignation seule qui me soutient, avoue Flaubert..., l'indignation pour moi c'est la broche qu'ont dans le cul les poupées, la broche qui les fait tenir debout. Quand je ne serai plus indigné, je tomberai à plat... Et il dessine du geste, ajoutent les Goncourt, la silhouette d'un polichinelle échoué sur le parquet .[116] » Sa correspondance montre en effet bien des exemples d'une pensée qui ne parvient à se découvrir que dans l'éclat — qu'il ne faut pas confondre avec l'éclatement — frénétique de l'expression : l'indignation ne *rompt* par son objet, elle le fait au contraire exister en le tendant vers un dehors.

C'est toujours *contre* quelque chose ou quelqu'un que l'on s'indigne ; on n'est pas crâne pour soi-même, à moins de se prendre pour son propre spectacle. C'est dire que, si la frénésie s'explique par un besoin de transcendance, la crânerie est une attitude pour autrui. Elle exaspère le moi pour tromper l'autre sur sa faiblesse véritable. Forme d'exhibitionnisme que ma plasticité choisit de revêtir pour mieux donner le change, la crânerie est en somme une entreprise d'intimidation dirigée contre la plasticité supposée de l'autre : mon insolence voudra lui faire mieux réaliser sa propre lâcheté. Elle provoque, sans donner comme la frénésie le désir de détruire, mais au contraire en mettant en mollesse : fort voisine en cela du désir sexuel qui est à la fois, comme on l'a vu, une tension et un affaissement d'être. Derrière cette provocation l'on devine des possibilités infinies de fusion sensuelle et la présence d'une plasticité toujours prête à vous accueillir en elle. C'est pourquoi, dans tout l'éclat heureux de sa crânerie, Rosanette est bien la femme selon la chair de Frédéric : « toute sa personne avait quelque chose d'insolent, d'ivre et de noyé qui exaspérait Frédéric et pourtant lui jetait au cœur des désirs fous [117] ». L'insolence est promesse d'ivresse, de noyade, et la crânerie n'est qu'une forme figée de l'impudeur.

Puisqu'il s'est avéré impossible de traverser la masse sensuelle et d'émerger en un vide qui se situerait au delà d'elle, c'est en elle qu'il va falloir me tenter maintenant de découvrir ou de créer l'hiatus, le commencement d'intervalle qui me permette de reprendre souffle et de revenir à moi. Mon ambition ne me porte plus alors à crever la totalité des formes, mais seulement à les décoller les unes des autres afin de m'en décoller moi-même. Distinguant en elles tout ce que le mouvement de ma jouissance avait confondu, j'essaierai de déchirer la trame de leur homogénéité. Dans l'indistinction originelle je choisirai de détacher quelques sensations distinctes que mon attention détaillera, et sur lesquelles elle s'appuiera ; je passerai ensuite de l'une à l'autre, ne m'attardant longtemps sur aucune d'entre elles : bref je serai comme un homme qui, pour éviter de s'enliser dans un marécage, sautille de pied en pied sur les petites pierres plates qui

117. *L'Education sentimentale*, p. 243.

gisent à sa surface et qui, sûres de s'enfoncer si je me reposais sur elles trop longtemps, peuvent pourtant me soutenir si je me contente de les effleurer par le mouvement ininterrompu de ma danse. Il s'agira de voltiger à la surface des choses, de se lancer latéralement de l'une à l'autre afin d'éviter de tomber en elles, ou avec elles : voltige qui ne deviendra possible que si quelques cailloux ont déjà émergé du marécage, si la grisaille de la jouissance originelle a éclaté, s'est dissociée en une série de sensations chatoyantes.

Cette danse de la conscience de sensation en sensation, et plus précisément ce perpétuel aller-retour d'une sensation à une autre sensation donnée n'est autre en effet que le chatoiement. Entre deux pôles fixes celui-ci établit un courant alternatif, crée un « champ », un espace libre. Il fait exister la surface en tendant sur elle une circulation infiniment rapide de contrastes et de reflets. Jetant l'œil de couleur en couleur, il lui interdit d'adhérer à aucune d'entre elles ; toute la forme verticale d'attraction de l'épaisseur matérielle s'y trouve vaincue par le va-et-vient horizontal du regard.

En même temps que Flaubert, les peintres impressionnistes, se décollant eux aussi de la pâte pleine, dissociaient la sensation globale en une multitude de petites sensations pures et contrastées : au lieu de s'engourdir sous la fascination de l'homogène ou du continu, le regard se mettait à courir de tache en tache pour finalement reconstruire de par son activité propre la forme et la structure de ces choses dont on lui donnait seulement l'indication. Le tableau impressionniste libère son spectateur de la tyrannie du passage, tout en lui permettant de revivre et de posséder ce paysage en pleine liberté recréatrice. Liberté qui eût été impossible sans la volatilisation préalable de la matière, et sans ces vides creusés entre chaque tache lumineuse, ou, procédé plus couramment employé, sans la séparation qualitative que suggère le contraste des couleurs. Chaque grain de nature renvoyant au grain voisin, l'univers impressionniste vit en une sorte de papillottement immobile, en suspension. Cette inconsistance qu'on lui a tant reprochée, il faut donc la considérer comme sa plus précieuse conquête, le signe que le peintre est parvenu à *aérer* la matière ; le chatoiement entame en effet d'une certaine façon l'opacité des choses, il est une transparence horizontale.

Ainsi s'expliquent tant de paysages flaubertiens où l'œil court de reflet en reflet, s'accroche à un détail, rebondit sur un éclat, s'arrête sur quelque particularité incongrue, mais refuse de voir les choses de haut ou de loin. Ainsi se comprend mieux le goût qu'eut toujours Flaubert pour toutes les formes sensibles ou morales de la bigarrure. L'étoffe *gorge-de-pigeon* qu'il aima au point d'en revêtir toutes ses grandes héroïnes, Emma, Marie, Salammbô, Hérodias, et sur laquelle court toute une gamme de reflets moirés, peut être regardée comme symbolique de cette tendance profonde. Lorsque par exemple il va en Orient, c'est encore pour y retrouver la palpitation des contrastes : « On y rencontre des balles splendides, des existences gorge de pigeon très chatoyantes à l'œil, fort variées comme loques et broderies, riches de saletés, de déchirures et de galons [118]... » Variété riche d'enseignements moraux : car la loque nie la broderie, la déchirure disqualifie le galon. Renvoyant la conscience d'objet en objet, le chatoiement met la nature en contradiction avec elle-même, l'amène à procéder à son propre anéantissement. Force destructrice par conséquent : là où la modulation crée la forme par l'échelonnement des teintes, le chatoiement mine la couleur et la forme, suggère le vide. Mais c'est justement le vide qu'à travers lui Flaubert cherchait à découvrir : derrière les différentes manifestations éclatantes de l'existence gorge-de-pigeon, ou plutôt dans les intervalles créés par leur contraste, il aperçoit « au fond, toujours, cette vieille canaillerie immuable et inébranla-

118. *Corr.,* II, p. 253.

ble ; c'est là la base [119] ». Le chatoiement dévoile donc le néant des choses et l'imposture de leur apparente plénitude ; sous l'éclat de son mouvement contradictoire matière ou sentiments s'érodent, on soupçonne le rien. Voisin en cela de l'ironie : des deux côtés il s'agit de détruire le *sérieux* de la sensation et l'attraction originelle qui nous fait adhérer à elle : « Tout en irritant sa sensibilité par son imagination, il tâchait que son esprit en annulât les effets et que le sérieux de la sensation s'en allât rapide comme elle [120]... » Mais il suffit ici d'opposer la sensation à elle-même pour que son sérieux s'évanouisse ; les choses s'annulent sans que j'aie à intervenir. Et de fait l'existence gorge-de-pigeon amuse Flaubert sans le séduire ; elle est pour lui un spectacle beaucoup plus qu'une tentation. Il sait bien que tout l'éclat du bric à brac en masque seulement et en révèle la nullité.

L'on comprend dès lors combien furent mal avisés tous les critiques qui reprochèrent à Flaubert le *vide* de ses romans exotiques, *Salammbô* et *Hérodias*. C'est que tout ici *doit* sonner creux. L'Orient est un vaste bazar sur fond de néant. Races, civilisations, traditions s'y côtoient dans l'incohérence et l'hostilité ; chacune y flambe de son éclat le plus particulier pour venir se heurter contre l'éclat de la voisine : tout se coudoie sans se mêler et sombre finalement dans une cacophonie barbare. L'armée des mercenaires représente ainsi une parfaite image de l'hétérogénéité pure ; elle miroite de toute la variété de ses facettes ; mais ce miroitement fait son inconsistance, et le bloc compact des citoyens de Carthage la vaincra finalement pour avoir su s'insérer entre ses trous, utiliser ses divergences et le manque d'unité qui constituait cependant sa splendeur. Plus caractéristiques encore les 50 pages d'*Hérodias* où Flaubert s'amuse à faire cliqueter les uns contre les autres les divers accents juifs et romains, les Dieux,

119. *Corr.*, **II**, p. 253. — 120. *Première Education sentimentale*, p. 242.

les préjugés, les traditions obscures. Prodigieuse mosaïque raciale et sociale dont Renan lui-même apprécia la richesse. Dans l'excitation du grand festin donné par Hérodias chacun vient hurler sa revendication particulière ; on s'insulte sans se comprendre, et nul ne se soucie d'ailleurs d'essayer de comprendre ; aucun interprète, c'est le triomphe de la vocifération pure. Spectacle à la fois magnifique et risible, énorme arlequinade dont rien finalement ne demeure qu'un étourdissement dégoûté. Retour de Carthage, Flaubert déclare qu'il est « comme s'il sortait d'un bal masqué de deux mois [121] ».

Et ce bal fait tourner la tête. « J'ai la tête confuse »... ajoute-t-il. Terre du néant et de la bigarrure, l'Orient est aussi la terre de l'opium, son opium le plus puissant étant peut-être celui de la bigarrure et du néant :

« On se dérange pour voir des ruines et des arbres ; mais *entre* la ruine et l'arbre, c'est tout autre chose que l'on rencontre, et de tout cela, paysages et canailleries, résulte en vous... une sérénité rêveuse qui promène son regard sans l'attacher sur rien... Pleine de couchers de soleil, de bruits de flots et de feuillages, et de senteurs, de bois et de troupeaux, avec des souvenirs de figures humaines *dans toutes les postures et les grimaces du monde,* l'âme, recueillie sur elle-même, sourit silencieusement en sa digestion, comme une bayadère engourdie d'opium [122]. »

Multiplicité, contrat, chaos d'images : à force de se promener dans le bruissement et le scintillement des formes, la conscience succombe à cette promenade même ; elle s'endort dans son propre mouvement.

Tel est cet « étourdissement du paysage » dont parle si souvent Flaubert, et qui ressemble un peu au vertige que le spectateur novice peut ressentir devant tel ou tel tableau impressionniste : à force de faire papillotter le

<hr>

121. *Carnets, Notes de Voyage,* II, p. 347. — 122. *Corr.,* p. 290.

regard, la vibration finit par l'épuiser. Formes et couleurs vont s'entrechoquer, se mêler, chavirer. Ainsi Félicité, l'héroïne d'*Un cœur simple,* est, la première fois que des amis l'emmènent à la foire de Colleville, « étourdie, stupéfaite par le tapage des ménétriers, les lumières dans les arbres, la bigarrure des costumes, les dentelles, les croix d'or, cette masse de monde sautant à la fois [123] ». Trop de choses différentes viennent assaillir en même temps sa sensibilité habituée aux rythmes lents de la terre. Mais ce n'est point là simple phénomène d'inaccoutumance : les sensibilités les plus raffinées y sont aussi bien exposées. Ainsi Frédéric, sur les Champs-Elysées, occupé à regarder « les étriers d'acier, les gourmettes d'argent, les boules de cuivre (qui) jetaient çà et là des points lumineux entre les culottes courtes », sent sa conscience l'abandonner peu à peu : « Il se sentait perdu comme dans un monde lointain. » Ailleurs, avec Rosanette, devant des « figures qui se succédaient avec une vitesse d'ombres chinoises », il éprouve « une sorte d'hébétude ». Et la « gorge-de-pigeon » morale produit des effets engourdissants très analogues. Frédéric et Hussonet, après avoir assisté au sac des Tuileries par les insurgés de Février 1848, se retirent « accablés » dans le jardin des Tuileries, « pour respirer plus à l'aise » ; « ils s'assirent sur un banc, et ils restèrent pendant quelques minutes les paupières closes, tellement étourdis qu'ils n'avaient pas la force de parler ». Accablés par le spectacle de la pauvreté venant piétiner le luxe, étourdis par le mariage trop violent de contrastes que l'émeute réalise de force sous leurs yeux.

Le monde toutefois où s'affirment le mieux les prestiges et les dangers de l'existence gorge-de-pigeon demeure évidemment le monde du bal. A l'Alhambra ou chez Rosanette, comme en un tableau de Monet ou de Renoir, le bal chatoie en spirale ; à l'éclat de la bigarrure il ajoute la force noyante du tournoiement : chez Rosanette,

123. *Un Cœur simple,* p. 7.

tout détail finit par disparaître dans le jeu des contrastes et l'emportement des mouvements : « tout s'agitait dans une sorte de pulvérulence lumineuse ». Frédéric essaie de s'y retrouver, « il cligne les yeux pour mieux voir » ; mais en vain. Tout redevient poussière, et la conscience retombe dans l'indistinction première d'où le chatoiement avait voulu la tirer ; la juxtaposition trop rapide des couleurs les plus éclatantes y recrée le gris originel : ainsi tant de tableaux impressionnistes évoquent seulement un monde que l'on croirait délavé, dépoli. Une division excessive y a reconstitué l'homogène.

Il faut donc finalement reconnaître dans l'existence gorge-de-pigeon l'une des formes les plus subtiles que puisse revêtir la tentation sensuelle : cette pulvérulence lumineuse fait chavirer les âmes tout aussi sûrement que l'éclat d'une chair de femme ou l'attrait matériel d'un bel objet. Le plus souvent, d'ailleurs, elle accompagne et orchestre les autres tentations : en même temps qu'il se laisse aller au vertige de la danse. Frédéric « hume les molles senteurs des femmes qui circulaient comme un immense baiser épandu ». Bientôt le champagne va jaillir, éclabousser les convives, mettre le comble à toutes les ivresses. Et quand Frédéric se présente chez Madame Dambreuse, qui deviendra bientôt sa maîtresse, ce sont toutes les nuances possibles de chatoiement que Flaubert charge d'évoquer un climat d'engourdissement sensuel :

« ... Et les blanches *scintillations* des diamants qui tremblaient en aigrettes dans les chevelures, les *taches lumineuses* des pierres étalées sur les poitrines, et l'éclat *doux* des perles accompagnant les visages, *se mêlaient* au *miroitement* des anneaux d'or, aux dentelles, à la poudre, aux plumes, au *vermillon* des petites bouches, à la *nacre* des dents. Le plafond arrondi en coupole donnait au boudoir la forme d'une corbeille ; et un courant d'air parfumé circulait sous le *battement des éventails* [124]. »

124. *L'Education sentimentale,* p. 229.

Tout palpite et se reflète, et jusqu'au « murmure des voix féminines » qui « faisait comme un caquetage d'oiseaux ». Tout invite au laisser-aller du désir.

Défaite aisément prévisible : le chatoiement nous avait trompés sur ses véritables pouvoirs : loin de créer le vide, il l'exige au contraire comme condition préalable. Sans idée première du néant, pas d'intuition de la bigarrure : l'Orient fournit seulement à Flaubert l'illustration d'un nihilisme né sous de tout autres cieux. Et ce néant, ce n'est qu'une conscience déjà libérée qui avait pu l'introduire dans les choses. Le chatoiement n'existe donc, il ne subsiste sans m'engourdir que si je me refuse en profondeur aux deux éléments entre lesquels il se déploie. Il est un jeu de mon détachement tout autour de l'intervalle. C'est ce que l'on aperçoit bien dans le texte de l'*Education Sentimentale* qui décrit l'étrange conduite de Frédéric à l'égard de ses deux maîtresses :

« Il répétait à l'une le serment qu'il venait de faire à l'autre, leur envoyait deux bouquets semblables, leur écrivait en même temps, puis *établissait entre elles des comparaisons ;* il y en avait une troisième toujours présente à sa pensée. L'impossibilité de l'avoir le justifiait de ses perfidies, qui avivaient le plaisir en y mettant de l'alternance [125]... »

Alternance qui paraîtrait absurde si Frédéric aimait vraiment l'une d'entre elles, ou même s'il les aimait toutes les deux : mais cette « troisième toujours présente à sa pensée », aimée avant et davantage que les autres, lui donne la liberté de voltiger de l'une à l'autre. Elle est comme l'intervalle vrai dans lequel joue le mouvement de son infidélité. Mais ce n'est pas la comparaison ni l'affrontement de ses deux maîtresses actuelles qui rappellent à son cœur le souvenir du « vieil amour ». C'est ce souvenir au contraire qui, comme un vide toujours présent, rend possible le jeu de l'alternance. Comment ce

125. *L'Education sentimentale,* p. 557.

vide a-t-il été creusé ? C'est ce que nous apprendra l'*Education sentimentale*.

L'éducation sentimentale de Frédéric Moreau consiste seulement dans l'acceptation de cette vérité qu'il lui est impossible d'avoir la seule femme qu'il lui soit possible d'aimer. Entre elle et lui s'étend en effet une distance, aimantée certes par le désir, mais toujours maintenue par une interdiction mystérieuse. Tantôt c'est elle qui se refuse ; tantôt c'est lui qui s'écarte ; ou bien, quand on croit qu'ils vont enfin se rejoindre, c'est le hasard qui par deux fois intervient pour les séparer. Le maintien de cet intervalle n'est cependant pas dû à une faiblesse de l'attraction réciproque : entre eux la tentation demeure toujours présente ; Madame Durry a même montré, en une série de belles analyses, comment, dans les premières esquisses du livre, Marie devait devenir la maîtresse de Frédéric, et que c'était au terme d'un long effort d'arrachement à la double facilité sensuelle et réaliste que Flaubert avait séparé l'un de l'autre ses deux amants et découvert l'idée centrale d'un amour non réalisé : « cette ébauche ne l'idéalise (Marie Arnoux) que peu à peu, et comme la retenant toujours au seuil de ce qu'elle sera. Telle qu'en elle-même le roman la changera pour toujours, elle aura été découverte par les efforts têtus de Flaubert pour arriver à la vérité de ses personnages [126]... » Vérité qui se construit et à laquelle Flaubert ne parvient qu'après un dur travail sur lui-même. Vérité qui contient aussi une moralité : il faut résister à la pente de son désir.

Aussi l'*Education Sentimentale* est-elle d'abord le roman de l'absence, d'une réalité qui se dérobe et dont le héros finit par accepter qu'elle doive toujours lui échapper. Autant Emma Bovary « était là », autant Marie Arnoux reste lointaine. Frédéric passe sa vie à l' « espérer » et à l'attendre, à la chercher, à essayer de la rejoindre à travers des objets ou des personnages qui jouent pour

126. *Flaubert et ses Projets inédits*, p. 199.

lui le rôle d'intermédiaires, d'intercesseurs. Cette poursuite devient parfois hallucinée : ainsi dans l'épisode où, de retour à Paris, il pourchasse de café en café le citoyen Regimbart pour lui demander la nouvelle adresse des Arnoux ; ces salles anonymes et vides, où s'éternise son attente et où semble s'étirer toute l'absurdité de sa vie, nous sont comme l'image de tous les échecs successifs que doit traverser sa quête. Car s'il finit par découvrir Regimbart, jamais il n'atteindra Marie Arnoux. Personne, pas même le lecteur, ne peut directement saisir ce qui fait son essence. On l'entend bouger derrière une cloison, on regarde son profil derrière une tenture : on ne peut jamais posséder que son écho ou que son ombre. Paravents, éventails, abat-jour, sa maison est pleine d'objets qui s'interposent. Alors que chez la Maréchale l'escalier donne directement dans le cabinet de toilette, que chez Madame Dambreuse le salon mène droit au boudoir, que chez toutes deux la politesse conduit tout naturellement, avec seulement quelques différences de *tempo,* à la familiarité charnelle, tout chez Madame Arnoux s'abrite derrière des cloisons et des voiles. Des portes se closent, des rideaux tombent, on voit glisser un bout de jupe, on sent la trace d'un parfum ; tout se referme et se retire dans la pénombre où elle aime à dissimuler son visage. On dirait qu'elle protège un secret. Et le coffret toujours fermé qui passe d'elle à Rosanette, puis que Madame Dambreuse veut acheter à la vente aux enchères, figure admirablement cette part interdite, ce trésor que nul n'est jamais admis à contempler au grand jour. Ouvrir le coffret équivaudrait dès lors à un viol, une profanation ; et c'est bien la raison pour laquelle Madame Dambreuse veut se le procurer, la raison aussi pour laquelle Frédéric rompt avec elle. Il ne peut consentir à la destruction, même symbolique, de ce vide sur lequel sa vie tout entière s'est fondée.

Mais le vide est en soi tout le contraire d'un appui ; la pudeur refuse toute prise. Il faudra donc que le mou-

vement du désir se heurte à une réalité solide qui, tout
en lui indiquant la vanité de son élan, lui prête cependant un soutien provisoire : ce sera le vêtement et, d'une
façon plus générale, l'enveloppe matérielle de la femme
aimée.

On sait que Flaubert se délecta toute sa vie à noter
les détails d'un costume, l'éclat ou le grain d'une étoffe ;
le vêtement lui procure une jouissance singulière. Mais
cette jouissance change complètement de nature selon
l'orientation du désir qui la précède. Dans les cas les
plus ordinaires, ceux où le désir ne vise qu'à entrer en
contact avec son objet, le vêtement lui apparaît comme
la surface où il va bientôt se perdre ; il fait presque partie
de ce corps dont il constitue la promesse : le col velouté
du manteau de Léon annonce à Emma le vivant velours
de son cou. La sensualité, bientôt, ne distingue plus entre
l'habit et la chair que cet habit recouvre. Le héros de
Novembre fait par exemple craquer entre ses doigts la
robe de satin de sa maîtresse « avec un bruit d'étin-
celles » : « quelquefois, après avoir senti le velouté de
l'étoffe, je venais à sentir la douceur chaude de son bras
nu. Son vêtement semblait *participer d'elle-même*. Il exha-
lait la séduction des plus charmantes nudités [127] ». Le vêtement se dissout dans la chair dont il est l'exhalaison dernière : il n'a pas pour rôle de la contenir, de lui donner
forme ou dignité.

Dans le cas d'un désir qui se refuse à toute satisfaction,
le vêtement remplit une fonction exactement inverse :
protégeant ce que l'on s'interdit d'atteindre, il devient à
la fois un obstacle et une indication. « Il ne pouvait se
la figurer autrement que vêtue, tant sa pudeur semblait
naturelle et reculait son sexe dans une ombre mystérieuse [128]... » Le vêtement devenant comme l'affleurement
de cette ombre sacrée, le fétichisme vestimentaire apparaît l'une des conséquences les plus normales de l'amour

127. *Novembre*, p. 206. — 128. *L'Education sentimentale*, p. 99.

interdit : Madame Arnoux, qui refuse tout de sa personne, donne à Frédéric un gant, la semaine d'après un
mouchoir ; Léon, dans *Madame Bovary* dérobe lui aussi
un gant d'Emma. Tout se passe comme si le désir essayait
de se contenter en collectionnant des signes de ce qu'il
lui est défendu d'atteindre. Faute de se laisser absorber
par son objet, il se recueille dans la contemplation de
ces étoffes, qui sont comme une enveloppe solide grâce
à laquelle la chair anonyme deviendra un corps indivi-
duel. Car à la masse charnelle le vêtement donne une
surface, une forme. Flaubert dit qu'il l'*idéalise :*

« *Théorie du gant :* c'est qu'il *idéalise* la main en la
privant de sa couleur, comme le fait la poudre de riz
pour le visage. Il la rend *inexpressive,* mais *typique.* La
forme seule est conservée, et plus *accusée.* Cette couleur
factice s'harmonise avec la manche du vêtement, et sans
donner l'idée d'une nature autre (puisque le dessin est
conservé) met de la nouveauté dans le connu, et rapproche ainsi ce membre couvert d'un membre de statue.
Et cependant, cette chose anti-naturelle a du mouvement...
Rien de plus troublant qu'une main gantée [129]. »

Le gant arrête l'expression, l'attraction directe, l'empâtement réciproque du désir ; il protège de la nausée amoureuse en jetant sur la plasticité d'autrui le voile d'une
surface neutre. Il veut faire échapper à la mollesse de
l'anonyme par la rigidité du typique. Mais cette forme
typique conserve un pouvoir d'expression d'autant plus
dangereux qu'il est devenu indirect : derrière l'écran du
gant on devine quelque chose qui n'est ni la dureté morte
du marbre ni la mollesse vivante de la chair. Cette
« nature autre », à demi pierre, à demi femme, reste
animée d'une vie mystérieuse qui la rend infiniment trou-
blante ; c'est comme si la forme recélait en elle un principe caché qui dirigerait ses mouvements. Au glissement
du désir vers la matière ou vers la chair va donc se

129. *Notes de Voyage,* **II,** p. 363.

substituer une attitude très différente, irritation piétinante, sorte d'exaltation arrêtée, un sentiment de *curiosité* devant la forme. Je voudrais toujours voir *ce qu'il y a derrière* :

« Sa maison même n'était pas comme la maison des autres ; elle lui semblait un immobile costume qui cachait son existence ; et le rayon lumineux s'en échappant le soir, par la fente d'un volet, lui causait quelque chose de cette irritation que vous envoie silencieusement une prunelle par la découpure d'un masque noir.[130].. »

Regard jeté à travers un masque, mouvement d'un gant, c'est tout un : « Le masque a du mouvement par les yeux. » Et c'est ce mouvement, cette vie de la forme, ce principe qui la fait exister comme un être unique et différent de tous les autres, que la curiosité veut justement posséder. Ainsi, pour Frédéric, « le désir de la possession physique disparaissait sous une envie plus profonde, dans une curiosité douloureuse qui n'avait pas de limites... » Curiosité illimité, parce que tous les renseignements qui sembleraient devoir la satisfaire lui apparaissent comme autant de signes négatifs l'incitant à aller toujours au delà d'eux, vers le point central qui toujours se recule : « Quels étaient son nom, sa demeure, sa vie, son passé ? Il souhaitait connaître les meubles de sa chambre, toutes les robes qu'elle avait portées, les gens qu'elle connaissait [131]. » Mais lorsqu'il aura connu tous les détails de son intimité, ils ne lui auront encore révélé que sa pudeur, c'est-à-dire son absence. En elle s'indique : mais on ne peut pas la définir à la manière, par exemple, dont un personnage balzacien peut être approché et possédé de l'extérieur, par l'exploration de ses diverses enveloppes. C'est en creux que Marie Arnoux se moule dans les choses.

Mais il suffit que ce creux devienne un moule, et que ce moule s'offre à ma curiosité comme investi d'un sens

130. *Madame Bovary*, p. 275. — 131. *L'Education sentimentale*, p. 7.

caché pour que tout change dans mon attitude vis-à-vis de l'intervalle et dans la structure même de celui-ci. Entre le désir et son objet l'intervalle n'interpose plus maintenant une distance négative, l'équivalent d'une simple interdiction, mais il étend une profondeur positive, organisée, toute prête à accueillir le mouvement appréhensif de la passion. Tous les objets s'y disposent autour d'un axe orienté : cet être qui se dérobe a donné à toutes choses un sens, qui est le sens même de sa fuite. Puisque seule compte désormais la poursuite d'un secret dont l'univers tout entier est devenu la forme indicatrice, les choses n'auront plus de valeur en elles-mêmes, mais elles vaudront par relation, dans la mesure où chacune d'entre elles renverra à cette direction essentielle. Attaché à la seule jouissance, je m'égarais dans le fouillis des choses, mais consacré à la poursuite d'un seul être, chaque détail me renvoie vers mon but. Ainsi rêve Frédéric dans l'atelier de Pellerin :

« Ses yeux se portaient sur les écaillures de la muraille, parmi les bibelots de l'étagère, le long des torses... et, *tel qu'un voyageur perdu au milieu d'un bois et que tous les chemins ramènent à la même place,* continuellement, il retrouvait au fond de chaque idée le souvenir de Madame Arnoux [132]. »

A travers les choses, comme en filigrane, s'esquisse toujours le même profil. Tout devient transparent, le monde se dispose en perspective, s'incline selon l'appel d'une convergence irrésistible :

« Toutes les rues conduisaient vers sa maison ; les voitures ne stationnaient sur les places que pour y mener plus vite. Paris se rapportait à sa personne, et la grande ville avec toutes ses voix bruissait comme un immense orchestre autour d'elle [133]. »

Tous les sons de l'univers ont grâce à elle trouvé leur diapason. Autrefois discordants, parce qu'écoutés de près,

132. *L'Education sentimentale,* p. 78. — 133. *L'Education sentimentale,* p. 98.

ils se disposent en une harmonie parfaîte dès qu'on prend du recul. « C'est comme si on vous jetait tout endormi au beau milieu d'une symphonie de Beethoven, quand les cuivres vous déchirent l'oreille, que les basses grondent et que les violons soupirent. Le détail vous saisit et vous empoigne, et plus il vous occupe moins vous saisissez l'ensemble ; puis, peu à peu, cela s'harmonise et se place de soi-même avec toutes les exigences de la perspective [134]. » Il suffit donc de s'éveiller, c'est-à-dire de s'ouvrir à la compréhension d'une réalité située au delà de la sensation immédiate, pour que dans le désordre originel se creuse un commencement d'harmonie. Le détachement, ou plutôt l'attachement à *autre chose*, aura changé le bruit en une musique.

Et c'est lui aussi qui, de façon analogue, transforme la succession de tous les instants vécus en une durée cohérente. Car en un certain sens rien n'arrive à Frédéric ; sa vie se perd dans le glissement de l'insignifiance, dans le désordre de quelques petits et dérisoires plaisirs. Défaut de ligne droite, reconnaît-il lui-même à la fin du roman. Mais tous les petits événements où son existence semble se disperser viennent pourtant, chacun à sa place et à son moment, témoigner de la prééminence du moment premier et véritablement originel où Frédéric a rencontré Madame Arnoux, et par rapport auquel tous les épisodes ultérieurs de sa vie auront été vécus. A partir de cette minute aucun progrès possible, puisque l'être y a été d'un seul coup mis en possession de sa vérité. Mais le temps n'a pas seulement pour rôle de conserver en lui le souvenir de cette révélation : son écoulement sert à rendre chaque jour cette vérité plus intime et plus profonde, à la rendre plus vraie par la fidélité de Frédéric à la reconnaître et à la vouloir telle. Il ne peut plus, ne désire même plus adhérer à son présent ni se projeter vers un futur : au cœur de chaque plaisir ou de chaque ambition

134. *Corr.*, II, p. 148.

il retrouve la même viduité, due à la persistance d'un passé dont l'absence a plus de réalité que leur présence. Bientôt il n'éprouve plus que pour ressentir ce vide ; c'est par rapport à lui que sa destinée s'ordonne, prend forme. Présent, futur se moulent sur ce creux toujours passé. L'être y vit dans le culte de ses horizons rétrospectifs.

C'est bien en effet leur horizon qui donne maintenant un sens aux paysages et aux vies. Sens élusif puisque cet horizon échappe ; mais à travers l'appréhension qu'on a de lui on parvient à posséder, plus pleinement que lorsqu'ils s'offraient dans leur premier désordre, tous les moments et les objets que l'on doit traverser pour l'atteindre. « Tout ce qui était beau, le scintillement des étoiles, certains airs de musique, l'allure d'une phrase, un contour, l'amenaient à sa pensée d'une façon brusque et insensible ». Marie Arnoux se situe au-delà de toutes ces sensations heureuses, mais elle demeure en elles cependant, comme à la limite de leur beauté. Elles constituent sa métaphore. Et l'être se déplace dès lors dans un univers entièrement allégorique dont tous les éléments renvoient à un unique sens, qui leur confère en retour leur valeur :

« Les autres femmes, pour lui (Charles Bovary), tenaient à présent plus de place dans le monde. Espacées çà et là à des plans secondaires différents, elles se rattachaient toutes à Mademoiselle Rouault par des rapports de figure, d'attitude, ou de costume... Elles lui renvoyaient à son point de départ son désir rebondissant. *C'étaient comme des escaliers* par où sa rêverie, les yeux fermés, descendait jusqu'à elle [135]. »

Le détachement a donc abouti à rendre en bloc, et sous la forme d'un ensemble harmonieux, étagé selon la déclivité propre du bonheur, la possession de tous les biens dont on avait refusé en détail la jouissance. Ils sont restitués à la délectation, dotés toutefois de la dimen-

135. *Madame Bovary,* p. 164.

sion supplémentaire que leur confère leur relation toujours maintenue avec l'essentiel. Charles s'éveille au charme de toutes les femmes grâce à son amour pour Emma ; et c'est à travers Marie que Frédéric aime Paris. L'univers devient son complice : « Le large trottoir, descendant, facilitait sa marche, la porte tournait presque d'elle-même ; et la poignée, lisse au toucher, avait la douceur et comme l'intelligence d'une main dans la sienne [136]. » Les choses s'inclinent selon le désir que l'on a d'elles, elles se pénètrent d'intelligence et de sympathie : amies, presque humaines.

Rien de plus vertigineux cependant, malgré ces sympathies, que l'entraînement d'une perspective fuyante : lancé à la poursuite de Regimbart, Frédéric succombe à un malaise assez semblable à celui qu'on éprouve dans les cauchemars où l'on se sent tomber sans fin dans un vide sans fond. Il connaît le mal de l'absence, le malheur d'un désir auquel rien d'extérieur ne vient répondre. Tout, au contraire, se rétablit si à son mouvement vers le point de fuite répond, à partir de ce point, un mouvement en sens inverse qui remonte la pente de la perspective, et lui annonce que son appel a été entendu. Quelque chose semble alors couler à sa rencontre, un fluide dont on ne saurait dire s'il est spirituel ou matériel : la femme aimée semble irradier. Effet presque physique du bonheur : Frédéric n'atteint jamais Marie, mais il vit dans son *atmosphère*. Il baigne tout entier dans le rayonnement de sa tendresse : « quelque chose d'elle circulait encore autour de lui ; la caresse de sa présence durait encore [137]... » Sa présence caresse sans qu'il ait même besoin de l'effleurer : l'espace est devenu le milieu communicant à travers lequel s'établit un mystérieux contact à distance. Et l'on voit Flaubert multiplier les métaphores — vapeur, fumée, parfum, transpiration, exhalaison — pour tenter de traduire

136. *L'Education sentimentale,* p. 54. — 137. *L'Education sentimentale,* p. 269.

l'incompréhensible phénomène en vertu duquel un être absent peut, de toute la profondeur de son absence, nous devenir d'une certaine façon présent. Léon, par exemple, qui fait ses études de droit à Paris, éprouve encore le rayonnement d'Emma : lointaine comme un soleil couché derrière l'horizon, elle ne l'a pourtant pas quitté et vient réchauffer sa vie :

« La figure de cette femme lui semblait envoyer de loin sur sa vie présente une *réverbération,* comme ces soleils couchants qui allongent au ras du sol jusqu'à vous leurs ondoiements lumineux, tout pleins de magnificence et de mélancolie [138]... »

Admirable métaphore qui marque à la fois le caractère atténué, feutré de ce contact, et la transfiguration qu'il apporte aux vies les plus médiocres : les rayons s'allongent au ras du sol, grandissent les moindres détails du paysage ; tout s'étire et se magnifie dans « l'allongement de perspective que le souvenir donne aux objets [139] ».

Car .c'est aussi bien un intervalle temporel que cette réverbération traverse. Emma appartient au passé de Léon, et c'est du fond de ce passé que parvient jusqu'à lui son émanation. Tel est sans doute le sens de la fameuse « vapeur d'or », du halo sacré qui continue de flotter, dans la mémoire de Flaubert, autour de ses fantômes les plus chers. A travers elle son passé lui « tend les bras [140] ». Et cette vapeur peut aussi bien s'exhaler d'un passé qui ne lui appartienne plus en propre : on peut parfois entrer en communication avec les siècles les plus lointains grâce à la transmission d'un certain parfum historique. Quand Frédéric se promène avec Rosanette dans le château de Fontainebleau, il lui semble ainsi que tout le siècle de François Iᵉʳ remonte lentement du fond de ces grandes murailles vides, et que cette vie morte a gardé

138. *Madame Bovary,* p. 478. — 139. *Madame Bovary,* p. 142. — 140. *Corr.,* **VI,** p. 426.

le pouvoir d'envoyer jusqu'à lui l'écho de ce qu'elle a été. Il se prend à rêver à Diane de Poitiers comme il pourrait au même instant rêver à Madame Arnoux lointaine : « Tous ces symboles confirment sa gloire, et il reste quelque chose d'elle, une voix indistincte, un rayonnement qui se prolonge... » Présence reculée qui suffit à le faire tomber dans une « concupiscence rétrospective et inexprimable ». C'est presque matériellement qu'il se sent alors hanté par ces fantômes : « Il songeait à tous les personnages qui avaient hanté ces murs... Il se sentait enveloppé, coudoyé par ces morts tumultueux [141]. » Dans le temps comme dans l'espace il n'est donc pas interdit de saisir un « rayonnement prolongé » des êtres dont on pouvait se croire le plus irrémédiablement séparé : cette « exhalaison des siècles, engourdissante et funèbre comme un parfum de momie », n'est qu'une forme de l'exhalaison des êtres inaccessibles. Autrefois gelé comme une vitre, l'intervalle s'anime grâce à elle d'un reste de chaleur ; et si le héros charnel, affamé d'un contact plus ardent, trouve « qu'on ne se chauffe pas avec les étoiles [142] », libre à lui de se jeter dans le cycle infernal des gourmandises : celui qui est parvenu au bout de son éducation sentimentale a appris à se contenter de cette tiédeur lointaine, en laquelle il sait reconnaître le signe, l'offre d'une pudeur.

L'impudeur veut au contraire l'immédiat ; elle se jette au contact direct des choses, et n'a donc pas pouvoir de construire une perspective ni d'exhaler une atmosphère. Quand Frédéric, « afin de distraire son désir », demande à Rosanette si elle n'aurait pas voulu être Diane de Poitiers, il doit bien vite se rendre à l'évidence : on ne remplace pas une absence par une présence, et la seule

141. *L'Education sentimentale*, p. 461-463. — 142. *Madame Bovary, Ebauches*, I, p. 462.

vertu de Rosanette est justement d'être totalement et immédiatement présente, imperméable à toute nostalgie. C'est elle que Flaubert charge, face à la pudeur de Madame Arnoux, d'incarner la plénitude impudique de la nature et de la chair. Tout, autour d'elle, s'épaissit, devient plus dru, et les paysages eux-mêmes. Quand elle se promène avec Frédéric dans la forêt de Fontainebleau, les arbres se gonflent en un mouvement puissant de luxuriance. Dans tous les sens, tout s'étale et s'amasse :

« Le ciel d'un bleu tendre, arrondi comme un dôme, s'appuyait à l'horizon sur la dentelure des bois [143]... »

Ciel tendre, mais sans transparence, et qui, par l'effet de son propre poids, vient doucement s'affaisser sur l'horizon. Tout s'appuie sur tout : aucun hiatus entre les divers éléments du paysage, aucun trou vers un lointain fuyant dont la perspective pourrait me décoller de la sensation actuelle. Point d'appel d'air :

« ... des petits sentiers courbes, en se perdant dans les feuilles, donnaient envie de les suivre ; au même moment le cheval tournait, ils y entraient, on enfonçait dans la boue [144]. »

Virage qui assouvit sur le champ tout commencement de désir : le chemin n'a pas même eu le temps d'inviter à la promenade que celle-ci déjà s'y est enfoncée, l'a bouché. La sensation heureuse adhère aux choses, circule de l'une à l'autre en glissant dans leur homogénéité. Pour elle l'objet lointain ne se situe pas dans l'inaccessible : on arrive à lui par une série de transitions insensibles :

« Alors d'énormes flots verts se déroulaient en bosselages inégaux jusqu'à la surface des vallées, où s'avançait la croupe d'autres collines, dominant des plaines blondes, qui finissaient par se perdre dans une pâleur indécise [145]... »

En un effet analogue, l'un des plus beaux passages « charnels » de la première *Madame Bovary* nous montre

---

143. *L'Education sentimentale*, p. 469. — 144. *L'Education sentimentale*, p. 465. — 145. *Ibid*, p. 466.

les collines distantes estompées dans un brouillard qui « allait de plus en plus s'épaississant et finissait par se confondre avec la solidité des terrains [146] » : ce brouillard et cette pâleur, grâce à la suite onduleuse de tous les intermédiaires qui relient continûment à eux, demeurent à portée de la main : lointains, mais immédiats. Pour Rosanette, comme pour Emma heureuse, il est donc vrai de dire que, « tous les plans de son horizon s'étant ainsi rapprochés, elle palpait ses rêves avec la paume de ses mains ».

Mais dès qu'apparaît Marie Arnoux, avec ses « yeux grands comme des soupiraux de cave et vides comme eux [147] », dont se moque évidemment Rosanette, les paysages prennent une dimension nouvelle. Car si la beauté de Rosanette « n'était peut-être que le reflet des choses ambiantes [148] », l'effet de contagion de leur foisonnement, la beauté de Madame Arnoux tient au contraire à ce que quelque chose part d'elle qui s'en va rayonner sur les choses : elle est une source de lumière, un principe d'ordre. Sa seule présence oriente et agrandit les paysages :

« L'univers venait tout à coup de s'élargir ; elle était le point lumineux où l'ensemble des choses convergeait [149]. »

C'est sur le bateau de Paris à Nogent que Frédéric reçoit la première révélation de ce pouvoir transfigurateur. Jusqu'à ce qu'elle apparaisse, tout s'était traîné, engourdi dans le mouvement horizontal du navire ; le paysage était écrasé par la verticalité pesante du soleil, « le soleil dardait d'aplomb » ; des écrans de feuillage arrêtaient à chaque instant la fuite du regard, fermaient le paysage : « A chaque détour de la rivière on retrouvait le même rideau de peupliers pâles. » Tout semblait coagulé, suspendu dans l'immobile : « La campagne était

146. *Madame Bovary,* Ed. Pommier, p. 356. — 147. *L'Education sentimentale,* p. 589. — 148. *L'Education sentimentale,* p. 469. — 149. *L'Education sentimentale,* p. 12.

toute vide. Il y avait dans le ciel de petits nuages blancs arrêtés — et l'ennui, vaguement répandu, semblait alanguir la marche du bateau, et rendre l'aspect des voyageurs plus insignifiant encore. » Monde clos et homogène, sans fêlure, où le mouvement ne pouvait être ressenti que comme un déroulement monotone : « les deux rives filèrent comme deux larges rubans qu'on déroule. »

Mais voici qu'avec l'apparition de Madame Arnoux l'ennui se dissipe soudain, le paysage s'ouvre latéralement, verticalement, en profondeur, et qu'il invite, dans toutes les directions, au départ vers la distance :

« Une plaine s'étendait à droite ; à gauche un herbage allait doucement rejoindre une colline où l'on apercevait des vignobles, des noyers, un moulin dans la verdure et de petits chemins au delà, formant des zigzags sur la roche blanche qui touchait au bord du ciel. Quel bonheur de monter côte à côte [150]... »

La pesanteur du soleil, la coagulation du ciel, le déroulement des rives, toutes ces forces hostiles à l'expansion personnelle se trouvent maintenant dépassées par le délicieux mouvement de conquête qui progresse de forme en forme et s'achemine peu à peu vers un horizon dégagé. Plus rien de l'ondulation molle qui, glissant de colline en colline, finissait, dans la forêt de Fontainebleau, par annuler le lointain. L'œil se délecte à sauter de repère en repère, puis à suivre ces petits chemins sinueux qui débouchent sur un au-delà ; le ciel ne se pose plus sur l'horizon comme une coupole ; le mouvement s'est inversé et c'est la terre tout entière qui se dirige vers le ciel. La simple présence de Madame Arnoux a délivré les choses de l'étouffement où les avait plongées leur coagulation ou leur luxuriance : on a l'impression de parvenir enfin à l'orée d'une forêt, à ce moment où tout s'ordonne en fonction d'un grand vide pressenti.

Faisons un pas de plus : que le regard ose aller jus-

150. *L'Education sentimentale*, p. 10.

qu'au bout de l'horizon, qu'il monte le petit chemin sinueux, et qu'il continue de monter encore au moment où le petit chemin s'arrête, et le héros flaubertien se retrouvera en train de marcher dans le vide lui-même : miracle que réalise en effet son absorption dans le bonheur. Le fantastique tout particulier de l'*Education Sentimentale* tient à ces moments de détachement surnaturel où les êtres, délivrés de tout souci terrestre, affranchis de toute pesanteur, se mettent à flotter librement au niveau aérien de leur rêverie ou de leur espérance. Et ce n'est pas l'ivresse du vol qui les possède alors : simplement la tranquillité d'un promeneur dont les pieds auraient cessé d'effleurer la terre. Phénomène de lévitation heureuse où tous les gestes deviennent merveilleusement faciles, d'une aisance qui fait songer à celle des somnambules :

« Frédéric alla de l'estaminet chez les Arnoux comme porté par un vent tiède, et avec l'aisance extraordinaire que l'on éprouve dans les songes [151]. »

De même, quand Emma monte l'escalier du théâtre de Rouen où l'on va jouer *Lucie de Lamermoor,* les marches lui en apparaissent « larges et basses », et « elle arrive jusqu'en haut sans qu'il lui eût semblé qu'elle eût fait un mouvement, comme dans les rêves où il vous semble qu'un *gonflement intérieur* vous fait voler dans les airs [152] ». La dilatation intérieure du bonheur a provoqué une volatilisation des choses ; le monde devient irréel et lointain :

« A cause du pavé glissant, ils oscillaient un peu ; il lui semblait qu'ils étaient tous les deux comme bercés par le vent, au milieu d'un nuage [153]. »

Vie suspendue, nébuleuse, coupée de tout contact avec l'inférieur : vie à demi rêvée. L'invasion, puis la négation de la réalité par le rêve, tel est le thème de cet étrange roman de *la Spirale,* dont Flaubert n'a laissé que le

151. *L'Education sentimentale,* p. 155. — 152. *Madame Bovary,* p. 467. — 153. *L'Education sentimentale,* p. 96.

schéma, et qui devait mettre en scène un homme chez qui « les heures de perception nette s'évanouissent et se fondent en un somnambulisme permanent. Un long et perpétuel rêve enveloppe finalement toute existence [154] ». Projet, on l'a bien vu, inspiré à Flaubert par la lecture de De Quincey [155]. Mais le même climat d'irréalité somnambulique et aérienne se retrouve à certains moments choisis de l'*Education,* où l'on a, selon l'heureuse expression d'un critique, « l'impression d'une vie à la fois plus intense et plus flottante et éphémère que la vie réelle [156] » : d'une vie privée de son impureté, livrée à la liberté des espaces imaginaires, transposée sur le plan de ce que Flaubert nomme l'*Idéal.*

Car tel a bien été finalement le but de l'éducation sentimentale : il s'est agi de maintenir ou de créer dans la plénitude des choses et des êtres, ou bien au-dessus d'elle, le vide qui en est la dimension idéale. Frédéric Moreau et Marie Arnoux n'y sont parvenus qu'en maintenant entre eux le mythe d'une grande passion interdite : mythe d'origine littéraire, qu'ils s'efforcent de vivre sur un plan littéraire. Elle ressemble « aux héroïnes des livres romantiques », et lorsqu'il lui dit son amour, il parle avec les mots d'un jeune héros romantique : « il me semble que vous êtes là quand je lis des passages d'amour dans les livres ». Toute leur entreprise baigne donc dans la littérature, et c'est grâce à leur respect de tous les poncifs littéraires, et d'abord de ce poncif central de la pureté amoureuse, qu'elle réussit finalement. Ce qu'il y a d'irréel en elle provient justement de l'irréalité de son inspiration. Emma Bovary, elle aussi, refusait le réel ; mais elle était trop profondément attirée par lui pour vivre en pure gratuité dans le monde de son imagination. Elle tâchait alors de faire coexister la rêverie romanesque avec la satis-

---

154. E. Fischer, *Etudes sur Flaubert, Inédit,* p. 124. — 155. Dimoff, *Revue d'Histoire Littéraire.* — 156. Demorest, *op. cit,* p. 531.

faction charnelle, gâchant le plus souvent l'une par l'autre, et perdant finalement sur tous les plans. Au lieu que Marie et Frédéric demeurent jusqu'au bout fidèles à la littérature : ils sont le modèle d'un bovarysme vrai. Et c'est cette fidélité à un idéal de fausseté dont partout ailleurs Flaubert se moque, qui finit par rendre cet idéal réel, et qui fait que pour eux le monde de l'illusion heureuse vient peu à peu recouvrir et transfigurer le monde de la banalité quotidienne. C'est en somme pour avoir cru à la littérature, c'est-à-dire à l'irréel, que Marie et Frédéric sont devenus des héros de roman : authentiques par leur obstination à maintenir l'inauthentique, vivants et magnifiquement réels dans la mesure où, comme leur créateur, ils ont réussi à refuser la vie.

3

« J'ai échoué. Quelques retouches que l'on donne à cette œuvre, elle sera toujours défectueuse ; il y manque trop de choses, et c'est toujours par l'*absence* qu'un livre est faible [157]. »

Flaubert parle ici de l'*Education* de 1845 ; mais la même remarque s'appliquerait plus valablement encore à la deuxième *Education Sentimentale*. On a bien en effet l'impression qu'à ce livre si dense, si riche d'expérience intime, il manque cependant quelque chose. Non point manque par omission ; c'est très volontairement au contraire que tout le roman s'est construit autour de cette idée d'une absence qui aurait une puissance créatrice, d'un vide positif. Mais pour valable que demeure l'aventure de Frédéric et de Marie Arnoux, il reste que leur refus réciproque les situe dans un climat si baigné de pudeur

157. *Corr.*, II, p. 343.

et de délicatesse, si raréfié, que certains besoins profonds de l'être flaubertien ne trouvent plus à s'y satisfaire. Du Bos, que sa propre frilosité rendait plus que tout autre sensible à ces tonalités voilées, a décrit en des termes admirables cette atmosphère de discrétion où l'ardeur profonde ne se laisse jamais que deviner. Mais Flaubert a besoin d'un contact plus cru avec les êtres et les choses ; une réussite fondée sur le seul détachement ne saurait pleinement le contenter. Dans la masse molle de l'existence l'éducation sentimentale a creusé un ordre *prospectif :* il faudrait voir maintenant si une éducation plus complète, s'en prenant directement à cette substance même, ne parviendrait pas à créer en elle les éléments d'une structure solide, d'un noyau dur sur lequel l'être pourrait ensuite se fonder. Dans la liquidité originelle il ne s'agira plus désormais de creuser un vide ordonnateur, mais de réaliser une certaine densité substantielle : telles seront, après un certain nombre de tentatives manquées, l'ambition et la réussite de ce qu'on pourrait appeler l'éducation artistique de Flaubert.

« La façade de briques était juste à l'alignement de la rue [158] » : entre la chaussée et la maison, aucune ouverture sur le possible. Les choses s'appuient si étroitement les unes aux autres que, de quelque côté qu'il se dirige, le désir se heurte au même bloc compact. Tout s'encastre dans tout, comme dans le paysage sensuel, avec pourtant cette différence essentielle que l'univers s'est maintenant pétrifié, et qu'au lieu d'absorber il repousse durement l'expansion personnelle. Telle est Emma à Tostes et à Yonville, abritée derrière sa fenêtre, et pour qui ses romans et la diligence de Paris sont les seuls indices de l'existence d'un autre monde. Tels aussi Bouvard et Pécu-

[158]. *Madame Bovary,* p. 63.

chet, cloîtrés dans leurs expériences ou cernés par l'hostilité de leur village. Monde tout entier dominé par un
accablant sentiment de claustrophobie. A Croisset une
éternelle lumière de fin d'après-midi abaisse le ciel, bouche
les horizons ; l'existence se borne, se fige en ennui ; et
sur les épaules courbées s'appesantit « toute la lourdeur
de la terre ». Flaubert y trouve son propre Défilé de la
Hache ; comme les mercenaires assiégés, il y rêve à des
évasions impossibles :

« Des hallucinations les envahissaient tout à coup ; ils
cherchaient dans la montagne une porte pour s'enfuir,
et voulaient passer au travers [159]... »

Mais dans le mur des choses aucune porte de sortie.
Jean Valjean, cerné lui aussi dans un cul-de-sac, parve-
nait, grâce à sa prodigieuse souplesse physique, doublée
d'un optimiste invétéré, à s'élever le long d'une paroi presque lisse, puis à sauter le mur et retrouver l'espace libre.
Mais sa pesanteur empêcherait le héros flaubertien de se
livrer à semblable gymnastique, et d'ailleurs il désespé-
rerait avant même d'avoir entrepris. Tout ce qu'il peut
faire alors, c'est se jeter contre l'obstacle, s'y meurtrir,
et retomber épuisé sur lui-même : semblable aux cerfs
que Saint Julien surprend, au cours d'une chasse, « dans
un vallon ayant la forme d'un cirque », et qui, sous la
grêle de ses flèches, « bondissaient dans l'enceinte, cherchant à s'échapper ». Mais « le rebord du vallon était
trop haut pour le franchir [160] ». Le rebord est toujours
trop haut chez Flaubert. Point de porte sur l'ailleurs. Le
prisonnier retombe dans sa prison.

Mais le thème de la prison demeure chez Flaubert d'une
curieuse ambiguïté. Car ces murs contre lesquels il se
cogne, c'est lui-même qui les a dressés autour de lui ;
et au moment même où il se meurtrit contre eux, il ne
voudrait pour rien au monde les abattre. Aucune tenta-

159. *Salammbô*, p. 36. — 160. *La Légende de Saint Julien
l'Hospitalier. Trois Contes*, p. 92.

précédé le sentiment, que chez Bouvard et Pécuchet l'idée
de l'idée vient avant l'idée elle-même. « Les héros flaubertiens », écrit fort lucidement Paul Bourget, « se sont
façonné une idée par avance sur les sentiments qu'ils
éprouvent. La pensée ici précède l'expérience au lieu de
s'y assujettir... La créature humaine, telle que Flaubert
l'aperçoit et la montre, s'isole de la réalité par un fonc-
tionnement arbitraire et personnel de son intelligence...
Toujours il attribue à la littérature, dans la plus large
interprétation du terme, c'est-à-dire à la parole ou à la
lecture, le principe du premier de ce déséquilibre. Emma
et Frédéric ont lu des romans et des poèmes. Salammbô
s'est repue des légendes sacrées que lui récitait Schaha-
barin... C'est le mal dont il a tant souffert qu'il a incarné
en eux, le mal d'avoir connu l'image de la réalité, l'image
des sentiments et des sensations avant les sentiments et
les sensations. C'est la pensée qui les supplicie [164] ». Jugement qui met bien en valeur le processus, constant en
effet chez Flaubert, d'anticipation littéraire, mais qui en
explique faussement les origines et les intentions. Cette
pensée qui précède l'expérience n'est nullement une pensée personnelle qui fonctionnerait « arbitrairement » dans
un détachement solipsiste : c'est au contraire une pensée
à demi consciente, souvent informulée, que l'être a été
chercher hors de lui, le plus souvent dans ses lectures,
sans participer à son élaboration par aucun effort intérieur. Il la reçoit comme une influence où le *je* s'inspire
du *on*. Et si cette inspiration s'avère finalement néfaste,
c'est pour son bien que l'être l'avait d'abord recherchée ;
le mal apparaît tel après les ravages de l'expérience, mais
au départ l'anticipation de l'abstrait sur le concret visait
seulement à garantir l'être contre les débordements redou-
tés du réel. La littérature fournissait en somme à la vie
sentimentale un certain nombre de catégories *a priori* où
celle-ci pouvait venir prendre forme, un peu à la manière

164. *Essais de psychologie contemporaine*, I, p. 117.

dont, dans la philosophie de Kant, les catégories du temps et de l'espace permettent aux phénomènes de se constituer en expérience sensible. Si tout s'était déroulé normalement, la vie aurait dû venir peu à peu remplir jusqu'à ras bord ses propres définitions, et l'être, se trouvant plongé dans une expérience prévue, décrite à l'avance et maintes fois vécue en imagination avant de l'être en réalité, y aurait éprouvé le sentiment d'une confirmation heureuse. Le sentiment réel viendrait se calquer sur le sentiment reçu.

De telles réussites, on le sait, ne sont pas exclues : l'*Education Sentimentale* est un bel exemple d'illusion non suivie de désillusion, d'une réalité qui se moule sur l'imaginaire. La foi dans un idéal premier, aidée par le hasard des circonstances, y a vaincu les évidences les plus criantes du quotidien. Mais cette foi ne peut pas toujours se maintenir intacte ; et cela d'autant mieux que l'attitude de Flaubert vis-à-vis des conformismes reste violemment contradictoire. Il les recherche mais les déteste, les prête à ses héros tout en voulant s'en affranchir lui-même, et sans doute afin de mieux s'en affranchir ; ils lui sont comme une tunique de Nessus dont on se demande s'il pourra la détacher de lui sans en même temps se déchirer et se détruire. Il accuse alors la réalité de mentir à son attente, constate avec amertume l'écart qui sépare le sentiment de son « idée », la sensation de son « image » et plus généralement la réalité de son expression. Il accuse les mots de lui avoir menti : est-ce donc là ce que l'on nomme amour, se demande Emma Bovary ? Est-ce là ce qu'on nomme science, demandent Bouvard et Pécuchet ? La plasticité de l'expérience a fait craquer les cadres que l'on avait voulu coller sur elle, et l'on se retrouve dans le désastre, l'innommable.

Emma se sent ainsi perdue au moment où elle aperçoit que le fait ne coïncide plus avec la notion qu'elle s'en était formée. Mais de cette désillusion elle ne devrait en fait accuser qu'elle-même ; car elle ne réalise cet écart que pour s'être un jour demandé s'il y avait vraiment coïncidence. Eût-elle joué jusqu'au bout le jeu romanesque, elle eût vécu ses amours comme de vraies amours livresques : mais elle doute, s'inquiète, elle essaie de se rassurer sur la réalité de son rêve, et elle tâche pour cela de le vérifier dans la vie, dans les choses. Bref elle fait des expériences, et ces expériences finissent mal, tout comme celles de Bouvard et Pécuchet, parce que l'illusion ne peut sans se détruire sortir de son propre domaine. Don Quichotte, héros favori de Flaubert, ne doute pas une seconde que les moulins ne soient de vrais géants : pourquoi vérifier ce qu'il *sait* être vrai ? L'exemple de Frédéric et de Marie montre bien lui aussi qu'il n'y a que la foi qui sauve. On ne peut en effet à la fois ordonner à sa plasticité de se couler dans certains moules, et lui rendre toute sa liberté pour voir si elle s'y coulera vraiment. Bref dans un monde illusoire ou littéraire, c'est le doute seul qui est mortel ; et il faudrait peut-être voir en *Madame Bovary* bien moins le procès de l'illusion romanesque que le procès d'un romanesque incapable de soutenir jusqu'au bout ses illusions. Procès d'un romantisme en qui vingt ans d'excès ont détruit le pouvoir de croire à ses propres fictions, d'une littérature réduite à s'avouer n'être que littérature.

Si l'on passe du sentiment à l' « idée reçue », on décèlera dans les attitudes de Flaubert la même ambiguïté, le même échec : il exècre la banalité, la bêtise, le bourgeois. Mais il passe la plus grande partie de son temps à collectionner les stupidités, les citations idiotes et à les grouper en un dictionnaire qui fut peut-être son œuvre préférée. C'est que, tout comme le sentiment romanesque, l'idée reçue le garantissait contre la fluctuation personnelle. Le *Dictionnaire des Idées reçues,* écrit-il, servira « à rattacher le public à la tradition, à l'ordre, à la convention générale. La bêtise consiste à vouloir conclure ». Mais quel repos aussi que d'enfermer en des conclusions, même stupides, tous les flottements d'une pensée éternellement inquiète ! Le lieu commun est une idée emprisonnée, la bêtise une pensée pétrifiée ; mais quel bonheur que de devenir granitique, de s'attacher par exemple à une pyramide :

« La bêtise est quelque chose d'inébranlable ; rien ne l'attaque sans se briser contre elle. Elle est de la nature du granit, dure et résistante. A Alexandrie, un certain Thompson, de Sunderland, a, sur la colonne de Pompée, écrit son nom en lettres de six pieds de haut... Il n'y a pas moyen de voir la colonne sans voir le nom de Thompson, et par conséquent sans penser à Thompson. Le crétin s'est incorporé au monument et se perpétue avec lui [165]. »

Sauvé le crétin, passé à l'éternel grâce au pouvoir pétrifiant de sa bêtise. Telle est la tentation du chemin tout tracé, du psittacisme à la manière d'Homais, ou plus simplement encore de la copie dans laquelle s'absorbent finalement Bouvard et Pécuchet. Ils copient pour se moquer, dira-t-on : mais plus encore pour s'accrocher à ce dont ils se moquent. Car la parodie est bien une forme d'adhésion, une façon détournée de vouloir la bêtise, c'est-à-dire la paix dans l'immobilité.

Cela ne s'aperçoit nulle part mieux que dans ces options politiques qu'on lui a si souvent et cruellement reprochées : là encore Flaubert essayait de se conformer. Au flot montant il opposait les structures fixes d'un ordre qui ne pouvait être que l'ordre bourgeois. Il voulait endiguer le progrès, cette eau, comme dit Hugo, « qui monte dans la nuit », et c'est pourquoi il s'attachait à soutenir, tout en les méprisant, les formes les plus mortes de l'immobilisme politique et social : intérieurement trop anarchique pour ne pas se vouloir férocement conservateur. S'il n'aime pas la révolution, c'est parce qu'elle menace de tout dissoudre : en 48, « d'elle-même, sans recours, la monarchie se fondait dans une dissolution rapide [166] ». Il verra dans la Commune une marée terrible qui risque

---

165. *Corr.*, II, p. 243. — 166. *L'Education sentimentale*, p. 410.

de tout emporter devant elle : d'où sa peur, ses insultes, et, une fois l'ennemi abattu, cette lâcheté provocatrice que préfigurait curieusement, dans l'*Education Sentimentale* de 1869, l'attitude du Père Roche à l'égard des insurgés de juin 48. Sans doute l'a-t-il haïe par tradition, intérêt, réflexe de classe ; mais il n'est pas interdit de penser qu'il la détesta bien davantage encore pour avoir reconnu dans ses déchaînements un équivalent figuratif de ses propres monstres. A tout prix il voudra arrêter, recouvrir l'océan : par peur de l'avenir, du possible, de toutes les formes encore inédites de la métamorphose, il souhaitera de s'en tenir à un présent coagulé.

Vœu d'ailleurs dérisoire, il s'en aperçoit tout le premier. Ni l'idée, ni l'opinion, ni le sentiment reçus ne peuvent donner à l'existence la forme ni la solidité qu'il avait espéré trouver en eux. Leur granit est un faux granit ; regardé d'un peu près, le voici qui devient eau mouvante :

« O France, bien que ce soit notre pays, c'est un triste pays, avouons-le. Je me sens submergé par le flot de bêtise qui le couvre, par l'inondation de crétinisme sous lequel il disparaît. Et j'éprouve la terreur qu'éprouvaient les contemporains de Noé, quand ils voyaient la mer monter toujours [167]... »

Lamento de l'amateur de bêtise qui se sent maintenant menacé par la marée montante des idées reçues, étouffé par le pullulement de son dictionnaire. La banalité n'est plus le mur d'appui de sa mollesse, elle devient elle-même une mer enlisante ; et, comme elle ne connaît point de bornes, on n'en trouve jamais le fond. « Le bourgeois est pour moi quelque chose d'*infini* [168]... » « Un néant fluide », disait aussi Gautier. Telle fut sans doute la signification du « Garçon », figuration mythique du bourgeois, projection illimitée d'une réalité bornée, qui finit par prendre pour le jeune Flaubert et ses amis une existence presque personnelle. Personnelle, mais beaucoup

167. *Corr.*, IV, p. 212. — 168. *Corr.*, I, p. 192.

plus qu'individuelle : « il possédait véritablement les amis de Flaubert, les affolait même [169]... » Car le Garçon contient tout, il est *hénaurme,* inépuisable ; il est le dieu de la bêtise, infini comme tous les dieux. Enormité sacrée : la supériorité d'Homais sur M. Prudhomme tient aussi à ce que son personnage se situe dans une banalité non point superlative, mais véritablement transcendante. Au-dessus de lui flotte quelque chose d'oraculaire, de delphique ; il est le porte-parole. Et c'est pourquoi il finit par donner le vertige, pourquoi Flaubert se laisse halluciner par sa bêtise, par toutes les bêtises : non seulement le préjugé n'a pas empêché le jugement, mais il a créé une tentation supplémentaire dans laquelle tous les jugements finissent par sombrer.

« Une création entière, irrévélée à elle-même, vivait sourdement sous ma vie ; j'étais un chaos dormant de mille principes féconds qui ne savaient comment se manifester, ni que faire d'eux-mêmes ; ils cherchaient leur forme et attendaient leur moule [170]. »

Tels sont les termes par lesquels Flaubert, âgé de vingt ans, décrivait une angoisse qui pouvait apparaître alors comme un phénomène d'adolescence, mais dont on sait qu'elle devait l'occuper jusqu'à sa mort. Angoisse du possible non réalisé : l'être se sent pris dans une épaisseur informe, qui réclame pourtant, du plus profond de son chaos, l'apparition, le salut d'une forme. Dans l'immobilité molle de l'ennui circulent mille principes de création et dort un pouvoir de fécondité qui n'attend qu'un signe pour se manifester au grand jour. Ces eaux premières sont donc moins des eaux mortes que des eaux mères. Leur engourdissement n'est que l'attente d'une révélation : et cette révélation d'elles-mêmes, cette occasion de réaliser en acte ce qu'elles contiennent en puissance, c'est l'*art* seul qui la leur pourra fournir. La création artistique équivaut donc pour Flaubert à une création de soi par

169. Goncourt, *Journal,* I, p. 249. — 170. *Novembre,* p. 180.

soi : chaque phrase, chaque paragraphe réussis le sortent
un peu plus du marécage, le promeuvent à l'existence
solide dont sa vie immédiate contenait en elle la promesse, mais qu'il était réservé à son seul travail de pouvoir finalement accomplir.

Travail qui devait donc, pour être fructueux, atteindre
aux profondeurs de l'être. Virtuosité, éloquence, brio, toutes ces formes de la facilité littéraire s'avèrent au regard
de lui aussi nuisibles qu'inutiles. Et pourtant Flaubert
résiste mal à leur appel. Il prétend par exemple « couler
la vraie nature des choses dans un moule cicéronien [171] »,
utiliser les mots comme des récipients à recueillir l'informe. « La plastique », c'est-à-dire l'opération par
laquelle la statue émerge d'elle-même de la pâte,

« devient de plus en plus impossible, avec nos langues
circonscrites et précises et nos idées vagues, mêlées, insai-
sissables. Tout ce que nous pouvons faire, c'est donc,
à force d'habileté, de serrer plus raides les cordes de la
guitare tant de fois raclées et d'être surtout des virtuoses,
puisque la naïveté à notre époque est une chimère [172]. »

Serrer le mot autour de l'idée vague, ou, comme il le
dit ailleurs, enlever « le ciment qui bavache entre les
pierres » : tel est le sens du fameux *corset* de la Bovary.
On aboutit alors à un style qui exagère l'acrobatie verbale pour masquer la confusion profonde. Style éclatant,
fait de tics verbaux, de cadences maintes fois éprouvées,
qui donne au lecteur et devait donner à son auteur des
satisfactions de surface, mais qui ne permet d'entrer en
possession d'aucune vérité intérieure [173]. Déplorer, comme
Flaubert le fait ici, la distance qui sépare l'idée vague
de l'expression précise, et la difficulté qu'il y a à les

---

171. *Corr.*, V, p. 414. — 172. *Corr.*, III, p. 264. — 173. C'est
ce style qu'il condamne lui-même chez Gautier (*Emaux et Camées*) :
« C'est éreinté, recherché, toutes les ficelles sont en jeu. On sent un
cerveau qui a pris des cantharides. Erection de mauvaise nature,
comme celles des gens qui ont les reins cassés... (*Corr.*, III, p. 4).
La dureté est ici artificiellement obtenue.

faire coïncider l'une avec l'autre, cela revient seulement à reconnaître les données mêmes du problème littéraire et toute l'étendue d'un vide que la progression intérieure du style se propose justement de combler. Se contentant de camoufler ce vide en jetant au-dessus de lui un pur réseau verbal, la virtuosité ne relève au fond que du chatoiement ; sur le plan de l'être, de l'être à créer, à joindre à lui-même, elle n'est qu'une élégante façon d'éluder les vrais problèmes.

Il est d'autre part très vrai que la *naïveté,* cette grâce par laquelle chaque mouvement intérieur trouve immédiatement son expression parfaite, lui avait été refusée. « Il me manque énormément, l'*innéité* d'abord ». Toujours il lui faudra lutter pour devenir ce qu'il était. Mais il avait reçu patience et courage. Et ce douloureux intervalle qui sépare l'idée vague du mot juste, la réalité de son expression, et qui sépare en même temps, si l'on y prend garde, le moment présent de tous les moments passés, la pointe de sa conscience de la masse de son expérience, Flaubert parviendra finalement à le remplir grâce à une laborieuse attente où collaboreront à part égale la puissance accumulatrice de la vie et les pouvoirs constructeurs de l'esprit.

Il serait vain, d'abord, de prétendre transformer l'eau en rocher si l'eau ne contenait déjà en elle une promesse de rocher. « Son style, écrit Jean Prévost, est la plus singulière fontaine pétrifiante de notre littérature [174]... » Mais l'eau des fontaines pétrifiantes n'est que de la pierre liquide : il faudra donc la laisser, au sein de ce liquide, se retrouver et s'assembler. Flaubert rêve d'un lac que son immobilité changerait en marbre, d'une eau figée par le sommeil :

« Je suis comme les jattes de lait ; pour que la crème se forme, il faut les laisser immobiles [175]... »

Ou bien, c'est une sédimentation, boue lentement dépo-

174. *Problèmes du Roman,* p. 28. — 175. *Corr.,* III, p. 377.

sée au fond du lac, qui s'opère dans la paix des eaux
suspendues. Ou bien, métaphore plus fréquente encore,
c'est la régularité du goutte-à-goutte qui dépose chaque
fois, au point d'impact, une mince pellicule de pierre :

« Les affections qui suintent goutte à goutte de votre
cœur *finissent par y faire des stalactites.* Cela vaut mieux
que les grands torrents qui l'emportent. Voilà le vrai, et
je m'y tiens [176]. »

Un vrai auquel on peut en effet *se tenir,* s'appuyer :
le suintement des choses, loin de les faire s'égarer et se
dissoudre, regroupe maintenant l'être en quelques points
choisis ; la goutte est devenue transporteuse de pierre,
architecte d'existence.

Se retournant vers son passé, l'être se fait alors passionnément attentif au travail de cette architecture. « J'ai
entendu dans les carrières le flot invisible qui, à chaque
siècle, hausse les montagnes d'un pouce de plus [177]... »
Flot solidifié sur lequel la vie prend appui. « Mon individu actuel est le *résultat* de mes individualités dispa-
rues [178]. » Solidarité ressentie non point en remontant la
chaîne d'une succession causale, mais en éprouvant derrière soi le soutien d'une épaisseur montante d'existence
qui supporte tous les flottements du présent. Le passé
est l'accumulation des expériences. Descendre en lui, selon
le mouvement dérivant de la mémoire affective, revient
à plonger à travers des couches d'existence de plus en
plus pétrifiées, de moins en moins pénétrables à mesure
que l'on passe du récent à l'ancien, puis à l'historique,
au préhistorique. Car cette descente ne connaît pas de
terme, même pas ceux d'une vie humaine. Point de fond,
ni de commencement de l'être. Flaubert se souvient vaguement avoir été « batelier sur le Nil, leno à Rome au
temps des Guerres Puniques, puis rhéteur grec dans
Suburre... pirate et moine, saltimbanque et cocher... peut-

176. *Corr.,* II, p. 347. — 177. *La Tentation de Saint Antoine,*
1849, p. 345. — 178. *Corr.,* V, p. 148.

être empereur d'Orient aussi [179]... » Tout se perd dans la nuit des temps ; mais c'est justement la profondeur de cette mer temporelle qui permet au nageur de se maintenir à la surface et de se reconnaître lui-même dans le moment présent.

L'écriture n'est que cette reconnaissance. Ecrire, c'est s'enfoncer dans ces profondeurs, y découvrir ce mouvement pétrifié, cette boue d'existence, puis remonter avec elle à sa propre surface et l'y laisser se dessécher en une croûte qui constituera la forme parfaite. L'écriture concentre sur un seul point et en un seul moment toute la solidité lentement accumulée et largement éparpillée dans la totalité de l'espace et du temps. Elle est donc comme une inversion du mouvement naturel de la vie : regroupant dans le présent et dans l'ici, dans la phrase, tout ce que la nature, l'instinct et l'habitude avaient accumulé d'existence dans les profondeurs lointaines de la vie, elle est une reprise, une récupération d'être.

L'être aura donc d'abord à s'y « roidir », à « durcir en dedans [180] » sa mollesse ; il sentira s'opérer en lui un début de coagulation :

« Il faut que je sois dans une immobilité complète d'existence pour pouvoir écrire. Je pense mieux couché sur le dos, et les yeux fermés. Et plus je vais, plus cette infirmité se développe. Quelque chose, *de plus en plus*, *s'épaissit en moi qui a peine à couler* [181]. »

Epaississement douloureux, et que Flaubert peut prendre pour une impuissance : mais sans lui il n'y aurait plus de style, seulement un ruissellement facile. « La perle est une maladie de l'huître et le style, peut-être, l'écoulement d'une douleur plus profonde. » Ecoulement déjà à demi figé, pâteux, tout orienté vers sa propre solidification.

Mais celle-ci ne vient pas tout de suite, et l'écrivain

179. *Corr.*, V, p. 148. — 180. *Corr.*, II, p. 400. — 181. *Corr.*, II, p. 391.

reste un long moment à patauger dans sa pâte. Il tâtonne, esquisse des formes qui s'affaissent, brasse dans tous les sens la substance intérieure :

« C'étaient toutes nuances et finesse où je ne voyais goutte moi-même ; et il est difficile de rendre clair par les mots ce qui est obscur dans votre pensée [182]. » « J'ai esquissé, gâché, pataugé, tâtonné... [183] »

« Cela tient », commente perfidement Du Camp, « à ce que ses conceptions étaient confuses et qu'il n'arrivait à les clarifier que par l'exécution, pareil à ces peintres si nombreux qui, sachant imparfaitement le dessin, ne parviennent à la forme qu'à force de « patocher » la couleur [184] ». Mais Flaubert proteste justement que la conception ne précède pas l'exécution : la forme authentique ne peut naître que d'une activité créatrice de l'être. Il ne sait pas où il va ; il veut aboutir au dessin, non partir de lui ; c'est le « contenu », la couleur ou la pâte, qui, à force d'être travaillé, montera de lui-même vers la forme, comme une crème qui devient beurre :

« Cette crème fouettée n'est pas facile à battre [185]... »

Je crois que le style est en général mou, lâche, c'est une crème qui n'a pas été assez battue [186]. »

Image familière qui éclaire à merveille le double mouvement par lequel la matière s'élève peu à peu vers la forme. Car d'une part la main de l'artisan qui bat la crème, son savoir-faire et sa ferveur sont responsables de son soulèvement. Mais d'un autre côté la crème elle-même demandait à devenir beurre, et l'ouvrier, en paraissant la contraindre, ne fait guère qu'obéir à sa sollicitation. « Tout être, écrit Flaubert après Saint Thomas, a une inclination naturelle vers sa forme ». L'inspiration artistique est sans doute l'état dans lequel un individu doué de puissance plastique, c'est-à-dire apte à toujours soupçonner la substance sous la forme, pourra s'ouvrir au

182. *Corr.,* II, p. 361. — 183. *Ibid.* — 184. *Souvenirs littéraires,* I, p. 84. — 185. *Corr.,* I, p. 48. — 186. *Corr.,* II, p. 387.

soupçon inverse, et accueillir en lui-même ces « inclinations » obscures, tous les appels de l'incréé vers la création :

« Je suis dans un singulier état d'exaltation, ou plutôt de vibration. A la moindre idée qui va me venir, j'éprouve quelque chose de cet effet singulier que l'on ressent aux ongles en passant près d'une harpe [187]... »

En lui quelque chose fait signe, qu'il ne reconnaîtra qu'après l'avoir amené au jour, mais que tout son corps déjà s'apprête à accueillir : la vibration de l'informe lui est comme un pressentiment de la forme. Celle-ci naît alors de la collaboration d'une spontanéité élevante et d'une ferveur attractrice. A la fois soulevée par la vague et attirée par le soleil, Vénus jaillit de l'onde :

« J'étais la Beauté ! j'étais la Forme ! Les Dieux à ma vue se pâmaient d'amour, je *vibrais* incessamment sur le monde engourdi, et *la matière humide, se séchant sous mon regard, s'affermissait de soi-même en contours précis* [188]... »

La beauté, l'intelligence, l' « Esprit », sont comme un soleil sous la tiédeur duquel la mollesse originelle se cristallise en existence vraie :

« J'ai fait nettement, pour mon usage, deux parts dans le monde et dans moi ; d'un côté l'élément externe... ; de l'autre l'élément interne que *je concentre afin de le rendre plus dense* et dans lequel je laisse pénétrer, *à pleines effluves,* les plus purs rayons de l'Esprit, par la fenêtre ouverte de l'intelligence [189]. »

Sous cette lumière desséchante, la sensation se réduit à son essence, l'instinct devient idée.

C'est dans la perspective de cette solidification progressive qu'il conviendrait d'examiner le travail propre-

187. *Corr.,* III, p. 78. — 188. *La Tentation de Saint Antoine,* 1849, p. 479. — 189. *Corr.,* I, p. 278.

ment stylistique de Flaubert. Chaque correction y représente un progrès de conscience, un pas de plus effectué vers un état d'équilibre où l'être puisse adhérer sans réticence à la forme qu'il aura tirée de són propre fond. On peut regretter les pans d'ombre, les explosions poétiques, le gonflement sensuel de la phrase, tout ce qui donnait aux premiers états du texte flaubertien une saveur puissamment fruitée, une splendeur à demi barbare dont les versions définitives se privent le plus souvent. Mais, dans ce style à l'état mouvant, tout sacrifiait à une concupiscence qui devait s'avérer aussi dangereuse pour l'intégrité personnelle que l'avaient été les déclivités charnelle ou matérielle. Dans les brouillons de *Madame Bovary,* par exemple, le langage ruisselle encore d'une jouissance dont nul ne sait si elle lui est propre, ou si elle appartient aux sensations, qu'il veut restituer. Car cette espèce d'écriture est une gourmandise, un moyen de prolonger ou de ressusciter le plaisir. Quand Emma écrit à Rodolphe, « ses sensations recommençaient par cet effort qu'elle faisait à vouloir les traduire ». Mais Emma est justement incapable de *traduire,* de transposer sur un autre plan ce qui a été éprouvé au niveau de la sensation pure : elle ne peut que sentir à nouveau. Celui qui écrit ne cherche plus à *rendre* sa sensation, à la communiquer par le moyen d'un équivalent littéraire, mais seulement à l'éprouver de nouveau dans son épaisseur la plus trouble : et le langage, précisément grâce à tout ce qu'il comporte de louche et d'incontrôlé, lui sert à retrouver ce trouble originel. L'élasticité de cette pâte verbale dont nul mieux que lui ne sut matériellement savourer l'écoulement, le gonflement, les étranglements, les bulles ou les grumeaux, elle est donc pour Flaubert un admirable équivalent de la substance pâteuse en laquelle ses sentiments et sensations tendent toujours à se résoudre : le style informe recouvrait l'être indifférencié.

Le langage contenait cependant, de par sa nature même, des éléments et des principes de différenciation. Ecrire,

c'est dégager le distinct, développer l'enveloppé. Vocabulaire, grammaire, syntaxe, rhétorique, tout le matériel
du langage vise à constituer la phrase, donc la pensée,
comme une architecture, ou du moins à retrouver dans
la masse indifférenciée de toutes les expressions possibles
les linéaments de celle-là seule qui rendra parfaitement
l'objet. L'effort de recherche de cette expression parfaite
est donc en même temps un effort de construction de
l'être. Pour que cet effort ne se dépense pas en vain,
il faudra cependant que dans l'être nouveau ainsi construit puissent se retrouver non seulement l'image de l'état
originel à partir duquel cet être aura été créé, mais même
la trace de toutes les phases qu'aura traversées le travail
de son élaboration. Car si la phrase apparaît bien comme
la croûte dure à laquelle aboutit l'informe originel, elle
doit aussi, et cette fonction est au moins aussi importante que la première, engager à un retour vers cet être
premier qu'aucune construction n'est assez puissante pour
réduire. Bref la forme parfaite délivre de l'informe non
point tant en le ramenant à elle-même, qu'en mettant
celui qui la possède en mesure de le posséder aussi.

C'est une idée chère à Flaubert, et qu'il oppose sans
cesse aux tenants d'un art purement marmoréen, qu'il
faut peindre l'objet à la fois dans sa surface et dans son
épaisseur :

« Il faut faire des tableaux, montrer la nature telle
qu'elle est, mais des tableaux complets, *peindre le dessous
et le dessus* [190]. »

La seule façon d'évoquer cet en-dessous des choses sera
de se fabriquer une langue comportant elle aussi des en-
dessous, des plans étagés, chaque couche s'appuyant en
profondeur sur des couches de plus en plus fluides :

« Il y a beaucoup de troisièmes et de quatrièmes plans
en prose. Doit-il y en avoir en poésie ? [191] »

« Un dialogue dans un livre ne représente pas plus

190. *Corr.*, IV, p. 158. — 191. *Corr.*, III, p. 361.

la *vérité vraie* que tout le reste ; il faut choisir et y mettre des plans successifs, des gradations et des demi-teintes, comme dans une description [192]. »

Chacun de ces plans superposés remplira, dans la production de l'effet total, une fonction fort différente. Les premiers tendront sur la forme une surface lisse sur laquelle glissera le mouvement du récit ; mais les autres devront suggérer la présence sous-jacente d'une pâte savoureuse :

« Comme c'est difficile de faire à la fois gras et rapide... Il le faut pourtant. Dans chaque page il doit y avoir à boire et à manger, de l'action et de la couleur [193]. »

Qualités apparemment contradictoires, mais que le bon style réunira. Le *gras* sera la suggestion de toutes les lourdeurs vaincues, l'éclat qui demeure au creux des sillons mal séchés. La surface apparaîtra dure et glacée, mais au cœur du langage restera enfouie une chaleur dont on devra ressentir du dehors le rayonnement :

« Sois sage, travaille, fais-moi quelque grande belle chose sobre, sévère, quelque chose *qui soit chaud en dessous et splendide à la surface* [194]. »

Splendeur, éclat figé, cuirasse de la phrase. Mais la chaleur en est l'âme, le principe de vie, et la forme, loin d'arrêter cette ardeur, sert seulement à la transmettre jusqu'à nous. Dans l'informe, l' « âme » était égarée ; la forme, telle un projecteur, la braque vers l'extérieur.

« Tout doit parler dans les Formes, et il faut qu'on voie toujours le plus possible d'âme [195]. »

Forme « à la fois claire et dense comme du diamant », infiniment dure et transparente, et qui ne prétendra jamais être à elle-même son propre langage. Flaubert n'écrit pas pour le plaisir d'écrire, mais pour signifier quelque chose, ou mieux pour signifier la totalité des choses. La forme

---

192. *Corr.*, VI, p. 292. — 193. *Corr.*, IV, p. 237. — 194. *Corr.*, I, p. 311. — 195. *Corr.*, III, p. 23.

authentique recueille en elle tout ce qui existait à l'état
d'éparpillement confus dans l'expérience immédiate :

« L'idéal n'est fécond que lorsqu'on y fait tout entrer.
C'est un travail d'amour et non d'exclusion [196]. »

Mot magnifique, et qui marque admirablement toute la
grandeur de l'ambition qui du début jusqu'à la fin soutint
l'aventure flaubertienne. Il s'agissait en effet de se sauver,
mais sans rien sacrifier de soi. Tout devait se retrouver
à l'arrivée dans l'idée et dans la phrase, et même le mouvement de retombée vers l'informe qui semblait la négation de toute phrase et de tout idéal. A travers les fameuses « affres du style » Flaubert dut apprendre à aimer
son impuissance, afin de la transformer en pouvoir ; et
il n'est finalement devenu ce qu'il avait voulu être que
pour avoir d'abord choisi d'être sauvé dans la totalité de
ce qu'il était.

L'art, ne pouvant en raison de sa nature même et des
« bornes » [197] qui le définissent recouvrir cette totalité,
aura donc pour rôle essentiel d'en fournir une suggestion
indirecte. La phrase, comme l'a admirablement montré
Proust, se ferme hermétiquement sur elle-même ; mais en
même temps on devra la sentir s'ouvrir de tous côtés :
point d'art véritable sans la présence d'une dimension
transcendante. Binet qui, dans *Madame Bovary,* se délecte
à tourner des ronds de serviette, « assouvi dans une réalisation tangible », « sans qu'il y ait d'au-delà à rêver [198] »,
n'incarne pas dans le roman la création artistique, mais
bien plutôt l'activité artisanale. L'artiste aura comme lui
« l'âme tout entière passée dans le bout de son doigt »,
mais il sera en outre tourmenté par la nostalgie d'un autre
monde. Il s'attachera à durcir et à circonscrire le réel,
tout en le dépassant vers le possible ou l'implicite. « Vous
êtes résistant comme le marbre et pénétrant comme un

---

196. *Corr.*, VI, p. 15. — 197. « L'art est borné si l'idée ne l'est
pas » *Corr.*, III, p. 52. — 198. *Madame Bovary,* Ed. Pommier,
p. 588.

brouillard d'Angleterre » ,[199] écrit à propos des *Fleurs du Mal,* Flaubert à Baudelaire. Mais chez lui aussi la création artistique s'accompagne à la fois d'une « concentration » et d'une « vaporisation » ; la concentration crée la solidité formelle ; la vaporisation, — cette puissance dispersante que Baudelaire nomme parfois *charité,* et dont l'amour sans exclusive, la volonté de tout retrouver dans l'idéal représentent chez Flaubert un équivalent moral —, baigne en revanche l'œuvre dans un halo magique, et lui confère sa puissance d'émanation, de « pénétration ». Semblables en intention et en nature, leurs « sorcelleries évocatrices » diffèrent seulement par la direction de leur mouvement : à la vaporisation baudelairienne, volatilisation du solide en aérien, passage au spirituel, parfum ou buée montante, Flaubert opposerait plutôt une descente vers l'en-deçà, l'âme liquide et instinctive de la forme. L'esprit chez lui se meut dans les dessous :

« La couleur dans la nature a un esprit, une sorte de vapeur subtile qui se dégage d'elle et c'est cela qui doit animer par en dessous le style [200]. »

Ame végétative, située dans la dimension obscure des choses qu'un philosophe a nommée leur transdescendance.

Il faut cependant bien voir que l' « âme » flaubertienne reste toujours flottante *immédiatement en dessous* de la surface qui la dérobe à notre atteinte : beaucoup moins lointaine que l'*idéal* baudelairien, à plus forte raison que l'idéal mallarméen. Cachée, mais soupçonnable, presque saisissable. Flaubert n'est jamais plus heureux que lorsqu'il croit voir la forme s'attendrir, et palpiter sous elle l'indice de ce *quelque chose.* Exaltation qu'il éprouve par exemple en face d'un bas-relief du Parthénon représentant une poitrine de femme :

« L'un des seins est voilé, l'autre découvert. Quel téton, nom de Dieu, quel téton. Il est rond pomme, plein, abondant, détaché de l'autre et pesant dans la main. *Il y*

199. *Corr.,* IV, p. 266. — 200. *Corr.,* III, p. 263.

a là des maternités fécondes et des douceurs d'amour à faire mourir. La pluie et le soleil ont rendu blond ce marbre blanc. C'est d'un ton fauve qui le fait ressembler presque à de la chair. C'est si tranquille et si noble ! *On dirait qu'il va se gonfler et que les poumons qu'il y a dessous vont s'enfler et respirer...* Comme on se serait roulé là-dessus en pleurant... Un peu plus j'aurais prié [201]... »

Texte merveilleux d'enthousiasme et de jeunesse, et qui permet de comprendre que la sensualité flaubertienne la plus vraie, sa sensualité d'artiste, ne le fait pas retomber vers le donné, mais vit toujours d'élan et de pressentiment : elle saisit dans les choses leurs promesses d'être, devine leur gonflement, appréhende le présent comme une imminence et découvre dans l'immobilité de la forme toute la fécondité ultérieure de la vie.

C'est de la même façon que les en-dessous liquides de la phrase viendront nourrir, irriguer sa signification. De la surface à la profondeur; et à travers tous les plans étagés du langage, circuleront alors, de bas en haut et de haut en bas, progression vers la forme et redescente vers l'informe, tout un ensemble de courants d'existence qui constituent la *vie* du style. Forme et informe s'y trouvent liés l'un à l'autre comme deux parties interdépendantes d'une même unité organique. Comme le bonheur charnel, le bonheur de l'expression crée dans l'être un équilibre circulatoire. De Charles heureux Flaubert écrit que

« quelque chose en lui *de pareil à un sourire fluide* circulait avec son sang du cœur aux yeux, *de la surface au fond* [202] ».

Dans tous les grands styles circulera ce sourire, ou cette « gaieté sérieuse [203] » qui soulève l'existence d'Emma au moment de ses amours avec Rodolphe. L'impression

---

201. *Corr.*, II, p. 299. — 202. *Madame Bovary*, Ed. Pommier, p. 165. — 203. *Madame Bovary*, Ed. Pommier, p. 382.

de facilité et de naturel que l'on éprouve en face d'eux tient à la liaison vivante qui fait s'unir et se nourrir les uns des autres leurs éléments les plus divers. La phrase elle-même, la succession des mots, devient alors comme un épiderme derrière lequel on sent tous les mouvements d'une chair :

« Il faut avoir avant tout du sang dans les phrases et non de la lymphe, *et quand je dis du sang, c'est du cœur*. Il faut que cela batte, que cela palpite, que cela émeuve [204]... »

Car « la littérature n'est pas une chose abstraite ; elle s'adresse à l'homme tout entier » [205]. De l'extrême pointe de son esprit jusqu'au plus profond de ses entrailles, elle prétend épouser ou rétablir en lui, à égale distance de la dissolution et de la pétrification, le rythme naturel de la santé. D'où l'utilité du *gueuloir* : en les obligeant à se plier à la structure de son corps, aux mouvements de sa respiration, Flaubert y vérifiait si ses phrases étaient ou non viables :

« Les phrases mal faites ne résistent pas à cette épreuve ; elles oppressent la poitrine, gênent les battements du cœur, et se trouvent ainsi en dehors des conditions de la vie [206]. »

Les phrases bien faites, au contraire, non seulement épousent ces conditions, mais ont le pouvoir de rétablir le mouvement vital chez ceux, crispés ou détendus, qui l'avaient laissé s'altérer. A travers le développement équilibré de la phrase l'existence retrouve son harmonie. « Les vieux poètes, dit Flaubert en citant Max Muller, n'avaient pas le temps de chercher les ornements poétiques... Ce qu'ils cherchaient c'était l'expression juste de ce qu'ils sentaient. Une expression heureuse était pour eux un *véritable soulagement* [207]. » Soulagement donc que les trop fameuses

204. *Corr.*, IV, p. 62. — 205. *Carnets, Notes de Voyage*, II, p. 358. — 206. Cité par Bourget, *Essais de Psychol. Cont.*, I, p. 129. — 207. *Carnets, Notes de Voyages*, II.

affres, puisque chaque bonheur d'expression y devenait un bonheur de l'être dans sa totalité.

Ce bonheur serait toutefois incomplet s'il n'enveloppait pas le sentiment d'une progression horizontale, d'une avancée vers un certain dénouement. Or la phrase, le paragraphe, le chapitre même réalisent bien, chacun dans les limites de sa propre unité, un équilibre intérieur ; mais Flaubert éprouve toujours une certaine difficulté à lier ces harmonies successives en une harmonie totale, à faire qu'une suite de paragraphes devienne une scène, une suite de scènes, un roman. Tout y reste noué.

« Chaque paragraphe est bon en soi, et il y a des pages, j'en suis sûr, parfaites. Mais précisément à cause de cela, ça ne marche pas. C'est une suite de paragraphes tournés, arrêtés, et qui ne chevauchent pas les uns sur les autres [208]. »

Il faudra donc briser cette perfection paralysante, « dévisser » les paragraphes, « lâcher les joints comme on fait aux mâts des navires quand on veut que les voiles prennent plus de vent ». Il faudra en somme donner du jeu à la forme, la rendre à nouveau perméable à cette fluidité qu'elle se proposait de recouvrir, et la laisser, du moins dans ses contours, se dissoudre et s'écouler vers la forme suivante. Horizontalement, comme en profondeur, elle devra donc collaborer avec l'informe, lui prêter sa dureté, lui emprunter sa continuité. « J'aime les phrases droites et qui se tiennent debout tout en courant, ce qui est presque une impossibilité [209]. » Mais le grand style surmonte cette impossibilité ; la vie s'y écoule tout en y demeurant elle-même :

« La continuité constitue le style comme la constance fait la vertu. Pour remonter les courants, pour être bon nageur, il faut que de l'occiput jusqu'au talon le corps soit couché sur la même ligne. On se ramasse comme un

208. *Corr.,* III, p. 92. — 209. *Corr.,* II, p. 434.

crapaud, et l'on se déploie sur toute la surface, en mesure, tête basse et serrant les dents. *L'idée doit faire de même à travers les mots* [210]. »

L'idée se tend et se glisse dans la masse molle du langage. La forme se coule sur la continuité de l'informe : mais il est significatif que, tout en utilisant le pouvoir liant, elle refuse d'en épouser la pente. Ecrire, c'est nager en soi, mais c'est nager *à contre-courant*.

Flaubert a-t-il réellement réussi dans sa tâche ? A-t-il réalisé son grand dessein d'homme et d'artiste ? Les sceptiques diront qu'une entreprise comme la sienne ne saurait se juger que d'après ses résultats. Une longue étude devrait donc normalement s'ensuivre qui, examinant dans le détail les états successifs de la création flaubertienne, montrerait s'il existe des uns aux autres progrès de fermeté, de densité existentielle, et qui indiquerait en outre si la forme finale a conservé en elle quelques traces de la fluidité qui caractérisait l'inspiration première. Une telle étude ne saurait s'inscrire dans le cadre de cet essai. Et d'ailleurs, si éclairante que s'avèrent ses conclusions, peut-être n'est-elle pas absolument nécessaire pour nous permettre d'apprécier justement l'originalité et la grandeur de Flaubert.

Cette grandeur nous paraît en effet résider, avant tout résultat, toute œuvre, dans une certaine nuance de tension intérieure, dans le continuel effort d'un nageur sans cesse appliqué à remonter son propre courant. Mais à l'intérieur de cet effort, et pour en rendre la réussite encore plus improbable, s'exerce un effort en sens contraire qui vise à empêcher la volonté, ou l'art, de crisper ou de pétrifier l'être. Contre l'exigence de perfection formelle une force têtue ne cesse de maintenir les droits de l'anarchie,

210. *Corr.*, III, p. 401.

de la mollesse, de la vérité la plus intérieure et la plus scandaleuse.

C'est ainsi, croyons-nous, qu'il faut comprendre la fameuse prière de Flaubert, écrite à son retour de Carthage, « la nuit du samedi 12 au dimanche 13 juin, minuit », de l'an 1858 : texte qui fait irrésistiblement songer au Mémorial pascalien, lignes brûlantes, les seules peut-être, les plus émouvantes en tout cas qu'ait inspirées la religion de l'art. Flaubert arrive à Croisset, tout étourdi encore par le tournoiement de ses souvenirs de voyage, tout agité par la fièvre de ses dernières journées parisiennes ; il s'assied à son bureau, devant sa grande table toute vide, dans l'attitude où la légende l'a pour jamais fixé, et il attend que tout ce tumulte s'apaise. En lui rien d'autre qu'un état de vacance, une imminence encore sans visage. « Vais-je travailler ? écrit-il, vais-je m'ennuyer ? » Et c'est en réponse à cette question, et du fond même de son silence, que s'élève l'étonnante prière :

« Que toutes les énergies de la nature que j'ai aspirées me pénètrent et qu'elles s'exhalent dans mon livre. A moi, puissances de l'émotion plastique. Résurrection du passé, à moi, à moi. Il faut faire, à travers le Beau, vivant et vrai quand même. Pitié pour ma volonté, Dieu des âmes, donne-moi la Force — et l'Espoir [211]... »

Au travers du *Beau,* et contre l'effort de cette volonté artistique que Flaubert, en un trait prodigieux, s'implore lui-même de prendre en pitié, il supplie on ne sait quelle inexistante divinité de sauver, en lui et dans son œuvre, le « vivant » et le « vrai », bref cet obscur en dessous qui relève seulement du *Dieu des âmes.* Et que l'on ne voie pas dans cette supplication une ultime opposititon de la beauté et de la vérité, de l'émotion plastique et de la vie intérieure. C'est au Dieu des âmes que Flaubert demande de lui envoyer la *Force,* le pouvoir qui domi-

---

211. *Voyages,* Ed. Dumesnil, T. II, p. 585.

nera l'âme même pour mieux l'exprimer et la transmuer en beauté. Car l'authentique beauté ne peut naître que d'une exigence de vérité, et c'est la vie qui soutient jusqu'au bout l'indispensable *Espoir*.

Table

Connaissance et tendresse
chez Stendhal

Stendhal double et unique, 19.

La création de la forme
chez Flaubert

IMP. HÉRISSEY A ÉVREUX (EURE) Nº 9832
D. L. 1er TR. 1970 Nº 2540

Collection Points